JN059897

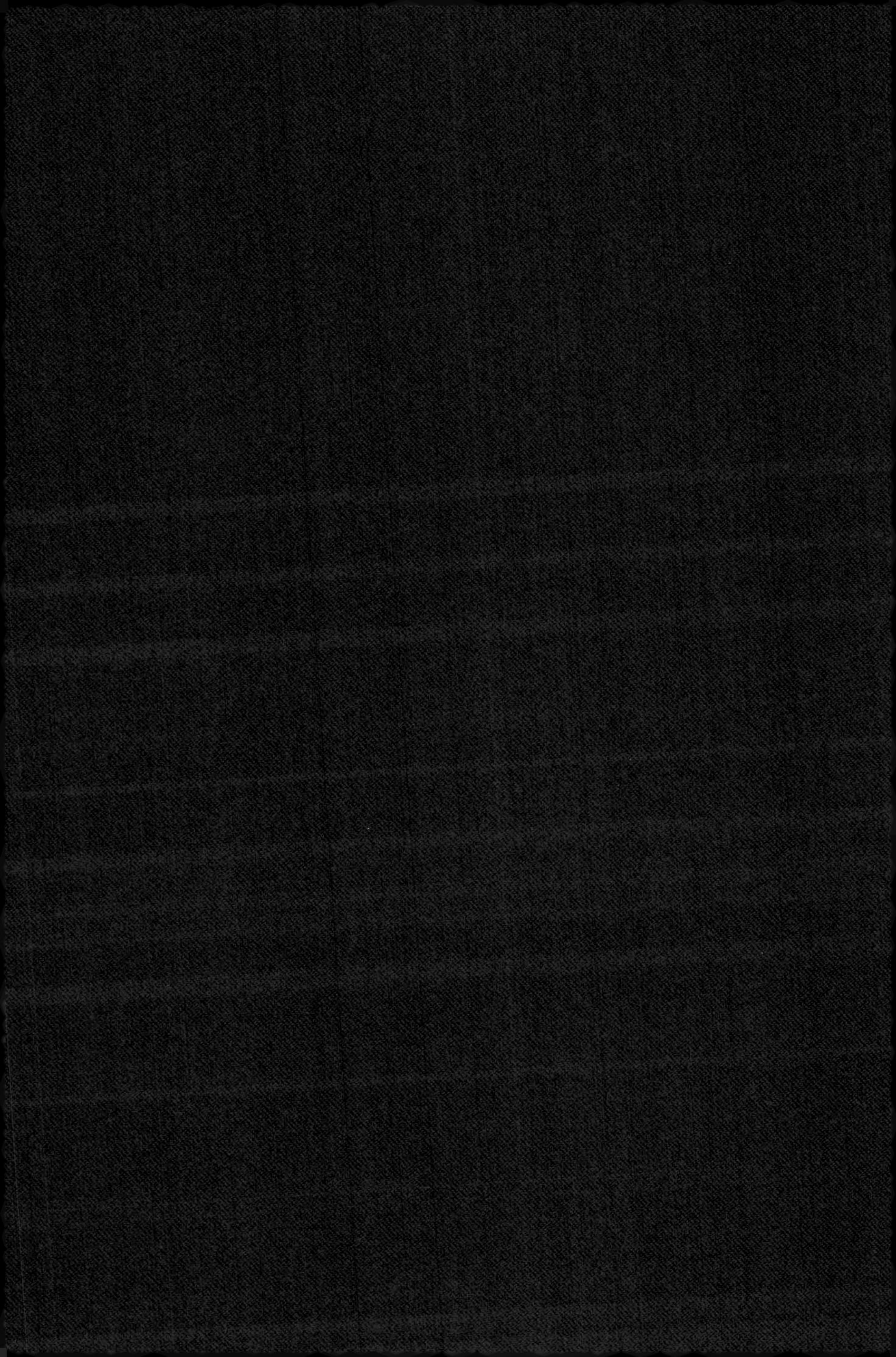

生と死を分ける翻訳

DANCING ON ROPES
Anna Aslanyan
Translators and the Balance of History
Translation: Ogawa Koichi

アンナ・アスラニアン

聖書から機械翻訳まで

小川浩一＝訳

草思社

DANCING ON ROPES
Translators and the Balance of History
Anna Aslanyan
Translation: Ogawa Koichi

生と死を分ける翻訳　目次

DANCING ON ROPES

本文中の〔　〕は訳注。
本文中の［　］の数字は巻末にある参考文献の既訳を参照したもの。

Introduction 序章

翻訳者は
ロープの上で踊る

一九四五年七月二十六日、連合国首脳は交戦相手の日本に対し、降伏を要求する最後通告「ポツダム宣言」を発表した。その内容は即座に米国戦時情報局のラジオ放送を通じて日本にも伝えられた（日本時間では翌二十七日の早朝）。その知らせを受けた東郷茂徳（しげのり）外務大臣は、これを無条件の降伏勧告とは受け取らなかった。外相は鈴木貫太郎首相に連合国との条件交渉を進言し、この事案を国内外に対し最大限の慎重さをもって扱うよう力説した。軍部からは、外相の対応策に異議を唱え、この宣言は道理に合わないと返答すべしとの声も上がったが、首相は外相案を支持し、政府の見解を付さずに宣言文のみを新聞で公表することになった。しかし、新聞各紙は、ポツダム宣言を検討に値しない「笑止」（ある新聞の見出し）な代物と断じ、政府の意に反してこれを批判的に報じた。国としての立場を示す必要に迫られた政府は、妥協策として、ポツダム宣言を拒絶することは避けるものの、重視はしないという旨の声明を首相が読み上げることにした。鈴木首相は記者会見で、政府としてはこの宣言文書になんら重大な価値があるとは考えないと述べ、「ただ黙殺するのみ」と付け加えた。

「黙殺」は、英語に直訳すれば〈kill with silence（沈黙でもって殺す）〉となるが、鈴木貫太郎は後年、この語を「ノーコメント」の意味で使ったと語っている（英語の〈no comment〉に直接対応する日本語表現はない）。アメリカでは、この「黙殺」が〈ignore（無視する）〉や〈treat with silent contempt（無言の侮蔑をもってあしらう）〉と訳され、七月三十日付『ニューヨーク・タイムズ』紙の一面には、「日本、連合国の降伏勧告を公式に拒絶」との見出しが躍った。広島の運命はここに定まったのである。

もちろん、歴史家が正しく指摘するように、原爆投下という悲劇は翻訳の問題だけで引き起こされたわけではないが、翻訳者の役割に関しては、職業の誕生と同じくらい古くから議論されてきた。常に議論の的になってきたのは、翻訳プロセスにおける翻訳者の主体性という問題である。私たちは多言語世界に住んでいるが、この世界の歴史の天秤は、いたって平穏な時代でさえ不安定なものであり、言葉の解釈一つで左や右に大きく傾く。翻訳者の中には、自分を単なるパイプ役と考え、意味だけを通す不可視のフィルターに徹することを理想とする人もいるが、そんなに単純にいくものではないとの声もある。翻訳（通訳）者は、自分なりの単語を使い、自分なりのアクセントや抑揚をつけて翻訳（通訳）するしかない以上、どうしたって原文に影響を与えてしまうからだ。翻訳者には原文に手を加える自由があるのだろうか。また、そうすべきなのだろうか。これから実例を見ていくが、翻訳という仕事の性質上、翻訳者が原文に介入しないでいるのはほぼ不可能に近い。

二〇一八年、アメリカのドナルド・トランプ大統領が、特定の国家を指して〈shithole countries（クソ穴国家）〉と発言したことがあった。このとき、世界各国の翻訳者はこの語の卑俗的なニュアンスを和らげるのに苦慮した。最も遠回しな訳語は、台湾で使われた「鳥が卵を産まない国（鳥不生蛋的國家）」だった。日本では「便所のように汚い国」、ドイツでは「ゴミ捨て場（Drecksloch）」と訳された。同じく二〇一八年、ブラジルの大統領選挙でジャイル・ボルソナロ候補が政治腐敗に関して使った〈limpeza〉というポルトガル語を、海外メディアはこぞって〈clean-up（一掃）〉と訳した。ボルソナロの真意がどこにあったのかは不明だが、〈clean-up〉と訳されたことで、彼の政敵が被っていた事態の深刻さが矮小化されてしまったのではないかとも思う。政敵は実際に〈cleansing（粛清）〉すると脅され、身の危険を感じていたとも言われているからだ。原文に使われた語句の意味範囲が広すぎる場合には、翻訳者の訳語選択次第で重大な結果を招くこともある。イランでは一九七九年のホメイニ革命以降、ペルシア語〈Marg bar Amrika〉を逐語的に英訳した〈Death to America（アメリカに死を！）〉という表現が広く使われるようになったが、これを〈Down with America（アメリカを打倒せよ！）〉に訳し変えるだけでも、世界の実像が今よりも少しくっきりと見えてくるはずだ。

私はフリーランスの翻訳者・通訳者だが、これまでの仕事で、歴史の天秤を傾けてしまうほど大きな誤訳をした記憶はない。しかし、長年にわたる実務経験は、翻訳について考える材料を山ほど与えてくれた。その結果、一つ間違えば重大な結果を招きかねない状況の中で、その状況に介入せざるをえない翻訳者のありようがより鮮明に浮かび上がってきた。ここでは、翻訳者のそうしたイメージを今少し膨らませておきたい。

人間のコミュニケーションには、「理解し合える内容は期待よりもずっと少ない」という但し書きが常について回る。同じ言語で話す場合でさえ、そうなのだ。通訳者になったばかりのころ、私はある裁判でそのことを痛感させられた。私が担当したのは、子どもの親権を取り戻すべく控訴した女性だった。彼女は審理の間中、両手に顔をうずめて座っていた。最初のうちは気づかなかったし、彼女に聞いてもそうとは言わなかっただろうが、私が覚えたての法律用語を織り交ぜつつ苦労して通訳していた審理の細かな内容など、彼女にとってはどうでもよかったのだ。彼女が知りたかったのはただ、息子と再会できるのかどうかという一点のみだった。裁判官が「当法廷は控訴を認める」という判決を言い渡したときも、彼女はその朗報に反応しなかった。その後、弁護士が判決文の意味を噛み砕いて説明してくれたので、それをしかるべく通訳したところ、彼女はようやく顔を上げてうなずいた。このとき初めて、彼女はすべてを理解したのだ。私は、肩にのしかかっていた辞書の重荷がすっと下りるのを感じた。

何であれ翻訳を試みた経験がある人なら、概念の違いや文化的な先入観によって生じる言語間のズレにことさら関心を抱くだろうと思う。この見落とされがちな空間の中で、翻訳者はえてして自分の判断力だけを頼りに訳語を選択しなければならない。翻訳に関するすべての切り札を手にしているのが翻訳者自身である以上、そうするしかないではないか。そのとき、訳語選択という翻訳者の意思決定プロセスを支えるのは、言語は違えど同じ人間が考えたことなのだから翻訳できないわけがない、という信念である。

スペインの哲学者ホセ・オルテガ・イ・ガセットは、一九三七年の有名な論考「Miseria y esplendor de la traducción（翻訳の悲惨と栄光）」の冒頭で、翻訳は非現実的な企てであると書いている。人間は言葉ではなく概念で思考しているとオルテガはいう。彼によれば、外国語辞書に載っている見出し語と訳語は、等価なものではない。この二つの語は慣習的にたがいの訳語とみなされているが、実際にはまったく同一の意味内容を持っているわけではないからだ。同様の主張はオルテガ以外にもみられる。人間の脳内での思考は思考の言語（メンタリーズ）と呼ばれる、自然言語とは別個の記号体系によってなされると主張する人たちがそうだ。

彼らの仮説に従えば、正確な翻訳を実現するには、翻訳元言語（ソース）の類語辞典（各見出し語の同義語や類義語を網羅したもの）と、各単語のあらゆる文脈での例文集が必要になる。そして、同じように翻訳先言語（ターゲット）にも、単語だけでなく実際の用例も記載された辞書や参考書がある場合にのみ、二言語間の正確な対応語が見つかる可能性が出てくる。こうした各言語の単語とその用例を網羅した辞書類が用意されない限り、完全な翻訳など夢物語でしかない（同じ理屈に従えば、書くことも、読むことも、話すこともやはり夢物語であり、突き詰めれば、あらゆる知的営為は夢物語ということになる）。だとすれば、翻訳はどうにも解決不可能な問題に思えるかもしれない。しかし、複数言語間のコミュニケーションが曲がりなりにも成立している現実がある以上、取り組んでみる価値はある。それを実現する方法はいくつも考えられるが、一語一語を対応させる逐語訳では、まずうまくいかない。うまくいくとすれば、それは観念上の世界、あらゆる単語の定義や訳語があらゆる辞書で完全に一致し、あらゆる文章が明確に書かれ、あらゆるメッセージが丁寧に発音されるような理想世界の中だけだろう。私たちが生きる現実世界ではそうはいかないが、だからこそ、やりがいが増すというものだ。

翻訳者が本当に気にしているのは、言葉そのものではなく、その意味である。意味を変えずに翻訳するには、原文の馴染みのない表現を聞き慣れた表現に言い直して理解しやすくすることもできるし、訳文に異国の調べをいくらか残してそれがそのまま伝わるようにすることもできる。この二つの方法は、たがいに相容れないものなのだろうか。それを解くカギは、翻訳という行為をどのように定義するかにある。翻訳は、それに携わる当人の動機に応じて、芸術にもなれば工芸にもなるし、気晴らしや趣味、日々の必需品にもなる。創作と変わらぬほどの創造力を要する場合もあるが、二次的な活動でもある。翻訳にはまず原文がなくては始まらないからだ。また、天職や本業にもなりうる仕事だが、副業として、他の仕事から離れて一休みする必要があるときや、何か新しい経験を切望しているとき、あるいはただ絶望しているときの拠り所となる作業でもある。翻訳者には、詩人、奴隷、医師、奉公人、弁護士、スパイ、聖職者、外交官、兵士など、他の職業を兼ねていた者も少なくない。作家でもある翻訳者のエリオット・ワインバーガーは、こう言っている。「翻訳を、家具作りやパン作り、石積みのような仕事だと考えてみよう。素人でもできる仕事だが、プロならもっとうまくやる」

他の仕事と同じように、翻訳も需要と供給に左右される。原作に刺激を受けてその翻訳を試みることもあれば、単に生活のために来るもの拒まず、離婚訴訟や実験小説、車のマニュアルや旅行のパンフレットなど、さまざまな翻訳を手当たり次第に引き受けることもある。仕事に取り組むうちに、その行為が周囲の世界を予想以上に変えてしまうこともある。本書では、翻訳以外にも幅広く活動した翻訳者たちに焦点を当て、その活動が翻訳に対する取り組み方にどのような影響を与えたのかを探ってみたい。また、翻訳の質というとらえどころのない概念や、翻訳者と依頼者の関係についても考察する。翻訳者と依頼者の関係は、たがいの知識にどうしてもズレが生じるため、とりわけ複雑なものになっている。最後に、翻訳の未来を一瞥する。機械に対抗するために、翻訳者がさらに多くの芸を身につける必要に迫られる日が来るのもそう遠くないだろう。

本書に収められた物語はさまざまな翻訳者の仕事ぶりを示し、彼らがしたことによって次に何が起こったのか、その具体的な行動と結果（重大なものもあれば、そうでないものもある）を描いている。理論に関しては、翻訳警察（翻訳研究者の中でも特に教条的な人たちを業界ではこう呼ぶ）の管轄である。彼らは、言語に関することのみならず、倫理や政治に関することにまで、さまざまなルールを押しつけるのが自分の責務だと考えている人たちだ。このような人たちは、翻訳という生態系の一部ではあるが、本書の対象ではない。本書は、さまざまな抽象的概念の間を右往左往する人たちの話ではなく、解決策があるかどうかもわからない問題を解決しようと、思案の末に思い切って跳躍を試みる人たちの話だ。翻訳者が夜通し頭を悩ませているのは、翻訳は実現可能かといった類いの抽象的な問題ではない。それは、具体的な成句、論文、詩歌、演説、小説、判決、ジョークなどを、実際にどう翻訳（通訳）するかという問題であり、文言（レター）と精神（スピリット）の両方を保ちながら、わかりやすく表現するにはどうすればよいのか、原文の真意を読み取り、それを訳文として提示するにはどうすればよいか、という問題である。

翻訳が、言語間のズレを見つけ、意味と意味との妥協点を見つける行為だとしたら、このバランスをとるにはどうするのが最善策なのだろうか。ジョン・ドライデンは、自ら訳したオウィディウス『Epistles（書簡集）』の序文（一六八〇年）で、「逐語訳し、なおかつうまく、というのは不可能に近い[1]」と書いている。

> 要するに、一字一句を逐語的に訳す者はすぐさま幾多の困難に苦しめられ、その多さゆえにそのすべてから解き放たれることなどありはしない。その翻訳者は作者の思想とその言葉を同時に考え、別の言語においてそれぞれに対応するものを見つけ出さなくてはならない。そればかりでなく、韻律という制限と脚韻という苦役に自らを縛りつけねばならない[1]。

この問題を熟考した末に、ドライデンは今なお有効な結論を下す。

> それはロープの上で両足に枷（かせ）をはめられつつ踊るようなものだ。用心すれば落下は避けられようが、華麗な動きは期待できない。われわれが最善とするものでも、やはりばかげた仕事である。拍手ほしさに危険へ飛び込めば、素面（しらふ）の者さえ首を折りかねない。[1]

綱渡りのロープの上で踊る人の姿は、その含意に陽気さと不吉さを併せ持ち、この職業にふさわしいイメージである。翻訳者は、同時にいくつもの目標に向かって仕事を進めなければならない。一定の制約を守りつつ、メッセージを伝えること。直立姿勢を保ちつつ、しなやかさを失わないこと。すべてをバランスよく保つために、翻訳者はこれらの至難の業に近い目標の間を絶えず行き来する。そして、彼らとともに世界もまた動いている。

第一章 世界を揺るがせる Shaking the World

諺の知識が世界を救う

古代ローマ人は「平和を望むなら、戦争に備えよ」と言った。冷戦中、アメリカとソビエト連邦は、たがいに自らのイデオロギーの優位性を証明しようと激しく衝突していた。どちらも平和という大義のもとに行動していると主張し、一歩も譲らなかった。当時は、一連の技術革新にともない、新たな語彙が次々と導入されていた時代だった。「コンピューター」や「サイバネティクス」といった用語が広く普及し、ロシア語で「同伴者」を意味する〈спутник/sputnik（スプートニク）〉は、「鉄のカーテン」の向こう側で開発された人工衛星を意味する語として使われるようになった。「資本主義」と「社会主義」という二つの用語は、両陣営で定義が異なるにもかかわらず、翻訳をほぼ必要としなかった。冷戦は信念をめぐる戦いであったが、同時に言葉の意味をめぐる戦いでもあった。そのため、相手側の発言はしばしば曖昧に聞こえた。本当に何を言っているのかわからない場合もあれば、何かを企んでいる場合もあった。また、自ら仕掛けたプロパガンダの罠にはまることもあった。米ソ両超大国間の口頭でのやり取りは通訳を通すことで屈折し、時には膠着状態に陥り、さらには核戦争の危機を招く結果にもなった。

一九五九年、リチャード・ニクソン副大統領とニキータ・フルシチョフ首相（閣僚会議議長、第一書記）の初会談が決定すると、誰もが諺対決を予想した。成句表現を多用しがちなフルシチョフに対抗するため、ニクソンはアメリカの諺を磨き直すよう助言を受けた。助言に従ったニクソンは、フルシチョフの伝記作家ウィリアム・トーブマンの言葉を借りれば、激しい「言葉の殴り合い」を繰り広げ、一歩も引かなかった。「ソ連の支配下にある国々」――当のソ連はなぜだか〈enslaved（隷属状態の）〉という曖昧な語を好んだ――の支援のために米国連邦議会で可決された虜囚国家決議（Captive Nations Resolution）についての議論が行き詰まった際、ニクソンは思い切って諺を食らわせた。「この馬は鞭を打たれすぎて死んでしまったから、別の馬に変えましょう〈諺「Don't beat a dead horse」（死んだ馬に鞭を打つな＝無駄なことをするな）の応用。つまり、「話題を変えましょう」という意味〉」。すると、フルシチョフはこうやり返した。「この決議は臭う。新鮮な馬のクソのように臭う。馬糞ほど臭いものはない」。ニクソンはその切り返しも準備済みだった。「お言葉ですが、議長は間違っておられる。一番臭いのは馬のクソではありません。豚のクソです」。場の汚れた空気を入れ換えようと思ったのか、フルシチョフの通訳者は「クソ」をロシア語の「肥やし」に置き換えて訳した。速記者はそれをきちんと書き留めたが、「肥やし」はニュース解説者に好まれず、報道ではもっぱら直訳の「クソ」が使われた。

この会談は、モスクワで開催中だったアメリカ博覧会の会場で行われた。フルシチョフが、ソ連はじきにアメリカに「追いつき、追い越す」（別訳では「追い越し、上回る」）だろう、という有名なセリフを吐いたのはこのときである。ニクソンは即座に反論した。確かに宇宙開発ではソ連がリードしているかもしれないが、「たとえば、カラーテレビなど、我が国が先行している分野もありますよ」。そう言いながら、ニクソンは録画中のビデオカメラに向かって手を振った（このとき初めてビデオテープがはるかソ連にまで運ばれた）。すると、フルシチョフが「ニェット、ニェット」と口をはさみ、「その技術でもすでに貴国を追い越している」と反論した。この二人の舌戦は博覧会場に建てられたモデルハウスの、最新設備を取り入れた「奇跡のキッチン」で行われたため、「キッチン論争」とも呼ばれているが、フルシチョフはそのキッチンが滑稽に思えたようで、「口の中に食い物を放り込んで食べさせてくれる機械はないのか」と皮肉を言った。また、当時最新のコンピューターIBM三〇五を見せられると、ソ連にも似たような性能ではるかに巨大なコンピューターが山ほどある、とにべもなく答えた。

フルシチョフの「クズマの母」とは誰か？

ニクソンは、フルシチョフの豪快な話しぶりと、「吹奏楽団の指揮者もうらやむような多彩なジェスチャー」を織り交ぜたボディーランゲージの見事さに感服していた。とはいえ、フルシチョフの発言にはアドリブが多く、通訳者泣かせだった。クソ論争の後は、フルシチョフのさまざまな自慢話や威嚇的発言が続いたが、通訳者は、彼が唐突に繰り出すロシア民衆の知恵、つまり諺や慣用句にほとほと手を焼いた。文芸翻訳者とは異なり、外交通訳者の多くは雰囲気や流暢さを多少犠牲にしてでも、なるべく逐語訳で押し通そうとする。だから、フルシチョフがアメリカ側に「クズマの母」を見せると約束したとき、その慣用句（「目に物見せてやる」という意味の曖昧な威嚇）は直訳され、話の続きを聞いても、それがどういう意味なのかは判然としなかった。

得体の知れぬ謎の母親は、しばらくアメリカ側を困惑させ続けた。同年末に行われた別の会議でも、フルシチョフは「クズマの母をお見せしよう」と繰り返したが、そのときの通訳者ヴィクトル・スホドレフはそれを嘲笑表現として訳してしまった。誰もが一悶着起きると覚悟したが、フルシチョフはスホドレフのほうへ向き直り、こう言った。「また、クズマの母でしくじったのか？　いいか、きちんと説明してやれよ。簡単じゃないか。それは『これまでに一度も見たことがないもの』という意味だ」。それで謎が解けた。フルシチョフには威嚇する意図など（少なくともその表現を使っては）まったくなかったのである。単にこのロシア語の意味を取り違えていただけだったのだ。

通訳における直訳主義は、業界でいう「比喩の拡張」を招くリスクを減らせる。比喩の拡張とは、一見何の変哲もない諺や慣用句がその比喩的な性質を失ってしまった状態を指す。これに関しては、数多くの事例が実話として語り継がれているが、この手の話にはたいてい尾ひれがつくので、事の真相にまでさかのぼれるとは限らない。しかし、作り話かどうかにかかわらず、こうした事例の数々は諺の油断ならない性質をよく表している。一例を紹介しよう。これはある主要な国際会議でのやり取りと伝えられているものだ。ソ連の代表が英語の「リンゴとオレンジを混ぜる（mix apples and oranges）〔異なる種類のものを一緒くたに扱う〕」に相当するロシアの成句を使ったところ、通訳者は知恵を絞った末に、「デンマークでは何かが腐っている」〔『ハムレット』からの引用。腐敗など、何かよからぬ事態が進行中である状況を示唆する表現〕と訳した。デンマークの代表がすかさずマイクを握って、この「不当な中傷」に抗議すると、あっけにとられたソ連代表は、デンマークの「挑発行為」を非難した。また別な例では、「できれば液体肥料は使いたくないという人もいる」という発言を、通訳者が「液体肥料は万人の好み（everyone's cup of tea）とは限らない」と英訳して、ＥＵの会議を沸かしたこともあった。

やっかいな表現をどう訳すか

冷戦時代の政治的発言に浸透していた曖昧な表現は、その多くが意図的なものであったが、不安に起因する場合も少なくなかった。どうやら言葉に迷ったときはジョークでごまかすというのが定石（じょうせき）だったようだ。この作戦はうまくいくこともあれば、裏目に出ることもあった。一九五八年、モスクワを訪れた米国上院議員ヒューバート・ハンフリーと会談したフルシチョフは、彼に地元はどこかと尋ねた。ハンフリーが地図でミネアポリスを指差すと、フルシチョフはそこに青鉛筆で丸をつけ、「ロケット〔西側の用語では「ミサイル」〕を飛ばすときに、この都市を避けるよう指示するのを忘れないでおこうと思ってね」と説明した。ハンフリーは、フルシチョフがモスクワに住んでいることを確認した上で、こう返した。「議長、誠に遺憾ながら、ご厚意に報いるわけにはまいりません」。このやり取りはその場にいた全員を楽しませたが、最後に笑うのは誰なのかは見当もつかなかった。当時、ソ連は、一九五七年にスプートニク一号を打ち上げ、その二年後には初の月探査に成功するなど、急速な経済成長と宇宙開発の進展ぶりに沸いていた。フルシチョフが推し進めていた「平和攻勢」は、一九五九年のアメリカ訪問で頂点に達した。それは、彼の西側に対する愛憎感情のピークでもあった。訪米には通訳者を兼ねた側近として、帰国直後に外交政策主任補佐官となったオレグ・トロヤノフスキーと、東西両陣営から尊敬を集めるベテラン言語学者スホドレフが同行した。二人はそれぞれの回顧録で、この訪問について触れている。

初めてアメリカを訪れたフルシチョフは、どんなに感情を揺さぶられようとも、それを表に出すまいと心に決めていた。通訳者には、彼の反応を「追いつけ追い越せの精神」に則り、しかるべく伝えるようにとの指示が出されていた。アメリカに到着早々、ワシントンへの道すがら、その指示を広い意味で解釈すべき事態が発生した。沿道には推定二十万人もの大群衆が立ち並んでいたのだ。ごく一部の人たちは笑顔で手を振っていたが、トーブマンによれば、大半は「石のように無表情な顔をして、妙に押し黙って」立っていた。『ワシントン・ポスト』紙の記者ジョージ・ディクソンは、群衆の雰囲気についてこう記している。「歓声を張り上げるべきなのか、おざなりに拍手をしておけばいいのか、それとも、ただ突っ立って、どうとでも取れる言葉を小声で発しておくのが無難なのか、私にはわからなかった」。ソ連の報道陣は、いかなる声や音であろうが、そのすべてを明確な言葉に訳して記事にした（「波のように押し寄せる歓声」、「拍手の嵐」、「歓喜の声」、「喜び、温もり、思いやり」）。スホドレフは、群衆の一部に熱に浮かされたような表情の人たちがいるのに気がついた。何のことはない、彼らはソ連大使館の指示で沿道に配置された職員とその家族だったのである。

　最初の会談では、フルシチョフが場を和ませるために、先ごろ月面に到達した宇宙カプセルの模型が入った箱をドワイト・D・アイゼンハワーに進呈した。彼はいつものようにおしゃべりだった。スホドレフは、その「歯止めの効かない饒舌ぶり」を回顧録に記している。一方、一九五〇年代に駐ソ連英国大使を務めたウィリアム・ヘイターは、フルシチョフを「せっかちで騒々しく、多弁で自由奔放な」人物と評し、「外交問題については、こちらが心配になるほど無知だった」と述べている。フルシチョフは「文を短く区切り、語気荒く、断固たる口調で話した」。「言葉の選択を間違え」て「失言してしまう」ことも多かったが、そんなときはたいてい通訳者がさり気なく訂正した。発言者が言い間違いをした際、通訳者がそのまま訳すべきか、それとも修正した上で訳すべきかについては、確固たるルールがない。スホドレフの基本原則は、「発言者が明らかに言い間違いだと考えられるミスをした場合、当人の注意を引くことなく訂正する」だったが、すべての通訳者が同じ考えというわけではない。

通訳者間の冷戦

　ホスト国のアメリカがフルシチョフの機嫌を取るために手を尽くしている一方で、当のフルシチョフは不安にさいなまれ、ひっきりなしに癇癪（かんしゃく）を起こしていた。事あるごとに侮辱と受け止め、側近が、物議を醸している問題の多くは「アメリカ流多元主義」の反映であるといくら説明しても、まったく聞く耳を持たなかった。カリフォルニアのＩＢＭ社を訪問した際には、以前のキッチンに対する態度から一転、コンピューターよりもカフェテリアを気に入った（ソ連の一部の都市では早速セルフサービスの飲食施設がお目見えしたが、コンピューターの導入には時間を要した）。情報技術の進歩を軽んじていたフルシチョフは、「私は何も貴国の資本主義教に改宗したわけではない」と述べ、その理由を、ロシアの諺にあるように、「すべての〈кулик/kulik〉は自分の沼を称賛する」ものだからと説明した。スホドレフはその鳥の名前に聞き覚えはあったが、多くの都会人がそうであるように、どんな鳥かは見当もつかなかったし、それを表す英語も知らなかった。彼はとっさに「すべてのアヒルは自分の池を褒める」と訳して窮地を逃れた。アメリカ側の通訳者は、辞書に載っていた〈snipe（シギ）〉を使った。新聞報道では、〈snake（ヘビ）〉と〈swamp（湿地）〉という新たな組み合わせまで登場した。翌日、別の新聞には、「通訳者間の冷戦」という見出しが躍った。

　ニューヨークで行われたある式典で、演説者の一人が前書記長スターリンの恐怖政治を話題にした。三年前にスターリンの個人崇拝を公然と批判したフルシチョフは、顔を真っ赤にしながら、またしてもロシア民衆の知恵を借りた。「嘘はどんなに足が長くても、真実には追いつけないものだ」。フルシチョフの発言は時に理解しづらく、それはまるで、スターリンの負の遺産と一緒に、この独裁者の冷徹な明晰性まで捨て去ってしまったかのようだった。実のところ、フルシチョフの成句表現の濫用は、下準備（彼もニクソンと同様、諺を詰め込んでおくよう助言されていた）とアドリブの奇妙な産物だった。演説の多くは念入りに予行演習を済ませたものだったが、フルシチョフは決して自分の言葉に気を配るような人物ではなかった。一九五六年、西側諸国の外交官を交えた席で、フルシチョフは記憶に残る爆弾発言をした。「あなた方がどう思おうと、歴史はわれわれの側にある。われわれはあなた方を埋葬するだろう」と言い放ったのだ。この「埋葬する」については、後にフルシチョフが、経済的にも政治的にもソ連のほうが西側諸国よりも長く存続するという意味で使ったと釈明している。補足しておくと、この表現はマルクス主義理論に基づいたものでもあった。つまり、資本主義は寿命を迎えて死ぬ運命にあり、その遺体を誰かが埋葬しなければならない以上、その仕事は当然社会主義に任されることになる。しかし、現場ではそうは理解されず、『タイムズ』紙はそのまま文字通りに報道した。一方、ソ連共産党の機関紙『プラウダ』は、同じ日にフルシチョフがイギリス、フランス、イスラエルに対して使った「ファシスト」や「盗賊」とともに、「埋葬する」という語は使わずに報道した。

一九五九年の訪米の際、ロサンゼルスで行われた歓迎会の席で、ロサンゼルス市長はフルシチョフに以前の悪名高き予言を思い出させた。「フルシチョフさん、アメリカを埋葬するなんてできっこありませんから、無駄なことはおやめください。それでもやるというのなら、われわれは死ぬまで戦います」。フルシチョフは我を忘れて、せっかく友好の手を差し伸べようとアメリカにやって来たのに、「それを拒否するというなら、それで結構だ」と吐き捨てた。フルシチョフはその後、それは激情に駆られての反応ではなく、「冷徹な計算」に基づいての発言であったかのように取り繕った。真偽のほどはともかく、この発言は、一九五九年の訪米旅行における他の発言と同じく、時にはイデオロギー上の理由によって、時には言葉の食い違いによって、実にさまざまな形で報道された。いずれにせよ、通訳者が介在する言葉のやり取りにおいては、その性質上、どうしても検証や反証が難しい噂話を生み出しがちで、たとえ事実が明らかになっても、解釈の余地が広く残ったままであることが少なくない。

ロサンゼルスのハリウッド地区を訪れたフルシチョフは、「簡潔で理性的な演説」をする予定だったが、ハリウッドの群衆（その中には、指示通りに「思い切りボディラインを強調したセクシーなドレス」を身に着けたマリリン・モンローもいた）を前にすると、貧しい家庭に生まれた自らの境遇を話さずにはいられなくなり、長々と弁舌をふるった。「われわれは今、貴国では芸術界の頂点に位置づけられる映画スターの街に来ている。この街には、工業労働者をはじめ、さまざまな職業に就く平凡なアメリカ人も住んでいる……」。また、カンカンと呼ばれるラインダンスを鑑賞した彼は、破廉恥極まりないと酷評し、「ソビエト連邦の習慣では、役者の尻ではなく顔を褒める」と皮肉った。ソ連側はこのダンスショーを、当時の標準的ロシア語辞書の「猥褻（わいせつ）な動きをともなうダンス」というカンカンの定義に従い、ふしだらなものと決めつけて報道した。翌日になっても、フルシチョフはまだそのことを考えていたようで、晩餐会の席でこうも述べている。「うら若き女性が自分の尻を見せる自由、それこそがあなた方が自由と呼ぶものの正体である」

とはいえ、フルシチョフは堅苦しい演説ばかりしていたわけではない。『*Khrushchev in America*（アメリカのフルシチョフ）』というタイトルで出版された彼の演説集には、ジョークの数々（一部は下品で、そのほとんどは笑えないものだが）も収められている。たとえば、その一つはこんなふうに始まる。「選り好みしているうちに間に時は流れ、気がつけば独り身のまま取り残される若い女性もいる」（米国に対する当てこすり）。この演説集はロシア語版からの翻訳だが（翻訳者名の記載なし）、ロシア語版ではやむをえず削除された聴衆の野次やいら立ったフルシチョフの反応なども収録されている（中には、彼が「君たちは私の首でも取ったつもりか」とキレる場面もある）。ソ連の報道機関が「世界を揺るがせた十三日間」と呼んだこの訪米旅行は、ベルリン問題における若干の進展など、一定の成果は上げたものの、フルシチョフの性格はソ連が直面していた繊細な外交課題を解決するにはあまりにも不向きであることが如実に表れた旅行でもあった。フルシチョフは饒舌で短気で口が悪く、原稿からすぐに逸れ、過激なまでの単一言語使用者で、他の言語でどう受け取られるかをあまりにも気にしない――そんな政治家だったが、もし今日のアメリカを訪れていれば、もっとうまくやれたかもしれない。

初めて敵地に足を踏み入れたフルシチョフが残したユーモアがらみのエピソードはいろいろあるが、その一つに、ある式典で彼に手渡された無署名のメモの話がある。そのメモには、こう書かれていた。「スターリンがあの犯罪に手を染めていたとき、あなたは何をしていたのか」。フルシチョフはメモの作者に名乗り出るよう求めたが、誰も名乗り出なかったので、こう言った。「さて同志諸君、今なら私が当時何をしていたのかおわかりだろう」。彼にしてはよくできたジョークだが、後に作り話だったことが判明した。というわけで、訪米中にフルシチョフが残したジョークの傑作は一つしかない。街角で「ハンガリーの虐殺者フルシチョフに死を！」と書かれたプラカードを持った女性を見て、彼はまたキレた。アイゼンハワーが私を招待したのは侮辱するためなのか？　何も大統領が手配したわけではないと側近にたしなめられたフルシチョフは、こう返した。「ソ連であれば、私が命令しない限り、彼女がここに来るはずはないのだが」。意図したものではないにせよ、まさに名言である。

米ソの諍合戦はまだ続く。フルシチョフが次にニューヨークを訪れたのは、一九六〇年だった。このとき彼は、デイヴィッド・サスキンドが司会を務めるインタビュー番組にテレビ出演した。フルシチョフがアメリカにソ連が提唱する平和の理念を受け入れるよう求めると、サスキンドは成句表現を使って、それは「月に向かって吠える」ようなものではないかとゲストに尋ねた。このときの通訳者スホドレフは回顧録の中で、サスキンドの言葉を「すでに開かれている扉を開ける」と訳してもよかったが、当時のテレビは生放送だったので逐語訳し、「なおかつ成句だとわかるように、『いわば』を付け足した」と記している。しかし、遅すぎた。フルシチョフは激怒し、サスキンドに向かって、「私は社会主義大国の指導者であって、吠えに来た犬ではない」と吠えた。それでも、インタビューはどうにか平穏のうちに終了した。

一方、宇宙開発競争は一つの山場を迎えていた。あるアメリカ人記者がフルシチョフに、ソ連は月に人間を送る予定なのかと質問した際、トロヤノフスキーは〈send（送る）〉を〈забросить/zabrosit'〉と訳した。このロシア語は「配備する」の意味でよく使われるが、〈throw（投げる）〉の意味もある。またもや、フルシチョフは憤慨した。「『投げる』とはいったいどういう意味だ。『投げ捨てる』とでも言いたいのか！」。フルシチョフは声を荒らげて、ソ連は国民を大切にする国であり、決して彼らを放り捨てたりはしないと断言した。一九六一年四月十二日、ユーリ・ガガーリンは実際に宇宙に送り出された。その数週間後の六月には、フルシチョフとケネディがウィーンで初の首脳会談を行った。

二日間の会談の後、ケネディは「人生で最も困難な出来事」だったと語った。会談では西ベルリン問題についても話し合われたが、フルシチョフがソ連圏への編入を希望したことで、ケネディは「見込み違い」の可能性に憂慮の念を表明した。当時の速記録を読むと、フルシチョフは「見込み違い」を「非常に曖昧な用語」と評し、アメリカはソ連に「小学生のように、机の上に両手を置いて座っていろとでも言うのだろうか」といぶかしがったとある。アメリカの速記者はフルシチョフの反応を控えめに表現したのかもしれない。ケネディによれば、「フルシチョフは怒り狂って、わめき始めた。『見込み違い、見込み違い、見込み違い！　貴国の国民や記者から聞こえてくるのは、そのいまいましい言葉ばかりじゃないか！〈中略〉もううんざりだ！』」。

翌日、フルシチョフは引き続き平和攻勢をかけ、ドイツをめぐってアメリカが戦争を望むなら、「今すぐ始めればいい」と語った。ソ連の速記者はこれを「そうするなら、その全責任はアメリカが負うべきである」と和らげて表現し、一方、アメリカの速記者は「それならそれで構わない」と書き留めた。

党に従うか、言葉に従うか

核戦争はフルシチョフが好んだ話題の一つである。一九五九年の訪米時には、あまりにも核戦争の話ばかりするので、アメリカ側通訳者の一人、アレックス・アカロフスキーはメモ用にちょっとした記号――小さなキノコ雲――を使い始めた。フルシチョフは国連総会で演説し、四年以内に「すべての国が完全軍縮を実現すべきである」と提案した。すっかり有頂天になったソ連メディアは、フルシチョフを「悪の勢力と戦う不屈の闘士」と褒めそやし、彼の「国連史上」最も力強い演説における「深遠で厳密な科学的分析」を称賛した。西側陣営の見方はそれとは異なり、フルシチョフの演説を「侮辱的なまでに常識外れで非現実的」とこき下ろした。

スホドレフは内心、西側の評価に同意していた。だから、彼がその演説を通訳しなくて済んだのは、むしろ運がよかったとも言える（その栄誉は国連通訳者が担った）。とはいえ、プロ通訳者の例に漏れず、愚にもつかない発言を顔色一つ変えずに通訳するしかないことも多かった。彼の回顧録には、ニューヨークを車で走っているとき、建築工事が行われているのに気づいたフルシチョフが、ソ連の建設産業のすばらしさを長々と語り始めた話が出てくる。家の建て方に関する退屈な講義を聞かされたスホドレフは、つくづくアメリカ人が同乗していなくてよかった、と本音を漏らしている。「でなければ、例によって、いつもの無駄話を通訳させられていたことだろう。賢明な人なら無意味な話だと気づくはずだが、なぜだかいつも私はそれを通訳するはめになるのだった」。スホドレフは回顧録の中で、自身の政治的信条については深入りすることなく、党の方針には否が応でも従わなければならなかったが、心から忠誠を尽くしていたのは言葉に対してだった、とほのめかしている。

　冷戦時代に最もホットな問題であった「軍縮（disarmament）」は、定義しやすい概念――簡単に言えば、国家が「もはや戦争を遂行する手段を一切持たない」状態――のように思えるが、この種のお題目にはほとんど実体がなく、翻訳がからむと、諺にもまして意見の食い違いをもたらした。一九六一年、フルシチョフはケネディの軍縮担当顧問ジョン・J・マクロイを自身の別荘（ダーチャ）に招いた。その地で、マクロイとソ連側担当者ワレリアン・ゾリンは、両国間の軍縮協定の策定に取り組んだ。マクロイの伝記作家カイ・バードによれば、彼らは「たがいに用意した草稿を機械的に読み合わせたが、言葉遣いをめぐって論争になった。ゾリンは〈general and complete disarmament（全体的かつ完全な軍縮）〉という語句を、マクロイは〈total and universal disarmament（全面的かつ普遍的な軍縮）〉という表現をそれぞれ主張し、たがいに譲らなかった」。しかし、この二つの表現はそもそもロシア語では同一であるため、「この論争はかなり無意味に思えた」。それは、「国際問題を解決する手段」としての戦争を完全に回避するという観念が無意味であるのと変わりはなかった。この協定案（文言はゾリンのもの）は同年、国連によって採択されたが、その十カ月後、世界は破滅の危機に瀕していた。

「攻撃兵器」にはどこまで含めるのか？

一九六二年十月、それまでの平和構築の努力を無にし、人類の未来をかつてないほど不透明なものにする事件が起こった。いわゆる「キューバ危機」（ソ連では「カリブ海危機」、キューバでは「十月危機」、アメリカでは「キューバ・ミサイル危機」）である。一九六一年のアメリカによるキューバ侵攻事件の後、フルシチョフとフィデル・カストロ議長は、帝国主義国家の侵略を阻止する最善策は、ソ連の核ミサイルをキューバに持ち込むことだと確信するに至った。これに対し、アメリカはキューバのミサイル基地への空爆と海上封鎖という二つの選択肢を検討した。後者を選択したアメリカは、その旨をソ連に通告した。十月二十二日にワシントンからクレムリンに送られた電報は、かなり婉曲的なものだった。「このすでに深刻な危機を拡大または深化させるような行動は控えられたし」とケネディは書いた。「願わくは、両国による平和交渉の再開合意に至らんことを」

翌日、ケネディは再び電報を送ったが、〈blockade（封鎖）〉ではなく〈quarantine（隔離、検疫）〉という語を使ったため、事態はさらに不透明になった。ロシア語の〈карантин/karantin〉は、主に疫学的意味で使われる語で、さほど威嚇的な意味はない。対する〈блокада/blokada〉は、ロシア語話者なら誰もが、第二次世界大戦の独ソ戦におけるレニングラード包囲戦を思い起こすだろう。ちなみに、一九五九年のアメリカ訪問の際、ディズニーランドには行けないと言われたフルシチョフは、「どうしてだ？　あそこにはロケット発射台でもあるのか？　それとも隔離中なのか？」とジョークを飛ばした。ホワイトハウスが使った〈quarantine〉という語は、融和的なものではなかったにせよ、警鐘を鳴らしているわけではなかった。いずれにせよ、この語がもたらした小康状態は長くは続かず、その後数日にわたり、対立はますます激化していった。クレムリンにはケネディからの新たな書簡（十月二十七日付）が届いたが、その書簡の末尾には、いつもと違って〈Sincerely（敬具）〉の文字がなく、大統領の署名だけがしてあった。ソ連は、もはや漠然とした議論を続けている時期ではないと悟った。

同日夜、フルシチョフはケネディへの返信を書き取らせた。そこには米国大統領の「バランス感覚」に感謝し、「貴国が攻撃的とみなす兵器の解体」を約束すると記してあった。ソ連はそれまで「ミサイル」という用語を避け、理解できないふりをしていたが、結局は自らの「攻撃兵器」によって吹き飛ばされることになった。この曖昧な表現こそが、後にアメリカの要求をミサイルから爆撃機へと拡大させたのである。交渉は長引いたが、最終的にソ連は爆撃機もキューバから撤退させざるをえなくなった。現実の歴史はこのように推移したが、一九六二年十月の時点では、その後の経緯よりもはるかに深刻な事態が起こっていた。フルシチョフの書簡は側近が英訳し、何度も推敲を重ねて練り上げた末に、アメリカ大使館に届けられた。一方、そのロシア語原文は、「キューバから手を引け!」とシュプレヒコールを上げながら建物の前でピケを張るデモ隊のせいで遅れはしたものの（このデモ隊もやはり誰かの命令で動員されたのだろうか）、夜のニュース番組に間に合うようにモスクワ放送局に届けられた。書簡を英語に訳したのが誰であれ、メッセージは無事に伝えられたのである。

このように、世界が深刻な危機に瀕した状況においては、翻訳（通訳）という行為そのものが激しい文化衝突として歴史の表舞台に立ち現れる。そこでは、訳語の選択一つで歴史の天秤が傾いてしまう。もし、先に述べた口頭や文書でのやり取りの中で、どれか一つでも違った形で訳されていたら、あるいは大惨事が起きていたかもしれない。実際にどうなっていたかは知る由もないが、明らかなのは、翻訳（通訳）者は冷戦の仲介者であったばかりでなく、当事者でもあったということだ。西側も東側も、自らの主張に関して必ずしも明確な考えを持っていたとは限らないが、決して起こってほしくないことについては全員の意見が一致していた。それはもちろん、核戦争である。諺にもあるように、太った勝利よりも痩せた平和のほうがいい。

第二章

笑いの効用 Comic Effects

通訳にユーモアが必要な理由

イヴァン・メルクムヤンは、自分が語学の道を歩むことになろうとは思ってもみなかった。バクー出身のアルメニア人である彼は、レニングラード（現サンクトペテルブルク）でオペラ歌手になるための教育を受けた。その後、彼のバリトンに惚れ込んだイタリア人女性と結婚し、一九八六年にイタリアに移住して仕事を探し始めた。その甘美な声のおかげで、ラジオ局でロシア語番組の司会と通訳を担当することに決まった。しばらくして、たまたま通訳者が不足していたイタリア外務省から、彼に声がかかった。「前の晩はほとんど眠れませんでした」と、彼は当時の話をしてくれた。「通訳をしている間は、ロシア語ができる首相の側近の一人が、ずっとこちらを見ていました。なぜだか何度もうなずいているので、てっきりミスをしてしまったんだなと思いました。でも、勘違いでした」。それは心からの同意を示す身ぶりだったのだ。早速、メルクムヤンはイタリアの首相シルヴィオ・ベルルスコーニの通訳者として働くことになった。それは幸運な出会いだった――少なくとも片方の人間にとっては。

「ベルルスコーニとの仕事は、難しくもあり簡単でもありました」とメルクムヤンは言う。「彼は実に個性が強く、芸術家肌でもありましたから」。ベルルスコーニの厄介な点は、本筋から外れた軽口や冗談をアドリブで言う癖があることだった。この種のユーモアは、面白いかどうかは別にして、通訳者に不意打ちを食らわせる。「彼が友人や明らかに彼に好感を抱いている人たちといるときは、彼の仰々しい言葉遣いを端折らずにそのまま全部訳しましたが、外交上の儀礼が重んじられる場では、少し抑え気味に訳しました」。ベルルスコーニにジョークを思いとどまらせるものがあったとすれば、それは聴衆にウケないのではないかという懸念だけだった。とはいえ、その衝動を抑え切れないことも多かった。メルクムヤンが初めてベルルスコーニと仕事をした日、公式行事は滞りなく終了したが、その後のディナーの会場で出席者が席に着き始めているときに、ベルルスコーニがメルクムヤンを引き寄せてささやいた。「では、ジョークを一発かましてみようか？」。これは一種の反語にすぎず、何か質問されているわけではなかったが、メルクムヤンはそれでも答えなければと思い、「わかりました。ぜひやりましょう」と言った。彼は気合いを入れてジョークの通訳に取り組んだ。細部を多少変更し、オチに狙いを定めた。どんぴしゃりのタイミングで、全員が笑った。すると、ベルルスコーニがすかさず「もう一つどうかな？」と提案してきた。スピーチが終わると、ベルルスコーニは側近の一人に向かって言った。「今日からこいつはわれわれの仲間だ」

正確さよりも「ウケ」が重要

ユーモアの名手たる通訳者に仕事のやり方を聞くのは、ムカデに歩き方を聞くようなものだ。多くの通訳者がそうであるように、メルクムヤンは短期記憶には長けているものの、長時間にわたる仕事を終えると、話の内容をほとんど覚えていないという。これは一種の職業病で、「災い転じて福となる」の好例だろう。その当意即妙さのおかげで、彼は外交通訳者として瞬く間に頭角を現した。ベルルスコーニは、通訳された自分の演説の内容を理解できなかったにもかかわらず、その通訳がすばらしいことだけはわかった。筋金入りのエンターテイナーであるベルルスコーニにとって、重要なのはメルクムヤンの通訳を聞いた聴衆の反応だった。結局のところ、ユーモアを含んだ発言を通訳するときのポイントは、必要なら正確さを犠牲にしてでも、とにかく面白いと思わせることである。では、直訳できないジョークの場合はどうすればいいのだろうか。何も元の言葉にこだわる必要はない。大切なのは、オチをうまくつけることなのだ。

そんなときに役に立つのが、メルクムヤンの言い換え能力である。彼はその一例を話してくれた。

> イタリアでよく知られたジョークに、シラミもののジョークがあります。けれどもシラミは、ロシアでは不衛生の象徴として毛嫌いされています。あるとき、ベルルスコー

ニはそんなシラミジョークの一つを披露していました。夫がクローゼットの中から妻の愛人を発見し、「おや、こんなところにシラミがいるぞ！」と叫ぶところで終わるやつです。私は当然ロシア人向けにオチを変えて、こう言いました。「ほら、蛾がいるぞ！」。これでも笑いは取れます。クローゼットの中にいた虫の正確な種類なんて、誰も気にしません。

理屈の上では、メルクムヤンは自分のレパートリーの中から雰囲気が明るくなりそうなものを適当に選んで、その場を切り抜けることもできただろうが（彼ならむしろ、元のジョークに手を加えてさらに面白くしたかもしれない）、彼の役者魂がそれで満足するはずがない。そうする代わりに、彼はユーモアを訳す技術を一段と高め、発言者がジョークを発するやいなや、その場で通訳先言語へと変換する能力を身につけた。それこそがベルルスコーニの通訳をする際に欠かせない資質の一つだった。多くの政治家とは異なり、彼は事前に演説原稿を用意することはなかった。側近に参考資料をねだっても無駄だった。どうせ予定にもないことを話し始めるのだから。重要な会議の前夜になると、メルクムヤンは最新のニュース記事を読み、話題の予測に取り組んだ。

だが、その予測は必ずしも容易ではなかった。二〇〇八年、バラク・オバマが米国の大統領に選出されたとき、ベルルスコーニは記者会見でオバマを「giovane, bello, abbronzato（若くて、ハンサムで、日焼けした）」と表現した。この表現は、さまざまな言語に翻訳され、あっという間に世界中に広がった――ある国ではジョークとして、また、ある国では無礼な表現として。そして、イタリアではスキャンダルに発展した。記者会見の席で、メルクムヤンはベルルスコーニの隣に立ち、ロシア語圏の視聴者に向けて通訳をしていた。メルクムヤンは、その時の話をしてくれた。

> ジョークだなとピンと来たので、そのまま訳しました。それを報じたイタリアの各テレビ局は、ベルルスコーニの意図をめぐって大騒ぎになりました。テレビを観ていた私の母親は、背後で流れている私の声を聞いて、全部私のせいだと思ったそうです。母に電話をかけ直すと、彼女は大声で、「お前、今何て言ったんだい？　みんな憤慨しているよ！」と叫んでいました。

ロシアでは、この発言が喝采を浴びた。メルクムヤンの芸術的才能が一役買っていたのは間違いない。その一方で、翻訳ジョークの面白さを測るには、多くの場合、翻訳先の現地通貨に換算する必要がある。初の黒人アメリカ大統領誕生という状況を目の当たりにして、ルーブルは予想通りに暴落した。人種的偏見を笑いのタネにしてしまうことの多い国では、「日焼けした」というのは、確実に笑いを取れる要素だった。

　メルクムヤンにはもう一つ、真顔を保ちつつユーモアのセンスを発揮しなければならなかった印象深い出来事がある。ロシアのウラジーミル・プーチン大統領に関するドキュメンタリー番組の中で、ベルルスコーニのインタビューが収録されることになった。「彼は暖炉のそばにゆったりと座って、相棒であり旧友でもあったプーチンについての逸話を披露していました。すべてアドリブでした」と、メルクムヤンはその時の話をし始めた。

インタビューの途中で、司会者が「お二人の無尽蔵のエネルギーはどこから湧いてくるのですか」と尋ねました。ベルルスコーニがニヤリと笑うのを見て、私は嫌な予感がしました。その後の展開に察しがついたからです。すると案の定、ベルルスコーニは「仕事前に特別な座薬を使うだけだ」と言い出しました。イタリアでは、座薬を使うのはごくふつうのことなんです。でも、ロシア人向けにはちょっと具合がよくないなと思いました。そこで、思い切ってこう言い換えてみました。「仕事前に特別な魔法の錠剤を三錠飲むだけだ」。ちなみに、この錠剤バージョンはイタリアでは使えません。この国で錠剤といえば、麻薬常習者のイメージがあるからです。

とにもかくにも、この消毒済み（サニタイズド）ジョークは受けがよく、多くの反響があった。報道陣がプーチンに「魔法の錠剤を持っているというのは本当か?」と質問し出すほどだった。幸いにもプーチンは笑ってごまかしたが、その話にメルクムヤンは思わず冷や汗をかいた。ベルルスコーニにはこう言われたという。「イヴァン、ずっと考えていたんだが、あのとき君が魔法の錠剤と訳さなかったら、今ごろどんな展開になっていただろうね」

意味のズレをチューニングする

ユーモアはメルクムヤンの商売道具の一つにすぎない。彼独特の才能は、むしろ二言語間の意味のズレを察知する能力にあるのではないかと思う。そのズレにこそ、えてして通訳の醍醐味が潜んでいるものだ。どんなに些細なズレであっても、そのズレをピタリと埋められれば、メッセージを正確に（そして必要であれば、ひねりを加えて）伝えることができる。通訳者にとっての難題の一つに、曖昧な表現がある。これは文化に左右されるので（もちろん、人間が話す言葉で文化に依存しないものなどほとんどないが）、確信を持ってその意味を特定するのが難しい。「わざと曖昧な表現を使う人もいます。ベルルスコーニはその典型で、何やら漠然とした話をしながら、聞き手次第でどうとでも取れる、例の笑みを浮かべたものでした。そんなとき、私はあえて明確化しようとせず、話し手と同じシグナルを発し、そこに隠されたメッセージの解釈は聞き手に任せてしまいます」とメルクムヤンは説明する。「けれどもその方法は、私が話し手個人とその話し方を熟知している場合にしか使えません。そうでない場合は、本当に曖昧な表現なのかどうか確信が持てないので、そのまま直訳してしまいます。それが曖昧な表現だったのかどうかは、結局わからずじまいです」。彼は、交渉の場で通訳していると、当事者の発言をそのまますべて厳密に訳していたら話が進まなくなる、と感じることが多いという。「そんな場合は、直感に従って文の構造を変えたり、強調する箇所を変えたりといったことをします。意味は変えずに、行き詰まりそうな部分は、さりげなく言い落としたり、控えめに言ったりするのです」

メルクムヤンの話で最も興味深いエピソードの一つは、楽しませようと努力した結果によるものではない。それは、ロシアとイタリア両国主催のある祝典の準備中のことだった。「あるとき、ロシア側がイタリア側にこう言ったんです。両国の友情の特別な印として、式の最初にイタリアの歌を一曲演奏したいと考えているのですが、たとえば、あなた方が大好きな「Bella ciao（さらば恋人よ）」などはいかがでしょう。この歌なら、イタリアの全国民にとって意義深いでしょうから、って。いったいどうしてそう思い込んだのかはわからないのですが」。この歌は、戦時中のイタリアで流行ったパルチザンの代表的愛唱歌だが、今では基本的に左翼的な歌とみなされており、イタリアの音楽チャートにかすりもしない曲である。メルクムヤンは通訳をしながら、独断でその提案の細部を修正した。「イタリアの歌で、あなた方のお気に入りの曲を一曲演奏したいと思っています。たとえば、『さらば恋人よ』はパルチザンにとっての愛唱歌でしたが、そのように、すべてのイタリア国民にとっての愛唱歌であるようなものを一曲」。彼は、そうしなければ、間違いなく対話がぎくしゃくしてしまうと考えたのだった。イタリア側はこのアイデアを気に入り、ほかにもいくつかの曲を提案した結果、最終的に「O sole mio（オー・ソレ・ミオ）」を演奏することに決まり、話は丸く収まった。

通訳を成功させるには、発言の内容だけでなく、その理由も理解する必要がある。これはジョーク（これまで見てきたように、文字通りに訳さなくても狙った効果は達成できる）にも、真面目な話にも等しく当てはまる。「依頼人に達成したい明確な目標がある場合は、それを最優先に考えます。持てる限りのスキルや話術をつぎ込んで、その実現のためにベストを尽くします」とメルクムヤンは言う。「通訳者には、正確に訳すことこそが肝心で、あとは仕事の範囲外だという考えの人も多いですが、私は違います。話し手が念頭に置いている目標、それが何であれ、その目標に向かって最大限の努力をします」。そして、彼の努力は十分に報われているようだ。

このごろは結構な通訳料をいただけているので、自分でもどうしてそんなことが可能なのかとよく考えてみるのですが、それは、依頼人が大きな期待を抱いて会議に臨むからだと思うのです。彼らはこと細かな交渉目標を持っており、私がいれば、その目標を達成しやすくなるとわかっています。私が目指すのは、議論をできるだけ先に進められるようにすることです。これ以上は無理だと感じるまで、決して諦めません。

あるとき、この心構えが事態を見事に好転させることになった。旧ソ連を構成していたある国に本社を置く大企業が、資金繰りに行き詰まっていた。世界規模の大銀行に何軒か掛け合ってみたものの、どこからも色よい返事はもらえなかった。巨額の融資を引き出せるかどうかの瀬戸際だった。切羽詰まった彼らは、なんとか破綻だけは免れようと、イタリアのある銀行に最後の望みをかけた。急遽呼び出されたメルクムヤンが通訳に入ったとき、会社代表はすでに交渉決裂を覚悟していた。

代表は、銀行からびた一文貸してもらえないだろうと思っていました。それでも懸命に努力を重ね、雄弁に語り続けていました。経営陣の代表としてではなく、一人の人間として銀行幹部陣に語りかけ、職を失うことになる多くの社員をどんなに気の毒に思っているかを訴えました。けれど、彼は明らかに自分はもう負けたと思い込んでいました。私はある時点で、もっと文章を区切って話してみてはどうかと彼にアドバイスし、そうしてくれれば、言いたい内容をもっと端的に伝えられるよう努力してみると言いました。そして、彼の冗長で単調な発言に手を加え始めました。もちろん、意味はまったく変えずにです。ある箇所にはちょっとユーモアを交え、別な箇所ではちょっと強調して話すといったふうに、常に人間味を付け足すようにしていったのです。私は銀行幹部たちに、彼が感じたことをそのまま感じてもらい、彼が思い描いた未来図をそのままの形で想像してもらいたかったのです。だから、話が先へ進む可能性がある方向へと彼らをさりげなく誘導しました。代表の発言でよかったところは、すべて強調して話しました。文章を少し手直しし、申し訳なさそうな口調を取り入れて、きちんと懇願しているように聞こえる工夫をしました（彼自身は決してそんなことはしていなかったのですが）。そうしたらなんと、三十分後（当初の予定はわずか十五分でした）、銀行側は代表に融資の追加を検討すると約束し、両者は友好的に話し合いを終えたのです。

メルクムヤンが語る状況の対極に位置するのが、通訳者が「The distinguished speaker is telling a joke（発言者様は只今ジョークを披露しておられます）」と言うしかない場面である。この手法は、発言者が望んでいた形ではないにせよ、常に笑いをもたらす。その上、翻訳（通訳）は、本来の意図とは無関係であっても、聞き手を笑わせることができる。一九九五年、ニューヨークで会談したビル・クリントンとボリス・エリツィンの二人は、会談終了後、待ち受ける報道陣の前に姿を現した。「みなさんは記事で、われわれの会談は最悪の結果に終わる（end in disaster）と予想されていましたが」とエリツィンが切り出した。「なんとまあ、最悪の結果に終わったのはみなさんのほうでした」。ロシア語では特に険のある言い方ではなかった。エリツィンは記者たちを少しからかいたかっただけで、特に笑いを取ろうとしたわけではなかったが、アメリカ人通訳のピーター・アファナセンコは彼の発言をこう訳した。「はっきり言って、君たちは最悪な存在だ（*you* are a disaster）」。訳だけでなく、その言い方も問題だった。

　アファナセンコは、ジョークの訳を含め、豊かな才能で同僚に慕われていた通訳者だったが、このときばかりは少々スパイスを効かせすぎてしまったようだ。本来であれば、エリツィンの表現に込められた中立性を重視し、西側の政治家ならそんなふうに面と向かって報道陣を非難したりはしないことを思い出すべきだったのだ。ともあれ、米ソ両国の首脳が波長を合わせて笑ったことで、その場に友好的な雰囲気が生まれ、誰もが愉快そうにしている歴史的写真が撮影された。特にクリントンは、体をよじって笑っていた。

調整のための意訳も時には必要

会話でも文章でも、ユーモアは一種の特殊効果のようなもので、翻訳の際には意訳が必要になる場合が多い。デイヴィッド・ベロスは『耳のなかの魚』の中で、二種類のジョークについて述べている。一つは言語を問わず普遍的に理解されるジョークであり、もう一つは個別の言語のメタ言語機能を利用するジョークである。後者のジョークを説明するために、ベロスはフランスの作家ジョルジュ・ペレックの小説『人生 使用法（La Vie mode d'emploi）』に出てくる「Adolf Hitler, Fourreur」と書かれた名刺を例に挙げている。〈Fourreur〉は毛皮職人を意味するフランス語で、〈Führer（総統）〉のフランス語読みに近い。ベロスはこの名刺の文字を「Adolf Hitler, German Lieder（リート歌手）〈Leader（指導者）にかけたダジャレ〉」と英訳し、特定の言語ならではのダジャレは翻訳不可能だと無条件に決めつけるべきではないと示してみせた。

実際、ペレックが参加していた「ウリポ（潜在的文学工房）」――言語の多様な制約つき形式を探求する文学グループ――の活動は、白紙委任状さえ与えられれば、翻訳者に不可能はないことを証明している（ほんの一例を挙げると、同音異義語をうまく使えば、「ABCDEFG」は「Hay, be seedy! Effigy!

〔やい案山子、種子もないのか、この木偶の坊!」と悪態をつくカラスのセリフ〕という文章になる)。「文学作品の忠実な複製を作る際、通常、翻訳者は姿を消すべきだと考えられている。優れた翻訳者なら、巧みに作者の影法師や亡霊に姿を変えるかもしれない」とデレク・シリングは書いている(原文は文字落とし(リポグラム)のルールに則って書かれており、この例では「e」の文字が一切使われていない)。「しかし、この不可視性は、制約から生まれたウリポ作品についても、言い換えれば、翻訳に対する(向こう見ずとは言わないまでも)先進的なアプローチ、さらには、言語的曲芸が要求される作品についても完全に当てはまるのだろうか」。ユーモアを多めに盛り込んでもよいのであれば、翻訳が原作を出し抜く可能性もある。たとえば、一九三五年にユーモア作家のカリンティ・フリジェシュが訳した『くまのプーさん』のハンガリー語版は、原作よりもさらに面白いという評判だ。

言うまでもなく、ユーモアには相互作用がともなう。翻訳者がその相互作用にどの程度まで介入するかは各自の判断による。訳文に解釈の余地を残して、あとは読者に任せてしまう翻訳者もいれば、安全策を取って、ジョークをわかりやすく説明する人もいる。ウンベルト・エーコは講義録『*Experiences in Translation*(翻訳の経験)』の中で、自身の小説『フーコーの振り子』のある会話に含まれたジョークを引き合いに出している。こんなジョークだ(イタリア語の直訳)。

「神は口頭で世界を創造した。何も電報を送ったわけではない」とディオタッレーヴィが続けた。

「ヒカリアレ、ピリオド。ツヅキハテガミ（lettera）ニテ」とベルボが言った。
「このテガミとは『テサロニケ人への手紙』のことかな」と私。

英訳者のウィリアム・ウィーヴァーはエーコの了解を得た上で、「テガミ（lettera）」を〈letter〉ではなく、あえて〈epistle（書簡）〉と訳したが、この場合は〈letter〉のままでも特に問題がなかったように思える。英語の〈letter〉は、イタリア語の〈lettera〉と同じく、新約聖書のパウロ書簡（Epistles）に対しても使われるからだ。参考までに「テサロニケ人への手紙」に関して、本稿執筆時点におけるグーグル検索の結果はどうだったかというと、「Epistle to the Thessalonians」よりも「Letter to the Thessalonians」のほうがヒット件数が多かった。

それでも、このような些細な違いがユーモアを台無しにしてしまう可能性もあるので、訳文の微調整は欠かせない。前提が普遍的なジョークの場合は、一から作り直したほうが簡単なこともある。また、翻訳先言語（ターゲット）に直接対応する表現がない成句表現を使ったジョークでも、類似表現を見つけ出したり、新たに考案したりすれば、解決する場合も少なくない。フランスの作家ローラン・ビネは、彼が翻訳していた英語の小説で、「似たりよったり」という意味合いの「six of one, half a dozen of the other（一方には六個、もう一方には半ダース）」という慣用表現に出くわし、地球上では普遍的に半パイントが二つで一パイントになるという単純な事実に基づいて、「deux demis et une pinte（半パイントが二つと一パイントが一つ）」というフランス語の類似表現を創り出した。それでもうまくいかない場合は、奥の手として、同じ主題のジョークを新たにこしらえれば、ピッタリはまるかもしれない。私は以前、ペネロピ・フィッツジェラルドの小説『*At Freddie's*（フレディーズにて）』をロシア語に訳した際、美容院の看板に書かれた宣伝文句「A cut above the rest」〔「よそよりもワンランク上」という成句的意味と髪の「カット」をダブらせている〕を、苦心の末に「もう髪で悩まない」と訳したことがある。これは「首をはねられる段になって、髪の心配をしても仕方ない」というロシアの諺をもじったものだ。この訳では美容院の業績アップはあまり見込めないだろうが、それでも少しは笑ってもらえた。

ところで、私がこれまでに目撃した最も厳粛な光景は、モスクワ地下鉄のロングシートに座る乗客の列である。その列の誰もがタイトルが「これなら笑える」といった意味合いのロシア語ジョーク雑誌を読んでいた。黙々とページをめくる乗客の顔を一人ずつ観察してみたが、誰もニコリともしていなかった。その厳粛ぶりは、これなら哲学書を読んでいる人のほうが、まだにこやかな表情をしているのではないかと思えるほどだった。この不条理な光景は、私に二つの考えを呼び起こした。一つは、ユーモアの多くは活字で読むと伝わらないということ。翻訳ものなら、さらにユーモアの生存確率が低下する。ある言語で笑いを取れたジョークでも、別の言語で再び笑いを取るには、時には一度死ぬ必要があるのかもしれない。もう一つは、個人で楽しむために作られるジョークはめったにないということ。ジョークを息づかせるには、少なくとも二人の人間がそれを共有する必要がある。もし、そのうちの一人がそのジョークの作者で、もう一人がその翻訳者だとしたら、まずは一緒に笑うことこそが、翻訳先言語でも笑えるジョークを作る第一歩になる。

The Arts of Flattery 追従術

第三章

> 今や高位にあって天賦の才と知力を誇り、聡明さと判断力に恵まれ、救世主（メシア）の信者の中でも学識豊かな弟子たちの支柱となり、キリスト教の賢者の中でもその長たるイングランドのウルフ牧師なる御仁、われわれの間に結ばれた誠の友誼に促され、貴殿のもとへ赴く意思をもってここにあり、ついてはイスラムの一致団結を推し進めるため、貴殿の情け深い心へと向けられた慈しみあふれる薫風として、また昔日よりわれわれを深く結びつけたる絆を宣明する機縁として、吉祥の契りの印たる本書状をここに認（したた）めるものである。

これは、一八四四年二月にペルシア皇帝（シャー）がブハラの首長（アミール）に送った書簡の冒頭である。ジョゼフ・

ウルフ牧師が自ら翻訳したこの書簡は、彼の旅行記に収録されている。ウルフは道中、コーラン（クルアーン）の一部をアラビア語からペルシア語に訳し、ユダヤ人、トルコ人、アルメニア人と語らい、英語、ドイツ語、イタリア語で説教した。数多くの言語に通じていたウルフではあるが、その語学力も「郷に入れば郷に従え」を信条としていなければ、宝の持ち腐れに終わったことだろう。

一八四三年七月、ウルフは英国軍宛てに、「現在、大いなる都市ブハラで捕らえられている貴軍の士官、コノリー大尉とストッダート大佐両名の身を案じて」手紙を書き送った。「私はブハラに二カ月滞在したことがあり、ブハラ住民の性格を熟知していますので、二人がすでに処刑されたという報告は極めて疑わしいと確信しております」。二人の将校を救出するための委員会が結成され、資金が調達されると、ウルフは必要経費だけでこの任務を引き受けると申し出て、十月、中央アジアで最も聖なるイスラム都市に向けて旅立った。崇高なる都市ブハラ（Bukhara）は、〈Bokhara〉、〈Bocara〉、〈Boghar〉とも綴られる。このこと一つとっても明らかなように、旅行者にとって地名は一種の悪夢である（翻訳者にとっても、地名はいつも悩みの種だ）。だから、ウルフは用心深く、アラビア文字による表記も付いた地図を買い集めた。彼の手荷物には、聖職者の衣装や聖書、銀時計のほかに、アラビア語訳の『ロビンソン・クルーソー』が三、四十冊詰め込まれていた。彼は旅行記にこう書いている。「私が進呈した本を読んだアラブ人たちは、『おお、このロビンソン・クルーソーという人物は偉大な預言者だったに違いない！』と声を上げた」

士官の救出に向けて

ウルフ——ピーター・ホップカークの『ザ・グレート・ゲーム』を引用すれば、「勇敢だが一風変わった聖職者」であり、カール・E・マイヤーとシャリーン・ブレア・ブリザックの共著『*Tournament of Shadows*（影たちの諜報合戦）』によれば、「壮烈で無謀な典型的ヴィクトリア朝人で、背が低く、顔はのっぺりとして野暮ったい、人好きのしない」人物——は旅を続けた。彼は道中、各地の在外公館を訪れたり、イギリス、ロシア、トルコ、ペルシア各国の役人が集う会合に出席したりしながら、言語面よりも行政面での支援を仰いだ。当時、ヨーロッパ人が中央アジアを旅するには、紹介状がなければ不可能だったからだ。ウルフは多言語に通じていたので、原本さえ書いてもらえばそれで十分だった。翻訳はたいてい自分でこなしたが、時には他人の翻訳に頼ることもあった。「メデム伯爵閣下にはロシア語の推薦状を書いていただけることになった。また、ブハラにはロシア語の通訳者がいるというので、私の学位や聖職位関連の証書類もロシア語に翻訳してもらうようお願いした」諸々の書類を携えたウルフは、任務の最終行程を開始した。

私は聖職者（ムッラー）としての自分の立場を見失わないようにと心に決めて、モウルからブハラまでの全行程を聖職者の正装で過ごした。身の安全がその一点にかかっていることにすぐに気づいたからである。聖書も常に読んでいた。聖書こそが私の力の源であり、私を支えてくれるだろうと感じた。地元の人たちにはこうした一連の行動が珍しく思えたようで〔中略〕行く先々で注目を浴びることになったが、すべてが私にとって有利に働いた。

ウルフは現地の風習に進んで従おうとしたが、これは宮廷語であるブハラ・ペルシア語の習熟にも劣らず重要なことだった。首長（アミール）との初の謁見に先立ち、廷臣の一人から「額手礼（サラーム）をする覚悟はあるか」と尋ねられたウルフは、所定の三回はおろか、三十回でも喜んで行うと答えた。「私が何度もお辞儀をし、ひっきりなしに『王に平安あれ』と声を張り上げていると、突然、陛下は大笑いされた。もちろん周囲にいた人たちも同様である。陛下は『もういい、もういい、それで十分だ』とおっしゃった」

恥ずかしい思いもしただろうが、結局、その態度がウルフの命を救うことになった。ほどなくして、救出すべき二人の同胞に関する最悪の懸念が事実だったと判明した。ストッダート大佐とコノリー大尉は、首長（アミール）ナスルッラーの命によりすでに処刑されていたのである。二人の将校は、「グレートゲーム」の参加費を自らの命で償ったのだった。この中央アジアをめぐるイギリスとロシアの諜報合戦においては、言語の翻訳が不可欠だったのは言うまでもない。しかし、それにもまして重要だったのが文化の翻訳である。ペルシア語の知識があったにもかかわらず、ストッダートは一八三八年十二月にブハラに到着したとき、満足に意思の疎通ができなかった。この英国特使は勇敢な軍人ではあったが、外交官としては未熟だった。首長（アミール）に謁見する際、彼は儀礼用の軍服に身を包み、馬から下りずに宮殿に乗り込んだ。本来なら慣例に従い、敬意の印として下馬すべきだったのだ。ナスルッラーとの謁見においても、彼はことごとく規範を破った。卑屈なまでに現地の礼儀作法を遵守しようとしたウルフとは対照的に、ストッダートは、まるで雑務で小役人を訪問するかのような態度で謁見に臨んだ。そのせいで、城塞の地下に掘られた牢獄に放り込まれ、そこで何カ月もの間、ネズミや害虫を友として過ごすはめになったのである。牢役人とは穴に垂らされたロープを通じて連絡を取り合うというありさまだったが、そのロープは家族への手紙を密かに持ち出すのに役立った。

二人の命を決した「土地への適応」

ストッダートは、特使の仮面をかぶったスパイではないかと疑われていたが、それも無理からぬことだった。この地域におけるイギリスの勢力拡大こそが自らの運命を左右するカギだと考えていた彼は、故郷への手紙に「英国軍がブハラ近郊にまで進軍して来ない限り、私が解放されることはないでしょう」と記している。ある日、死刑執行令状を手にした執行人がロープを伝って降りて来て、イスラム教に改宗するか死ぬか、どちらかを選べと迫った。前者を選んだストッダートは、割礼を余儀なくされた（後に強制的な改宗は無効だと主張）。その後、地下牢からは解放され、首長（アミール）の警備隊長に身柄を預けられたが、ナスルッラーの捕虜であることには変わりなかった。「今は首長（アミール）からの脅威はまったく感じられません」と、彼は別の手紙に書いている。「イギリスに対する彼の恐怖心が増すにつれて、私が無慈悲に扱われる可能性は減ってきています」。ロンドンとカルカッタ（現コルカタ）の当局は、ストッダートを救出しようと外交努力を重ねていたが、首長（アミール）は、彼らから来る書簡にはこちらの得になるようなことが何も書かれていない、と不満を漏らした。ナスルッラーの気まぐれな専制政治に加え、英国政府がゲームの手駒を一つ失うよりも重要な懸念をあれこれ抱えていたことも、ストッダートには不利に働いた。

　ストッダートの運命は、アフガニスタンにおける英国軍の形勢に翻弄されていた。一八四一年一月、待遇がいくらかましになった彼は、こんなことを書いている。「二カ月前に命じられて今も続けているのは、私の蔵書——その大半は見つかって没収されたが、返してもらった——の中から、この国に役立ちそうな本を翻訳する作業だ。首長（アミール）からは、ヨーロッパの軍隊についての報告書をまとめるよう要請もされている」（手記には、どんな本が首長の好奇心を刺激したのかは書かれていない）。十一月、ストッダート救出の可能性はさらに高まった。グレートゲームの経験者であるコノリー大尉が彼を連れ帰るべくブハラに到着したのである。しかし、首長（アミール）ナスルッラーは最初のうちこそ大尉を丁重にもてなしたものの、ヴィクトリア女王に送った親書の返事が届かなかったせいか、すぐに冷淡になった。結局、ストッダートとコノリーの運命は、イギリスがアフガニスタンの支配権を失いつつあるとの一報がカブールから届いたときに決した。一八四二年六月、首長（アミール）は二人を牢獄に戻した。そしてある日、彼らは広場に連れ出され、自分の墓穴を掘らされた。まず、ストッダートが斬首された。

コノリーはイスラム教に改宗する機会を与えられたが、それを拒否し、彼もまたゲームオーバーとなった。

二人の犠牲者のうち、東洋世界を読み解く力に長けていたのは、コノリーのほうだった。彼は政府の公務で何年も旅を続けており、中央アジアではペルシア人に変装したりもした。そんな彼でさえ、その限界を日誌に吐露している。「ヨーロッパ人がどんなに現地語をうまく話せたとしても〔中略〕話し方、座り方、歩き方、馬の乗り方など〔中略〕すべてがどことなくアジア人とは違うのだ」[1]。イギリス人なら、むしろフランス人やイタリア人の医師、あるいはインドから来た商人に化けるほうが簡単で、コノリーも時と場合に応じてその手を使った。一八三〇年、アフガニスタンで医者になりすました彼は、「重要なことは委細漏らさず密かに観察し、それを書き留めた」。

似たような手口は多くの諜報員が使っているが、その成否はさまざまである。ほぼ同時期に、ペルシア語とパシュトゥー語に堪能な英国東インド会社軍のエルドレッド・ポッティンジャー中尉は、馬商人になりすましてカブールに向かった。往路は変装がうまくいったが、その帰途、ウズベクの盗賊に行く手を阻まれた。肌が白く、イスラム教の知識があやふやで、多くの書類や本を所持していた点が不審に思われたのだ。ポッティンジャーは、自分はヒンドゥスターンの南にある「多くの山がある国」から来た者で、イスラム教に改宗したばかりだと弁明した。盗賊は彼の口語ペルシア語を聞いて納得したようで、そのまま彼を通らせた。一八三七年、彼はヘラートに偵察に来たが、その時は肌を染料で黒くし、イスラム教の聖職者を装っていた。彼が街を歩き回っていると、市場(バザール)

で見知らぬ男が彼を呼び止め、英語で「イギリスの方ですよね」とささやいた。幸い、その男はコノリーの知り合いだった。つまり、西洋人が西洋人を見分けるには、両者がすぐに理解できる言語を使って、たがいに西洋人であることを確認するほかなかったのである。

　ロシアの諜報員も、イギリスの諜報員に劣らず目立つため、地元に溶け込むべくさまざまな工夫を凝らしていた。一八一九年、ニコライ・ムラヴィヨフ大尉を中央アジアのヒヴァ（ヒヴァハン国の首都）に遠征させるにあたり、彼の上官はこう助言した。「君の人好きのする性格とタタール語の知識は、大きな強みとなるだろう。追従術をヨーロッパ的な視点でとらえてはいけない。おべんちゃらはアジア人が頻繁に使っているものであり、これに関しては、やりすぎを心配する必要はない」[1]。奴隷商人や盗賊から身を守るため、ムラヴィヨフはトルクメン人に変装してカラクム砂漠を旅したが、ガイドたちは、雇い主がヒヴァの君主（ハン）に親書と贈り物を届けに行くロシア人だととっくに見抜いていた。目的地まであと五日というところで、一行は別のキャラバンに出くわし、そのうちの一人がムラヴィヨフを指さした。ガイドたちは機転を利かせ、こいつは俺たちが捕まえたロシア人で、ヒヴァに連れて行って売るつもりだ、と相手のキャラバンに告げた。結局、ムラヴィヨフ一行は彼らの激励を受けつつ、無事ヒヴァへと向かうことができた。

　しかし、ヒヴァに着くやいなや、ムラヴィヨフは投獄されてしまう。おそらく彼の手帳からスパイだとばれたのだろう。君主（ハン）は、彼を人目につかない砂漠で生き埋めにしてしまおうとも考えたが、結局、会ってみることにした。謁見に際し、ムラヴィヨフは忠告通り、正装し剣を持たずに出かけた。どのようにして君主（ハン）のそばに歩み出るべきかと迷っていると、突然、背後にいた宮廷吏に羽交い締めにされた。ムラヴィヨフは命懸けで抗う覚悟もしたが、宮廷吏は、これはヒヴァの古くからの習わしで、外国からの使者は君主の前まで引きずられていくことになっている、と告げた。ムラヴィヨフはその伝統に従った後、君主（ハン）に現地式の挨拶をした。そして彼は、自分は皇帝（ツァーリ）からの「深い敬意を表するために」遣わされた者であり、親書を届ける命を受けていると述べ、「さらに、陛下に直接申し上げるべき件も命じられております」と付け加えた。「今この場にて、あるいはご都合のよろしき折に申し上げるべく、陛下より命が下されるのを待つばかりの身にございます」。次いで、両国に相互利益をもたらす関係を築くことを提案し、「陛下がもしわれわれロシアの味方になってくださるのなら、陛下の敵はロシアの敵にもなることでしょう」と確約した。君主（ハン）は交渉に応じ、「余は、両国間に堅固で誠実な友情が芽生えることを望むものである」と答えた。最低限の任務は果たしたムラヴィヨフだったが、政治的にはこれといった成果は上げられなかった。彼の報告書を読んだ上官らは、ムラヴィヨフが提案したヒヴァの併合と奴隷の解放は無視し、彼を昇進させた上で別の任務に就かせた。その後、ムラヴィヨフは軍人として輝かしい経歴を積み重ね、行政官としても、紆余曲折はあったものの顕著な功績を残した。ムラヴィヨフのヒヴァへの旅は、再びホップカークの言葉を借りれば、「中央アジアの三ハン国の独立を終わらせるための端緒となったのである[1]」。

ゲームの敗者を待ち受ける最期

現地にうまく溶け込むことは、グレートゲームにおける生き残り戦術の一つである。当時の記録が凄惨な話にあふれているのは、プレイヤーがそれに失敗したせいでもある。一八三二年六月、ブハラを訪れた英国東インド会社軍将校のアレクサンダー・バーンズ中尉は、大宰相に宛てた美文調の書簡を携えていた。文面は自ら認めたもので、大宰相を「イスラムの塔」や「信仰の宝石」といった美称で呼んでいる。首長（アミール）の宮殿に呼び出されたバーンズは、現地の衣装に着替え、徒歩で宮殿に赴いた。聖都ブハラでは非イスラム教徒の乗馬が禁じられていると聞きおよんでいたからだ。バーンズは二時間にわたって尋問を受けた。大宰相はまず、彼の宗教について問い質し（十字架を肌身離さず身につけていたライバルのロシア人とは異なり、バーンズは十字架を身につけていなかったが、それを確認するために胸をはだけさせられた）、キリスト教徒は豚肉を食べるかどうか、そして、それはどんな味なのかと尋ねた。バーンズは「牛肉のようだと聞いております」とそつなく答えた。続いてヨーロッパの暮らしぶりについての四方山話をし、二つしかない方位磁石（コンパス）の一つを大宰相に献上した。大宰相はバーンズに、次回は英国製の眼鏡を持参するようにと依頼し、二人は友好的に別れた。

一八三二年、バーンズは家族に宛てて、「私はすっかりアジア人のような身なりをしています」と書き送っている。

> 褐色の頭髪を剃り落とし、ひげは黒く染めて、ペルシアの詩人が歌ったように、青年期の失われた美しさを惜しみ嘆いています。今や食事は手で食べており、指は脂ぎっています。〔中略〕私は自分がヨーロッパ人であることを決して隠しません。〔中略〕こちらではセクンダーという名前で知られています。これはペルシア語でアレクサンドロスのことで、気高い名前です。

アレクサンダー・バーンズは、ブハラ・バーンズの名でも知られているが、これはベストセラーとなった旅行記『*Travels into Bokhara*（ブハラへの旅）』に描かれた先駆的探検を行ったことによる。

同年、カブールに滞在していたバーンズは、そこでウルフと出会った。ある資料によると、ウルフは「追い剝ぎに遭い、着る服もないまま六百マイル（約千キロメートル）の徒歩旅行を強いられた後、裸の状態で中央アジアから現れた」という。バーンズは、このキリスト教牧師を「ユダヤ人宣教師」と記し、「ユダヤ人としてタタール人（タルタリア）の地に足を踏み入れた、このイスラム教国における最高の旅人」と評している。また、ウルフの「不幸は、自らをメッカ巡礼者（ハッジ）と称したことに起因していた」とも述べている。ウルフは現地に溶け込もうと強く望んでいたが、当時はまだ語学力が乏しかった。

二人がカブールでアフガニスタン王に謁見した際、バーンズは、ウルフが「数人のイスラム博士」と行った神学論争に彼の通訳として参加した。初めのうちこそ聖職者（ムッラー）でないことを理由に控えめだったバーンズだが、すぐに自らの任務を逸脱し、コーランに関する巧妙な質問で学識ある博士たちをやり込めたり、ヨーロッパの逸話で彼らを楽しませたりするようになった。王はこの余興を満喫し、二人の客人に旅先でのあらゆる支援を約束した。

一八四一年、バーンズは再びカブールにいた。当時のカブールは第一次アフガン戦争の影響で、イギリスの支配に対する反感が高まっていた。それでもバーンズは、アフガニスタン人に襲撃されたりはしないだろうと高をくくっていたが、ある日、狂信的な暴徒の群れが彼の家を取り囲んで火を放った。一説によると、この事件の結末はこうだ。ある裏切り者が、民族衣装に着替えて地元民のふりをすれば、バーンズと弟を安全な場所に避難させてやるとそそのかし、兄弟が姿を見せるやいなや、「こいつがセクンダー・バーンズだ！」と叫んだ。それをきっかけに、二人は暴徒にメッタ斬りにされて落命した。

バーンズの最期には、東洋の言語と裏切りにまつわる、もう一つの悲惨な物語が先例としてある。一八二九年一月、アレクサンドル・グリボエードフがロシアの駐ペルシア大使として首都テヘランに到着した。第二次ロシア・ペルシア戦争が終結して間もないころだった。この戦争は一八二六年にロシアが宣戦布告したことによって始まった。その宣戦布告文書は、カザンでおそらくタタール語の教育を受けた役人が作成したもので、あまりにひどいペルシア語だったため、ペルシア側はそれを突き返し、きちんと理解できる文書を要求した。そうこうする間に、ロシア軍は攻撃を開始し、ペルシアにとっては不意打ちを食らう格好となった。そのせいもあってか、最終的にペルシアは敗北を喫し、一八二八年、極めて屈辱的なトルコマンチャーイ条約の締結を余儀なくされた。この条約の交渉に当たったのが、ペルシアの言語や習慣に精通していたグリボエードフである。彼の次なる任務は、条約の各条項をきちんと履行させることだった。しかし彼は、このテヘラン行きに気乗りがしなかった。というのも、一つには、テヘランに滞在する時期がイスラム暦の聖なる月「ムハッラム月」と重なるからだった。それでも彼は、妊娠中の十代の妻にすぐに戻ると約束してタブリーズに残し、テヘランへと旅立った。

グリボエードフは、ファトフ・アリー・シャーとの謁見に際し、金の刺繍が施されたきらびやかな制服と三角帽という出で立ちで臨んだが、おそらく彼にとっては、くだらない仮装パーティーにでも参加するような気分だったろう。音楽と詩に情熱を傾ける彼は、自分の職務に否応なくつきまとう虚飾を嫌った。彼の喜劇作品『知恵の悲しみ』（ちなみに、アンソニー・バージェスによる英訳のタイトルは『*Chatsky, or The Importance of Being Stupid*（おバカが肝心）』）はサンクトペテルブルクで物議を醸し、検閲によって上演禁止となったが、広く読まれた。しかし彼は今、文学サロンや劇場、愛用のピアノから遠く離れたテヘランの地にあって、もはや作家アレクサンドル・グリボエードフではなく、孔雀（くじゃく）もどきの制服を身にまとった一介のロシア大使にすぎなかった。今はただ与えられた任務をやり遂げるしかなかった。皇帝（シャー）は彼を盛大にもてなした。言葉よりも重い沈黙に満ちた謁見は一時間近く続き、グリボエードフは勝者たるロシアの代表として、その意向を敗者たるペルシアに一方的に伝えた。

だが、講和条約のすべての条項を遵守させるのは至難の業だった。ペルシア政府との交渉において、グリボエードフはかなり威圧的な態度を取る傾向があった。たとえば、通達文書で皇帝（シャー）の正式な称号の半分を省略し、ロシア側の要求が交渉の余地なきことを思い知らせたりしていたのである。条約には、ペルシア国内に住むアルメニア人に対し、新たにロシア帝国領となった彼らの故郷に帰る権利を与える条項があった。この条項を利用して、皇帝（シャー）のハーレムの宦官一人と皇帝（シャー）の娘婿の妾二人の計三人が、ロシア公使館に亡命を求め、許可された。皇帝（シャー）は三人を返すよう要求したが、グリボエードフは皇帝（ツァーリ）の臣民を守るのが自分の務めだとして、三人の引き渡しを拒否した。彼は、この決断によって自分の身が危うくなることを予期していたが、その一方で、そうしなければ、亡命者の身に何が起こるのかも明らかだった。

　憎むべき異教徒が聖なる月に犯したこの新たな暴挙の噂は、すぐに市中に広まった。イスラム聖職者（ムッラー）の扇動によって民衆が大挙してロシア大使館に押し寄せ、亡命者を取り押さえた。大使館内に乱入した群衆の数は数千人におよんだ。大使と数名の部下は最後まで抵抗し続けたが、奮闘むなしく暴徒の手によってズタズタに引き裂かれた。グリボエードフの首を切り落としたのはケバブ屋だった。彼がその首を掲げると、群衆からは歓喜の声が上がった。後日、ゴミの山からバラバラ死体が見つかり、以前の決闘によって変形した片手と、わずかに残っていた制服の切れ端からグリボエードフ本人と確認された。この残虐行為の報復を恐れたペルシア皇帝ファトフ・アリー・シャーは、孫に豪華な贈り物を持たせてサンクトペテルブルクに遣わした。若き王子は、ニコライ一世の前に進み出て、償いとして自らの剣で自害することを申し出たという。しかし、このような外交的ハプニングは日常茶飯事であった皇帝（ツァーリ）は、早まるなと彼をたしなめ、「余は、不運なテヘラン事件を忘却の彼方に葬ることとする」と宣言してこの件を落着させた。

ウルフを救った「敬称」

対話相手の文化に溶け込むことの重要性は、これまでに紹介した話からすでに明らかだろうが、ジョゼフ・ウルフ牧師の事例はその最たるものである。ウルフのブハラ滞在中、首長（アミール）ナスルッラーは彼を監視下に置き、何度も侍従（マフラム）を送り込んでは、さまざまな質問を浴びせた。首長（アミール）が「イングランドの四人の大宰相と十二人の小宰相、四十二人の長老の名前」を知りたいと言うので、ウルフはそのリストを差し出したが、「侍従が激怒しながら戻って来て、陛下が私を『嘘つき』だとおっしゃっている、と言った」。ウルフのリストは、どうやら気分屋の暴君がストッダートから受け取ったものと違っていたらしい。首長（アミール）の面前に引き立てられたウルフは、「英国憲法の理念を一通り」説明して、その場をなんとか切り抜けた。「陛下は完全には理解されなかったが、私のリストも同じく正しい可能性があることだけは納得してもらえた」。このようなやり取りを幾度となく繰り返しても事態は少しも進展せず、ウルフが、ストッダートやコノリーと同じ運命をたどる覚悟を決めようとしていたとき、首長（アミール）のもとに皇帝（シャー）からの親書がまた届いた。「では、ジョゼフ・ウルフをお前にくれてやろう」と、首長（アミール）は親書を届けにきた使者に言った。「彼を連れて行くがよい」

ブハラからの帰路、ウルフは「タブリーズでペルシア語に精通したエドワード・バージェスという、興味深くも薄幸の若い紳士」に出会った。バージェスは現地に居住するある王子に雇われて英字新聞の翻訳をしていた。バージェスには弟がいたが、ペルシア政府から綿製品の買い付けにイングランドに遣わされた弟は、多額の購入資金を持ったままその地で失踪してしまったという。窮地に立たされ、人質同然の身となったバージェスは、がむしゃらに翻訳の仕事を続けた。その仕事の一つに、雇い主からウルフへの手紙の翻訳があった。バージェスはこの翻訳にウルフに直接宛てた添え状を付け、「拙訳に満足いただけましたら幸いです」と記している。

> 原文が理解しやすいように、できるだけペルシア語に近づけて訳しました。そして、私たちの言語〈英語〉に許される限り、ペルシア語の慣用句をそのままの形で残すように努めました。ペルシア語に精通している貴殿なら、それがどれほど難しいかはご存じでしょう。手紙の中で貴殿に付けた〈Excellency（閣下）〉という敬称は、ヨーロッパでは奇妙に聞こえるかもしれませんが、〈Jenaub〉に対する訳語としては、それ以外に適当な語が思い浮かびません。この国で、この敬称は高位聖職者と大使に対してのみ使用される語であり、これまでもそのように訳されてきました。

かくして、ウルフは、彼には畏れ多い敬称をしばし享受した。彼が無事イングランドに帰国し、旅の記録を出版できたのも、そのおかげだった。

今では氏名や敬称を間違えたからといって斬首されることは少なくなったが、翻訳では今なおさまざまな文化的指標が重要な役割を果たしている。私にとっての「ブハラへの旅」は、通訳者として携わった数件の亡命裁判だった。そのうちの一つで、ウズベキスタンからイギリスに売られてきたあるセックスワーカーは、弁護士に裁判官、私も含めて誰彼構わず、ロシア語のよそ行きの二人称単数〈Вы/vy〉ではなく、気さくな二人称単数〈Ты/ty〉で呼びかけ続けた。最初はあまりの馴れ馴れしさに眉をひそめたが、そのうち、この女性が暮らしていた文化においては、この呼びかけ方こそが信頼の証しであって、厚かましさの表れではないことに思い当たった。私はその真意を汲み取り、彼女の発言が礼儀正しく聞こえるように訳した。裁判の結果、彼女の亡命申請は無事認められた。彼女とは気さくな挨拶を交わして別れたが、そのときにはもう馴れ馴れしすぎるとは感じなかった。

文化にかかわる不作法は、打ち解けた雰囲気の中でもトラブルのもとになりかねない。あるとき、アゼルバイジャンのビジネスマンとの会合で、イギリス人のホストが自虐的なジョークを放った。自分のことをデブ（fat）だと言ったのだ（彼は確かに太めで、ゲストの一部もそうだった）。私は、わざわざ婉曲的表現（英語では〈full-bodied〉や〈well-rounded〉、〈portly〉など）に言い換える必要はないと考え、そのままロシア語に直訳した。それを聞いたゲストの面々は見るからにショックを受けていた。私の生まれ育ったモスクワではごくふつうの単語でも、バクーで話される丁寧なロシア語に慣れた人たちには不作法に聞こえたのだ。彼らの一人が「デブ」を「恰幅のよい」とさり気なく訂正してくれたので、私は謝った。

ローカルルールを守り損ねても、恥をかくとは限らない。これまでの通訳経験の中で最も印象に残っている呼びかけ方は、ある裁判の証人が答弁のたびにその冒頭に付け足していた「Mister Judge, sir（裁判長殿！）」である。おそらく証人は、その当時、裁判もののテレビドラマでも観ていたのだろう。あるいは、イングランドの刑事法院という慣れない雰囲気に合わせようとして、彼が標準的な定型表現だと思い込んでいた言い回しを使ったのかもしれない。私はその日裁判長を務めたカツラ姿の女性裁判官を見て、その呼びかけ方を誠に勝手ながら「Your Honour（裁判長！）」に変えさせてもらった。

第四章

観測と解析

Observation and Analysis

科学分野の翻訳も楽ではない

一八七七年八月、イタリアの天文学者ジョヴァンニ・ヴィルジニオ・スキアパレッリは、メルツ社製八インチ屈折望遠鏡を火星に向けた。この望遠鏡は、ミラノのブレラ天文台の台長を務めていた彼が、二重星の観測を目的としてブレラ宮殿の屋上に設置したものだった。二重星の観測性能に満足したスキアパレッリは、次に「惑星表面の研究に必要な性能も備えている」かどうかを確かめてみようと考え、九月上旬に火星が観測に最適な衝(しょう)〔地球から見て太陽のちょうど反対の位置に来る瞬間〕を迎えるため、その機会を利用することにした。

その後二カ月にわたる観測によって、この「赤い惑星」のイメージは一変した。以前から知られていた「陸」と呼ばれる明るい部分と「海」と呼ばれる暗い部分に加え、海と海をつなぐ何本もの黒い線が、最初は「非常に曖昧で漠然とした」ものではあったが、確認できるようになったのだ。

スキアパレッリは新しい火星地図を作成し、その黒い線を〈canale（複数形canali）〉と名づけた。
スキアパレッリの発見が英語で報じられた際、イタリア語〈canali〉は〈canals（運河）〉と訳され、訳語のもう一つの可能性であった〈channels（水路）〉は無視された。これが大きな波紋を呼ぶことになった。一八八二年、英国王立天文学会会員の化学者J・T・スラッグは、『マンチェスター・ガーディアン』紙に記事を寄せ、国際科学界の反応を代弁している。「この報告を読んで誰もがまず疑問に思うのは、もし運河が実在するなら、それは自然のものなのか人工のものなのか、ということだろう。偉大なフランスの天文学者フラマリオンは、『もしこの運河が間違いなく存在するのであれば、自然のものとは思えず、（中略）この惑星の住人による工業的成果を表しているように見える』と述べている」。フラマリオンとは、その著書『*La Planète Mars et ses conditions d'habitabilité*（火星とその居住条件）』が広く影響をおよぼしたカミーユ・フラマリオンのことだが、彼はそこでフランス語〈canal〉の複数形〈canaux〉を使っている。これは英語の〈canals〉と同じく、人工的起源を示唆する語である。人工物の存在は当然ながら、それを建設した知的生命体の存在をもほのめかす。フラマリオンはさらに、火星は地球に比べて重力が小さいので、「火星の住人はわれわれとは異なる形態をしており、大気中を飛行している」と推測した。雲をつかむような話にもかかわらず、多くの天文学者が彼の説に追随した。

　知的生命体説の最も熱烈な提唱者は、アメリカの天文学者パーシヴァル・ローウェルだった。彼はアリゾナ州フラッグスタッフに自前で天文台を建設し、火星の「非自然的地物（non-natural features)」の研究に没頭した。その著書（『*Mars*（火星）』、『*Mars and Its Canals*（火星とその運河）』、『*Mars as the Abode of Life*（生命の住処（すみか）としての火星）』）は、多くの議論を巻き起こし、H・G・ウェルズの『宇宙戦争（*The War of the Worlds*）』（一八九八年）以降は、「火星人もの」がSF小説の一大ジャンルとなった。もちろん、ローウェルの推測を鵜呑みにせず、半信半疑で聞く人もいたが、彼の熱を帯びた主張はまるで伝染病のように一気に信奉者を増やした。火星研究の第一人者であるウィリアム・シーハンによれば、十九世紀の最後の十年間は、火星に知的生命体が存在するという妄想が集団ヒステリーのレベルにまで達したという。彼はその実例として、ジュネーヴ大学心理学教授テオドール・フルルノワの一八九九年の論文から、催眠状態で火星を訪れ、その風景や住人、言語、文字などを絵に描いて詳しく説明してみせた女性の事例を引いている。

科学史上最大の翻訳の謎

ここで疑問が湧く。もし、スキアパレッリの報告を最初に英訳した無名の翻訳者が、〈canali（カナリ）〉の訳語に〈canals（運河）〉ではなく〈channels（水路）〉を選んでいたら、歴史の流れはどう変わっていただろうか。なるほど、形の上では〈canals〉のほうが原語に近いように思えなくもないが、ほぼ間違いなく〈channels〉のほうが妥当な訳語であり、その衝撃もはるかに小さかっただろう。これは、多義性（ポリセミー）（複数の意味の共存）と空似言葉（フォルス・フレンド）（二つの言語で音の響きは似ているが、意味が異なる単語のペア）の好例である（空似言葉に足をすくわれた人は少なくない。たとえば、フランスのエマニュエル・マクロン大統領は、二〇一八年五月にオーストラリアを公式訪問した際、マルコム・ターンブル首相と彼の〈delicious wife（美味なる夫人）〉に謝意を述べたが、これは明らかに〈délicieuse〉――フランス語では単に「魅力的な」という意味――を直訳したものだ）。

その後に起こった混乱の原因をすべて翻訳者に帰す前に、スキアパレッリ自身が〈canali（カナリ）〉をどういう意味で使っていたのかを調べておく必要があるだろう。天文学者なら、彼の頭に読心望遠鏡を向けて脳内の思考を拡大し、調査対象の地物にしっかり焦点を合わせるかもしれない。しかし、翻訳者用の望遠鏡は（まだ）実用化されていない。極めて微妙な違いを区別する必要があると思われる場合、翻訳者は天文学者ではなく探偵になるべきだ。逆説的ながら調査範囲を広げ、国境を越えて情報を収集しなければならない。つまり、スキアパレッリの書いたものを理解するには、まずスキアパレッリその人を理解すべきである。

そういうわけで、探偵仕事に取りかかろう。スキアパレッリは、どのような人物だったのか。彼は近視で色覚異常もあったが、スケッチが得意で観察したものをすばやく紙に写し取れた。一八七八年、ローマで多くの政府関係者に会い、火星に関する発見を報告した際、スキアパレッリは、もっと高解像度の装置を使えば、さらによい結果が見込めると力説し、彼らに「火星は地球と瓜二つの世界だと考えられる」と太鼓判を押した。「少々フラマリオン風のスタイルを取り入れることで、私はこの件をかなりうまく処理できた」と彼は述べている。この「刺激的な幻影ショー（ファンタスマゴリー）」は成功裏に終わった。当時のイタリア政府は、統一後の国家主義的風潮の中、自国の科学者の支援に熱心で、火星からの光学信号を読み取るのに適した最新式の高価な十八インチ望遠鏡を購入することに同意した。

スキアパレッリは、いくら高性能の望遠鏡であっても、大気の状態によって生じる歪みを逆に拡大させてしまうことを知っていた。これは、翻訳者がたとえよかれと思ってした行為であっても、原文に元から存在するランダムノイズを増大させかねないのと同じである。「現状においては」とスキアパレッリは書いている。「この〈canali〉の性質に関する推測を述べるのは時期尚早であろう。その実在については、錯覚の嫌疑をかけられないようあらゆる予防策を講じていることは言うまでもない。私は自分の観測内容に絶対の自信を持っている」。そんな彼でも、くつろいだ気分のときには、想像力の赴くままに、文明の進んだ火星国家によって整備された、地表水を公平かつ効率的に分配する灌漑システムにまで思いを巡らせていた。「La vita sul pianeta Marte（火星の生き物）」という雑誌記事では、空想的社会主義を思わせる「万人の利益がすべて平等に分配される」社会の存在を想像している。「高度に発展した科学は完璧の域に達している。国際紛争や戦争は知られていない。すべての知的努力は全住民の賛同を得て、共通の敵、すなわち、進歩の行く手をことごとく阻む不毛な自然の克服に向けられている」。この記事は広く読まれ、多くの言語に翻訳された。おそらく、彼の著作の中では最も想像力に満ちたものだった。科学的厳密さを欠くこの記事は、折しも地球上で進行中だった大運河の建設ラッシュに着想を得たのかもしれない。当時は、一八六九年にスエズ運河が完成し、パナマ運河が建設中だった。そんな時代に地球の隣の惑星で運河が発見されるというのは、たとえ仮説であっても極めて興味をそそる出来事だったに違いない。これもまた一つの技術的快挙であり、近代化への新たな一歩だった。

事実と空想の境界を横断するにあたり、スキアパレッリは石橋を叩いて渡るがごとくに細心の注意を払った。「私自身はこの仮説に反論するつもりはない。ありえないことは何も含まれていないからだ。〔中略〕たとえば、大規模な農作業や灌漑のような〔中略〕活動を仮定することはできる」。ここには、自分の意見に対する徹底した慎重さと、研究者仲間の風変わりな考察を寛大に受け入れようとする姿勢の両方が見てとれる。当時スキアパレッリがもし、英訳を読んだ研究者から詳しい話を聞かせてほしいと頼まれていたら、彼は考えていたことを包み隠さず打ち明けただろうか。もし火星の「運河」論争が起こらなかったら、未来はその後どう変わっていただろうか。当初の誤った推測に基づく関心によって豊かになった火星に関する知識は、今よりも乏しくなっていただろうか。NASAはマリナー計画を立ち上げただろうか。そして火星の水の探索が長年にわたって続けられ、ついに二〇一五年、それが発見されたと大々的に報じられるに至っただろうか。さらにその二年後に、「繰り返し現れる斜面の筋」は乾いた砂の流れである可能性が高いという新たな仮説が発表されることになっただろうか。

これらの疑問に確信を持って答えることはできないにしても、こうした問題は、翻訳についての〔そして語の多義性についての〕より広範な疑問を投げかける。スキアパレッリの発見を初めて英語圏に伝える役目を担った翻訳者が誰であれ、本来であれば、原文に干渉し、原文を詳しく説明すべきだった。

しかし、翻訳者はおそらくその必要性に気づかず、訳語の選択に悩んだ形跡もない。奇妙なことに、この事実はあまり注目されなかった。他方、別の側面は綿密に調査された。たとえば、スキアパレッリが描いたスケッチがそうである。同時代人の中には、彼のスケッチの技量に疑念を抱く者もいた。画家のナサニエル・E・グリーンは、スキアパレッリの「硬く鋭い線」は彼の表現スタイルによるものに違いないと述べた。天文学者のエドワード・エマーソン・バーナードは、一八九三年にスキアパレッリへの手紙にこう書いている。「あなたの本に添えられた火星のスケッチでは、運河がとても強く描かれていますが、元になったノートのスケッチを拝見すると、運河の線はそれほど強くは描かれていません。この線が印刷物であんなにも強く黒々としているのは、複製の際の不具合なのでしょうか」。スキアパレッリはこう答えた。「私のスケッチの複製は、残念ながら読者を誤解させるかもしれません。スケッチを上手に複製してくれる職人が見つからないのです」

けれども、「運河（canals）」という用語の使用については、科学界からも一般社会からもほとんど問題にされることはなかった。もちろん、この用語に反対する者がいなかったわけではない。たとえば、イギリスの天体物理学者J・ノーマン・ロッキャーは、これは「本物の水路（true water channels）」とすべきと力説している。スキアパレッリの翻訳者が直面した〔直面はしたが、見えてはいなかった〕難題を正しく理解するには、スキアパレッリの他の著作を参照する必要がある。そこには、誤解を招く表現に満ちた空間が宇宙のように広がっている。火星の地物を記述する際、彼は地球の地形用語を流用した。なぜなら、

> 一般的に見られる地形は、地球の地図とかなり明確な類似性を示しており、それよりもふさわしい名称群があろうとは思えないからである。簡潔で明晰な表現を求めれば、「島」、「地峡」、「海峡」、「水路（channel）」、「半島」、「岬」といった用語を使うのは必然ではないだろうか。本文の記述や図表の表記にこの一連の用語を使わないとすれば、冗長な説明的語句で言い換えるほかはなく、対応する対象について話すたびにそれを繰り返さなければならなくなる。〔シーハンによる英訳〕

地球の用語に準じた用語の使用は「記憶に残りやすくし、記述を簡略化するための単なる工夫とみなせるかもしれない」という彼の見解に、多くの翻訳者は同意したことだろう。翻訳者もこのような技をよく使うからだ（理想的には慎重に熟考した上で）。しかし、要点は変わらない。スキアパレッリの水関連の語彙は、少なくともある程度までは比喩的だった。

比喩は独り歩きする

比喩というのは、理にかなっていようがいまいが、勝手に独り歩きし始めるものだ。大胆なパーシヴァル・ローウェルも最初は慎重だった。ローウェルが「私は彼の用語法を採用した」と書いたのは、スキアパレッリが火星を観測し始めてから二十年後のことである。「そして、新しく発見された地物の命名にあたっては、実用的観点と詩的観点のどちらからも魅力的な彼の方式に適合する名称を選んだ」。この時点のローウェルは、スキアパレッリの用語法にまだ若干の留保をつけている。「われわれの探求のこの時点で、火星表面で観測可能な一般的物理現象から直接推論すると、もしそこに住人がいるとすれば、彼らの生存にとって灌漑システムが不可欠なものになるだろう。望遠鏡は、おそらく当代一の驚くべき発見である、火星のいわゆる運河を、私たちに見せてくれるのだから」。この「いわゆる」は、その後間もなく脱落する。

ローウェルは自著『*Mars*（火星）』において、灌漑システムの人工的な性質を強調するために、スキアパレッリの比喩を発展させた。「この惑星に広がる大砂漠地帯（火星のいわゆる大陸）の赤茶けた地面の上には、円や楕円の無数の黒い斑点が点在している。さらに言えば、その斑点は常に運河と密接に関連しているように見える」。つまり、車輪に見立てると、無数の斑点は、「放射状に伸びる運河というスポークを中心でつなぐハブの役割を果たしている」。彼は「運河の存在理由、その最も自然な理由」について論じ、「運河はオアシスを肥沃にするという明確な目的のために建設された」と結論づけている。「もちろん、これらはみな、何の意味もない偶然の積み重ねなのかもしれない。しかし、蓋然性から言えば、そうではない可能性のほうが高い」

ローウェルは自著『*Mars and Its Canals*（火星とその運河）』を、彼が〈cher Maître Martien（親愛なる火星の先達）〉と呼ぶスキアパレッリに献じている。二人は頻繁に手紙のやり取りをしていたが、その言語は主にフランス語だった。当時は、自然科学を含む多くの分野で、英語よりフランス語のほうが一般的だったからだ。スキアパレッリはドイツ語の本も出版しており、英語も読めた。そのことはローウェルの文面からもうかがえる。たとえば、一八九六年八月十七日に火星の先達に宛てた電報には、「Ganges is double（ガンジスは二重）」と英語で記されている。一八九五年の時点では、この地物が「偶然の積み重ね」である可能性を認めていたローウェルだが、一九〇六年には、こう断言するようになっていた。水が「自然の力によって推進されることはなく、その目的は人工的に達成されたと考えるのが率直かつ必然であろう。この推論からは逃れられないように思われる」。ローウェルは、最初のうちこそスケッチに頼っていたが、その後は写真に切り替えた。そして、弟のアボット・ローレンス・ローウェルによる伝記から引けば、「ついに一九〇五年、写真乾板上に運河が現れた。その数は全部で三十八本、うち一本は二重になっていた。撮影成功の報に接したスキアパレッリは、驚きつつパーシヴァルにこう書き送った。『まさか成功するとは思ってもみませんでした』」。

　スキアパレッリが懐疑的であったのには理由がある。一八九〇年代後半、彼が自らの後継者と目していたイタリアの天文学者ヴィンチェンツォ・チェルッリが、火星の運河は目の錯覚であり、さらに解像度の高い屈折望遠鏡が使えるようになれば、「現在、かくも神秘的で興味深いあの線状の形態は消失してしまうだろう」と主張したからだ。一九〇九年、ギリシアの天文学者ウジェーヌ・ミシェル・アントニアディもこの見解を支持し、スキアパレッリの望遠鏡もローウェルの望遠鏡も、直線を識別するには解像度不足だと指摘した。チェルッリとアントニアディは、従来よりも調整の行き届いた装置を使い、言ってみれば、繰り返せば繰り返すほど精度が上がると信じて既存の翻訳を手直しする翻訳者のように行動したのである（だが、この原則は必ずしも現実世界に当てはまらない）。この新説に対するフラマリオンの反応は、清々しいまでに弁証法的だった。「それでは、天文学者は、道徳面におけるのと同様に、物理学においても、個々の『物の見方』を持っているとでも言うのだろうか」

スキアパレッリの物の見方は、シーハンの論文に要約されている。「彼が（人工物というニュアンスを含む）運河ではなく、水路を念頭に置いていたことは間違いない。実際（中略）彼には、〈canale〉と〈fiume（川）〉という二つの用語を特に区別せずに使う傾向がある」。確かに、スキアパレッリの著作を読むと、〈fiume〉と〈canale〉に互換性があり、たとえば、ナイルとガンジスはどちらの名称でも呼ばれている。けれども、本当に興味深いのは、当時〈canale〉がどのように訳されるべきだったかではなく、この話によって翻訳の実にさまざまな側面が浮き彫りになったということだ。一つには、事物の命名の重要性がある。また、コミュニケーションの感情的な側面（説得や信頼など）、それでも理解されるだろうという安易な思い込みによる言葉足らずな表現、明晰に書かれた原文の必要性などもそうだろう。そして、最も重要なのは、コミュニケーションにはミスがつきものだからといって、理解のための努力を諦めてはいけないということだ。もちろん、複数の言語がかかわる場合もその例外ではない。スキアパレッリの話に何か教訓が含まれているとすれば、それは、片目を望遠鏡の接眼レンズに押し付けていても、「鏡もて見るごとく」おぼろげにしか見えない要素が必ず存在するということだ。望遠鏡とは違って、翻訳者はそれまで見えなかったものを可視化するわけではない。ではいったい、何をしているだろう。

科学翻訳にも曖昧さはある

多くの人は、なんとなく科学論文は文学作品よりも翻訳しやすいと考えている。文学作品は曖昧な表現にあふれ、翻訳者はその場その場での即興的な翻訳を余儀なくされるだろうから、というのがその理由だ。ところが、そうではない。私は学生時代にアルバイトで学術誌の翻訳を始めたが、科学の明晰性とやらは、火星の運河のようなものだとすぐに気がついた。そんなものは幻想にすぎなかったのだ。一つには、人工知能やレーザー光学や作用素（演算子）理論といった専門分野の用語は、通常、多言を要さずとも理解し合える、ごく少数の研究者によってのみ話されるという事情がある。アインシュタインは、「六歳の子どもに説明できないのなら、自分でも理解していないのだ」と言ったとされる。しかし、すべての科学者が自分のアイデアを子どもに売り込むわけではない（中には、子どもを楽しませるようなアイデアもあるかもしれないが）。それは、当時、私が英語からロシア語に翻訳することになった論文の例からも明らかだ。担当の女性編集者は英露どちらの言語にも通じていたが、物理学は門外漢だったようで、私が〈дырка/dyrka（穴）〉と訳した箇所はすべて、彼女自身が適切と判断した同義語に修正されていた（〈Electron hole（正孔）〉または単に〈hole〉は、電子が欠けたことによって生じる原子の穴を指す、れっきとした物理用語で、英語の〈hole〉とそれに対応するロシア語の〈дырка/dyrka〉には、どちらも科学的用法ではない一般的な意味がある。これは科学の専門用語によくみられる問題で、科学者は翻訳の際に面倒が生じる可能性などお構いなしに、日常語を採用する傾向がある）。ほぼ一文ごとに顔を出すこの用語は、洗練された響きを求める編集者の手によって、一つ残らず〈отверстие/otverstie（開口部）〉に置き換えられてしまったのだった。

翻訳という行為は、否応なく原文を歪めてしまうものではあるが、その歪みによるズレが推定可能である限り、本来の意味が翻訳によって完全に消し去られてしまうわけではない。理系出身の翻訳者として、スキアパレッリの望遠鏡に対抗しうる比喩を探してみたところ、この上なく理想的な場所でそれが見つかった。運河・水路（カナリ）論争の三十年前、同じくイタリア人科学者のルイジ・フェデリコ・メナブレアは、イギリスの数学者チャールズ・バベッジと出会った。バベッジは、世界に革命をもたらす機械を創り出すべく日々努力を重ねていたところだった。一八四〇年八月、トリノを訪れたバベッジは、科学アカデミーで「解析機関（Analytical Engine）」についての講演を行った。この解析機関は今日で言うコンピューターにほかならず、理論的には、プログラム通りに演算を実行する史上初の機械装置となるはずのものだった。

バベッジを「イタリアの賢者の集い」に招いたのは、数学者・天文学者のジョヴァンニ・プラーナだった。バベッジによれば、「プラーナ氏は当初、機関の原理の概説を執筆するために講演ノートを取るつもりだったが、自身の研究で多忙を極めていたために断念せざるをえず、この仕事を、すでに一流解析学者としての名声を確立していた後輩のメナブレア氏に引き継ぐことにした」。バベッジは数日にわたり、イタリアの学者たちと議論して過ごした。会話はほぼフランス語でなされたと考えられる。メナブレアはノートを清書したものに解説を加え、同年末に「Notions sur la machine analytique de M. Charles Babbage（チャールズ・バベッジ氏の解析機械についての概念）」というタイトルのフランス語論文を発表した。

一八四三年、その論文の英訳版「Sketch of the Analytical Engine Invented by Charles Babbage Esq.（チャールズ・バベッジ氏が発明した解析機関の概略）」が出版された。著者名は〈L. F. Menabrea, of Turin, Officer of the Military Engineers（トリノのL・F・メナブレア工兵士官）〉と肩書き付きで明記されたが、翻訳者の名前は「A・A・L」とあるのみだった。この翻訳は、謙遜の見本として後世に名を残したわけでも、誤訳で話題になったわけでもなかった。この論文を翻訳し、原文の倍近い注釈（その中には、しばしば初のコンピュータープログラムと評される表も含まれている）を追加した人物は、今日、文学界と科学界の両方で知られるオーガスタ・エイダ・ラヴレスである。

この上なく原文と向き合った訳者

子どものころにエイダが受けた教育は、少々つぎはぎ気味とはいえ幅広いものだった。家庭教師（ガバネス）の一人であったラモント嬢によれば、「午前の授業は、算数、文法、綴り字、読書、音楽で、それぞれ十五分ほど。夕食後にも、地理、スケッチ、フランス語、音楽、読書の授業がありましたが、彼女はどの科目も嫌がらずに積極的にこなしていました」。エイダはイタリア語も学んでいたが、語学よりも科学に対する関心が強かった。当時の女子には異例の科目であった数学をエイダのカリキュラムに取り入れたのは、彼女の母親である（母親は、エイダが父のバイロン卿から受け継いだ可能性のある遺伝性の狂気のようなものを中和できればと考えたのだ）。エイダは、十七歳のときにバベッジと出会い、蒸気機関式コンピューターとなる予定のものの一部を見せてもらった。

自宅での個人授業では基礎レベルの数学しか学べなかったが、エイダはその後、一八四〇年から四一年にかけて、著名な論理学者でユニバーシティ・カレッジ・ロンドンの数学教授オーガスタス・ド・モルガンの通信講座を受講した。オックスフォードのボドリアン図書館に収蔵されている二人の往復書簡を読むと、エイダが細部にまで目を配り、課題図書の間違いや誤字誤植を幾度となく指摘していたことがうかがえる。また、一つひとつの文章を完全に理解するまで、その真意に粘り強く迫ろうとする態度も彼女の長所だった。このような資質は数学者に有用なものだが、翻訳においても、特にバベッジの機械のような途方もない計画についての翻訳に取り組むときには、貴重な資質となる。

メナブレアは解析機関について「まずもって、そのような企てを思いつくこと自体が私の想像力を超えていた」（エイダ・ラヴレス訳）と述べている。その設計は「二つの原理に基づいている。一つは、あらゆる算術計算は最終的に加減乗除の四則演算で計算可能であるということ。もう一つは、あくまで可能性の話だが、あらゆる解析計算は、数列における各項の係数の計算にまで還元できるということである。この二つ目の原理が正しければ、あらゆる解析演算がこの機関でまかなえるようになる」。言い換えれば、このコンピューターは数値だけでなく数式も扱えるようになるわけだ。そうなれば、次のような利点が生じる。「第一に、厳密な精度。〔中略〕第二に、時間の節約。〔中略〕第三に、頭脳の節約」。メナブレアは、この機械の威力に期待を寄せつつも、予言的にこうも述べている。「このような機械はその動作を制御するために絶えず人間が介入する必要があり、その点からエラーの原因が生じる」

単なる翻訳を超えて

エイダは、この機械相手に健闘したとも言えるだろう。それは彼女が付けた脚注が物語っている。

> この見解にはさらなる注釈が必要だろう。というのも、この一節は後続の一節といくぶん食い違っているように思われるからである。〔中略〕この食い違いは原文よりも訳文のほうが強く感じられる。それは、この二箇所で使われているフランス語の表現に認められる微妙な違いのすべてを、厳密な形で英語に置き換えるのは不可能だからである。

別の脚注には、「これを鵜呑みにしてはならない」とある。さらに、「この箇所は、機関の現状をより正確に表現するために、訳文を少し変更してある」というような、注意を喚起する脚注もある。原文に取り組みながら、エイダは翻訳者に通常期待される以上の主体性を発揮し、こう書いている。「当該問題のこの本質的部分を解決するために使われる可能性のある一つの方法を指摘しておかなければ、この論文は不完全なものになっただろうと考え、足りない箇所は私自身が補うべきだと判断した」。まるで、彼女の中の翻訳者がその領分を超えて、作者（原文に書かれている以上のことを語る者）へと姿を変えたかのようではないか。とはいえ、彼女とバベッジとの緊密な協力関係を思い起こせば、この英訳はバベッジの了解のもとに書かれたのかもしれない。

原文に積極的に介入するつもりがない翻訳者でも、結果的に中立性を損なってしまうことがある。これは、明確な定義を有する事物がほとんどないこの不完全な世界において、翻訳という職業がどのようなものかを示す好例である。エイダが称賛に値するのは、運河・水路（カナリ）の混乱にかかわった翻訳者たちとは異なり、文言（レター）だけでなく、より重要な精神（スピリット）においても、彼女が理解しえた限りの原文にできるだけ忠実でありたいと考えたことだ。そのため、一般に望ましいとされている、原文の文言（レター）に忠実な翻訳を高い水準で達成する能力も備えていたエイダだが、原文だけに頼ろうとはしなかった。彼女は受動的なパイプ役に甘んじることを止め、主題について調査した上で自分の見解を述べようと決めたのである。その結果、翻訳の正確さを損なわずにどうにかそれを実現しえた。その成功は、主題自体に内在する性質によるものでもあったが、彼女が選んだ調査に基づく方法のおかげでもあった。その上、彼女の成功によって、数学と翻訳が意外と密接な関係にあることも明らかになった。二値論理に基づく解析機関は、絶えず微調整を必要とする望遠鏡とは対極に位置する存在である。優れた翻訳者は両方のモードで仕事を進める。まず、訳語の選択に頭を悩ませながら、何度も繰り返し望遠鏡の焦点を合わせ直す。ようやく焦点が定まると、望遠鏡を脇に置き、解析機関のスイッチを入れる。そして、解析機関の定型的な性質を恐れるのではなく、それをうまく活用してテキストから曖昧に見える部分を取り除く。うまくいけば、最終的に正しい言葉が正しい順序で出力されるだろう。

エイダは一八五二年十一月二十七日に亡くなった。その一週間後、『ジ・エグザミナー』紙（十二月四日付）に無署名の追悼記事が掲載された。主に彼女の科学的業績に焦点を当てた記事だった。「ラヴレス伯爵夫人はまったく独創的な人物だった。詩人の気質こそ父親譲りであったが、父娘の共通点はそれだけだった。彼女の真髄、つまり彼女に備わっていた天賦の才は、詩にかかわるものではなく、形而上学的かつ数学的なものにこそあった。彼女は常に厳密かつ正確な研究活動に没頭していた」

彼女が亡くなってから一世紀半以上が経ったが、エイダに関心を抱いた研究者たちの評価は、彼女の数学研究を過度に持ち上げるか、小学生レベルの間違いに満ちたものとして切り捨てるかの、どちらか両極端に大きく分かれている。『*Ada: A Life and a Legacy*（エイダ——その生涯と遺産）』の著者ドロシー・スタインは、エイダをその能力面からいささか期待外れな存在ととらえているようだ。スタインは心理学を専攻したにもかかわらず、エイダの手紙をもとに、簡単な代数操作でさえ彼女の能力を超えており、バベッジ自身が論文の英訳の注釈に取り組んだに違いないと結論づけている。

科学史の側からは、クリストファー・ホリングス、アーシュラ・マーティン、エイドリアン・ライスが一連の論文の中で、エイダの「一八四三年の論文に貢献しうる能力や彼女の数学研究における将来性を疑問視する従来の評価」に異議を唱え、それを裏付ける事例を数多く挙げている。ベティ・トゥールは『*Ada, The Enchantress of Numbers*（数字の魔女エイダ）』の中で、「詩的科学」というエイダの表現を取り上げ、「数学と科学には、もっと表現力豊かで想像力を取り入れた言語が必要であると考えた」エイダを、詩と科学の「統合者であり未来幻視者」と呼んでいる。彼女が夢みた未来は、火星人神話と同様、詩的想像力によって精神（スピリット）が文言（レター）に勝利する世界だった。

エイダは、ギャンブラー（実際ギャンブルにははまっていたという）であり、妻であり、母であり、視野の広い思想家であり、研究者であった。翻訳者でもあったが、その肩書きは彼女が特に誇りにするようなものではなかった。彼女の大志は、当時すでに多くの人が身につけていた技術の研鑽よりももっと先にあった。「父は詩人でしたが、私が将来きっとなるはずの解析学者と同じレベルに達した詩人だったとは思いません（たとえ長生きしたとしても、そうはなれなかったでしょう）」と彼女は豪語している。もちろん、翻訳者として比べても、ダンテをあまりに自由に訳したことで悪名高いバイロンのほうが、数学者エイダよりも知名度が高いと言う人もいるだろう。エイダは三十六歳で亡くなったが、これは奇しくも父親の死と同じ年齢だった。父親の早世がその伝説を確固たるものにしたのに対し、エイダの早すぎる死は、彼女の研究を志半ばで断ち切ってしまった。

バベッジが考案したいくつかの機関は、彼の生前にはどれも未完成のままだった。解析機関の前身の一つである階差機関（Difference Engine）の設計を実現する計画もあったが、頓挫した。しかし、オリジナルを改良した階差機関二号機が、一九九一年、バベッジ生誕二百年を記念して、ロンドン科学博物館によって製作された。完成までに十七年を要したが、バベッジが意図した通りにきちんと動作した。解析機関は一度も製作されなかったが、「それは精巧な科学の音楽を作曲するかもしれない」というエイダの予言は、彼女の死後、現在私たちが住むこの極めて不完全な世界で実現した。

望遠鏡と解析機関という二つの物語は、翻訳の象徴である。そこには翻訳のすべてが含まれている。背景にとどまるか前面に出るかという翻訳者の二つの性向。翻訳者の主体的行為がもたらす影響。自らの表現を読者に信頼させる翻訳者の力量。どんなにわかりにくい原文であっても、必ず理解できるはずだと信じて突き進む、翻訳者に必要な信念。そして最後に、翻訳者としての成功に欠かせない調査の重要性。翻訳のこうした側面こそが、言語的にもそれ以外の面でも最も興味深い領域、すなわち言葉の相互作用が生じる空間へと私たちを導いてくれる。

第五章

英語の宝物

Treasures of the Tongue

翻訳は言語そのものを豊かにもする

一五五三年、イタリア人の父とイングランド人の母の間にロンドンで生まれたジョン・フローリオは、ヨーロッパで育ち、二十歳前にイングランドに戻るとイタリア語の教師になった。エリザベス朝イングランドでは、伝統的に外国人に対する猜疑心が根強かったが、イタリア語とイタリア文化全般の人気は高かった。フローリオは、一五七八年に出版したイタリア語の教科書『*Florio His Firste Fruites*（第一の果実）』の序文で、外国語を顧みない「無礼な（yl manered）」イングランド人について触れているが、それでも仕事に困りはしなかった。

『第一の果実』は、文法と四十四の対話文からなり、対話文は英語とイタリア語が並記されている。この教科書は単なる会話表現集ではなく、実用的な諺集にもなっており、収録された諺は多様な会話に合わせて適宜表現が言い換えられていた。大の諺好きだったフローリオは、あらゆる機会を利用して自分の文章に諺や成句を忍び込ませている。一六〇〇年に生徒の一人に送った授業料の督促状（イタリア語で書かれているが、これは教育的配慮からだろう）には、「司祭は祭壇から生活の糧を得る」[1]と「飢えは狼を森から駆り出す」[1]という二つの成句が織り込まれている。フリーランスの翻訳者は仕事柄、翻訳料の支払いをめぐる苦労が絶えないが、フローリオのものほど多彩な表現を使った督促状は見たことがない。ちなみに、悲しいかな、この生徒からの支払い記録は残っていない。

一五八三年にロンドンのフランス大使館に雇われたフローリオは、その後二年間にわたり、通訳を務め、大使の娘に勉強を教え、さらには使い走りや、おそらくはスパイ行為にまで手を染めた。ほかにも、「ムッシュ・ド・ラグレ」（ウォルター・ローリー卿）への伝言、トラブルに巻き込まれた大使の執事を救うための買収工作、大使館の外に集まった怒れる群衆への対応、離任してイングランドを去った大使が残した借金の清算、といった雑務もこなした。この間、イタリアの哲学者ジョルダーノ・ブルーノとの親交を深めた。ブルーノは、次の教科書『*Florios Second Frutes*（第二の果実）』に顔をのぞかせている。この教科書は当時最大の諺集でもあった六千にもおよぶ諺が収録されており、その多くは会話に織り込まれている。「私は自分自身をどんなものにも合わせられる、粉屋の袋のごとき融通無碍（むげ）の人間でして、ある時は教会で唾することに良心の咎めを感じるくせに、またある時は祭壇を平気で汚すような輩とは違うのです」[1]。このセリフは、ブルーノと思しき人物の口から発せられたもので、無神論や瀆神（とくしん）の罪で非難を浴びていたこの哲学者を擁護するために書かれたセリフであるらしい（結局、ブルーノは火刑に処せられた）。フランセス・A・イェイツは、フローリオの生涯を描いた著作の中で、彼はそのイタリア贔屓を批判されたに違いないと指摘している。フローリオは『第二の果実』の序文で、彼を誹謗中傷する人たちから自らの武器を奪い返して、「Vn Inglese Italianato è vn Diauolo incarnato（イタリアかぶれのイングランド人は悪魔の化身である）。さて、イタリア語をかくまで多く教え申した悪魔とはいったい誰でございましたか[1]」と彼らを嘲笑し、最後に、後に彼の名前と分かちがたく結びつくことになる形容詞をイニシャルの前に付けて、初めて「Resolute I. F.（不屈のジョン・フローリオ）」と署名したのだった。

辞書の作成

フローリオはフランス大使館で働く一方で、ローマからのニュース記事の翻訳をしたり（新聞が登場する直前のエリザベス朝イングランドではニュース需要が高まっており、その需要を満たすためにニュース記事を収録した印刷物が発行されていた）、さらには、「最も浩瀚にして正確な伊英辞典[1]」の編纂もしていた。一五九八年に出版された『*A Worlde of Wordes*（言葉の世界）』には四万四千の見出し語が収録されている（唯一の先行辞書は六千語）。この辞書は何度も改訂され、十七世紀を通じてイタリアの学問の主要な参考資料となり、その後の辞書の土台として役立った。見出し語の多くは、驚くほど幅広い意味と文脈をカバーしている。たとえば、〈parare〉には、〈to adorne（飾る）〉、〈to make readie（準備する）〉、〈to set foorth（明記する）〉、〈to teach a horse to stop and staie orderl（馬に停止と静止を教える）〉

など、二十四の定義が示されている。イタリア語の方言やスラングも収録されており、スラングには〈gibbrish or rogues language（隠語または不良語）〉との表示がある。また、高尚なものから下品なものまで、あらゆる種類の英語が載っている。フローリオ自身、二つの言語を対等に扱えるようにした自らの工夫を自画自賛していた。「そして、イングランドの紳士諸氏にも、本書を読んで、英語のあまたの語があまたの襞をここにまざまざと繰り広げ、自国語がかくも豊かな言語を凌駕するのをご覧になれば、必ずや喜びをもたらすことでありましょう[1]」

　ところで、辞書がまだなかったころ、翻訳者はどのようにして翻訳作業を進めていたのだろうか。辞書がない以上は一般の書物に頼るほかなかった。このやり方には当然ながら不便な点が多かったが、極めて重要な利点が少なくとも一つはあった。つまり、単語と文脈がセットで提供されるので、具体的な場面ですぐに使え、辞書とは違っていくつもの定義から間違った定義を拾い上げる心配がないのだ。今は豊富な資料が自在に使えるのだから、この職人的な方法を完全に捨て去るべきではないと思う。実際、ほとんどの翻訳者は辞書を出発点として、さらに単語や言い回しの具体的な用法を調べている。話を十六世紀に戻すと、ヨーロッパではこの世紀に初めて二言語辞書が登場した。ルネサンス時代における文化の相互浸透の影響もあり、一言語辞書の必要性はすでに明らかだった。英語の単語数は、現存する文献から推定すると、一五〇〇年から一六五〇年の間に、外国語の語彙を吸収しながら、二倍以上に増加した。

　また、専門用語が大量に流入し、ヨーロッパ近代の言語状況を大きく変えつつあった。たとえば、オランダの学者アドリアーン・クールバッハは一六六四年に法律用語辞典を出版している。当時最も急進的な思想家の一人であったクールバッハは、弁護士が依頼人の無知につけ込むことがないように、難解な法律用語をわかりやすく説明しようと努めた。彼は医師や弁護士といった専門家階級による不正行為を糾弾する運動を続けながら、一六六八年に新たな辞書を編纂し、庶民のために法律や医学の専門用語や、彼に言わせれば意図的に不明瞭にされている聖書の用語を、さらに数多く解説した。この最後の追加が、アムステルダムに激震をもたらした。クールバッハは市外へ逃れたが、すぐさま瀆神の罪で逮捕され、数カ月後に獄死した。彼が出版した著作は、その多くが扇動的であるとして焚書処分となった。

専門分野の言葉遣いに関して言えば、その問題点は、翻訳者と通訳者とでやや異なる。技術文書の翻訳では、専門用語集を利用するのが定石である。一般的な辞書と異なり、用語集には一つの用語につき一つの標準的な訳語が記されている場合が多い。簡単な例を挙げると、〈set〉という英単語は、数学の論文では、ほぼ一義的に「集合」を意味するが、それ以外の分野では、食器の一揃い（セット）であったり、テニスのセットであったりと、多様なものを連想させる可能性がある。専門家向けの文章を翻訳する場合は、そもそも彼らの思考の言語（メンタリーズ）にまで気を配る必要はない。すでにたがいの認識がほとんど一致しているからだ。通訳者も、事前に専門用語を下調べしてから仕事に臨む。けれども、原文で議論されている概念が、想定読者層にはお馴染みのものだと安心して考えられる翻訳者とは異なり、通訳者は聴衆のレベルを見極めながら仕事を進めなければならない場合がある。学会などでは専門用語で押し通しても何の問題もないが、専門家が一般人に向けて講演する場合には、聴衆の反応を見ながら、クールバッハが自ら引き受けたような解説者的役割を果たさなければならない。

ありがたいことに、現代の医師は、患者に対して難しいラテン語の専門用語はあまり使わない。一方、弁護士は晦渋な法律用語にこだわることで知られている。そのため、通訳者は依頼人が内容をしっかり理解できるように、弁護士の言葉遣いのレベル（レジスター）を一段下げて訳す必要がある。私は通訳者試験に合格した当初、参考書やとりわけ裁判記録で覚えた難解な単語に夢中になっていた。文脈に当てはめて考えると理解がいっそう深まった。ところが、実務に携わり始めると、〈affray（乱闘）〉を「けんか」、〈perjury（偽証）〉を「うそ」、〈malicious communication（悪意のある伝達）〉を「下品なメッセージ」といったふうに、法律用語から平易なロシア語に訳さなければならない場合も多く、辞書の有用性とその限界を同時に痛感させられた。

フローリオの訳した『エセー』

伊英辞典を完成させたフローリオは、その豊富な語彙を活かし、彼に不朽の名声をもたらすことになる計画に取りかかった。一五八〇年にフランスで出版されたモンテーニュの名著『*Les Essais*（エセー）』のフローリオによる英訳『*The Essayes*』は、一六〇三年にイングランドで出版された。「Morall,

Politike, and Millitarie Discourses（倫理、政治、軍事について）」という副題が付けられたこの本は、「礼儀正しい読者へ」の挨拶から始まる。フローリオは「翻訳の弁護をしておこうか」と問いかけてから、すべての翻訳者に共通する苦悩を明らかにする。「意味は保たれるかもしれないが、文章の形は崩れてしまい、繊細さ（fineness）、適切さ（fitnesse）、偉業ぶり（featnesse）が減少する。芸術の自然が自然の芸術におよばないのと同じように、翻訳は肉体の似姿、実体の影となる」。この比喩と頭韻のかなり風変わりな配置が、本文のスタイルを決定づけている。

「私は、論争も芸術も学問も関係なく、単純で平凡なありのままの姿でそこに描かれたいと思う。なぜなら、私が描くのは私自身だからだ」とモンテーニュは序文で述べている（フローリオ訳）。フローリオ自身もその方針に忠実に従ったが、長くは続かなかった。「モンテーニュは、近代語を用いて近代的方法で書いた最初の偉大な作家たちの一人であるが、〔中略〕その翻訳者が、凝った修辞でパターン化された語を用いることが本能的欲求とも長い修練による根深い習慣ともなったような人物であったとは、いささか皮肉である」[1]とイェイツは述べている。フローリオの装飾的文体（ユーフュイズム）の例は、ほぼ全ページに見られる（美辞麗句で大げさに飾り立てる、語や語句を原文の二倍、三倍に増やす、修飾語句を加える）。フローリオのペンにかかると、〈nous ne travaillons〉は〈we labor, and toyle, and plod（すべて〈work〉の同義語）〉へ、〈l'entendement（知性）〉は〈understanding and conscience（知性と良心）〉へと膨らむ。こうした変更は頭韻のためだけに行われることもある（これもフローリオの十八番（おはこ）だ）。たとえば、〈une estude profonde（深遠なる学問）〉は〈a deepe study and dumpish（深遠で辛気臭い学問）[1]〉と頭韻が踏まれる。モンテーニュは「私が好むのは、簡潔で素朴にして〔中略〕気取りやわざとらしさを免れた言葉遣いである」[1]とフランス語で書いている。フローリオは、これを「私が好むのは、自然でにして簡潔で、気取らない言葉遣いである」と英訳し、モンテーニュに最低限の義理を果たすと、すぐさま方向転換して、〈ces flots（これなる波濤）〉の代わりに〈these boistrous billowes（これなるどよめく怒濤）[1]〉を投げ入れ、〈cette renommée（この名声）〉を拡張して〈the transitorie renowne（このはかない名声）[1]〉に置き換えるなど、思いのままに原文を飾り立て始める。

原文への介入が生むもの

フローリオが原文への積極的介入を行ってからほぼ一世紀後、ジョン・ドライデンが翻訳の方法について考察している。「そこで、翻訳者（それでもまだ翻訳者と呼べるのかは疑問だが）は、自由を行使する。それは言葉や意味から逸脱する自由であるだけでなく、時に応じてその両方を捨て去り、原文からは漠然とした手がかりだけを取り出して、それを下地に思うがままに変奏する自由でもある」[2]。このような自由を行使するフローリオは、その強引な干渉がモンテーニュの理解に何ら益することのない、うぬぼれ屋の文人にすぎないのだろうか。それとも、単純な言葉遣いを単純な精神に安易に結びつけてしまうイングランドの読者にモンテーニュの価値を認めてもらうには、文章を美しく飾り立てる必要があると見抜いていた慧眼の名文家なのだろうか。再びドライデンから引くと、「翻訳者は、作者の個性や本質を残した上で、作者をできるだけ魅力的に見せなければならない[2]」。私はフローリオ訳『エセー』を読むと、その華やかさを不要なもの（そして悪影響をおよぼすもの）として切り捨ててしまいたくもなるが、結局は魅力のほうがまさって、わずらわしくなくなる。具体的な特徴としては、F・O・マシーセンがエリザベス朝の翻訳に関する研究書の中で、フローリオはよく同義語を重ねて使ったと指摘している。それは、「見慣れない単語をよく知られた単語と組み合わせて、馴染ませる」ためだった。このことはフローリオが、英語に「十分馴染む」と彼が判断した新たな単語、語句、文法構造を導入する実験を行っていたことを考えると、なるほどと思わされる。彼が英語に導入した新しい単語の一例を挙げれば、「entraine（引きずる）、conscientious（良心的な）、endare（慕わせる）、tarnish（汚す）、comporte（振る舞う）、efface（消し去る）、facilitate（容易にする）、ammusing（愉快な）、debauching（堕落させる）、regret（後悔する）、effort（努力）、emotion（感情）、等々[1]」、そして代名詞「its」もそうである。

　こうした新造語の数々は、彼の不正確さを「弁護（apologize）」できるだろうか。イェイツはそれが可能だと考え、どんなに気取りや誇張が多くても、「フローリオは紛れもなく芸術家だった」と書いている。彼は「言葉の強靭さ、繊細さ、色合い、限りない多様性に美的喜びを覚えつつ、言葉を愛した[1]」。そして、「高貴なリズム感覚[1]」も備えていた。T・S・エリオットも、フローリオ訳『エセー』を欽定訳聖書に次ぐ偉大な翻訳だと考えていた。この訳書は、ほかにも多くの作家に重要な影響を与えた。とりわけ有名なのがシェイクスピアである。彼は、動詞の〈rough-hew（荒削りをする）〉

や〈outstare（睨み返す）［1］〉といった借用語をフローリオから取り入れている。『テンペスト』にはフローリオ訳『エセー』の一節をほとんどそのまま使っている箇所もあり、シェイクスピアがこの訳書を読んでいたのは間違いないだろう。研究者は、シェイクスピアの作品に、フローリオの著書とほぼ一致する箇所を百ほど、ある程度類似する箇所をさらに百ほど確認している。大英図書館所蔵のフローリオ訳『エセー』初版本には、見返しに〈Willm Shakspere〉との書き込みがあり、その由来については今なお議論の的になっているが、イェイツは、「自らの言語という豊かな宝を尊重する、すべてのイングランド人がそうであるように［1］」シェイクスピアもフローリオに多くを負っていると結論づけている。

翻訳は翻訳先の言語も豊かにする

「翻訳は、翻訳元の言語や文化の理解につながるだけでなく、翻訳先の言語や文化を豊かにもする」と、ウンベルト・エーコはある講演で述べている。翻訳のこの効用には、新語の創造も含まれる。これは多くの翻訳者が参加したがるゲームだ。けれども、目新しいものがすべて取り入れられるわけではない。たとえば、フローリオが導入を試みた〈wash（洗う）〉の新語〈netify（きれいにする）〉は、まったく受け入れられなかった。それでも近代は、科学や芸術、旅行や商業の進歩によってもたらされた新しい概念を受け入れる余地が十分にあった。新しい概念には当然ながら新しい言葉が必要とされた。一五六二年にアンドレア・カンビーニのオスマン帝国史をイタリア語から英訳したジョン・シュートは、〈aga（高官）〉、〈cadi（下級裁判官）〉、〈seraglio（後宮）〉、〈vizier（宰相）〉などの単語を英語に導入している。

翻訳によって生じる変化は、何も新語に限ったことではないし、遠い過去にのみ属することでもない。マルティン・ハイデッガーの著作が一九三一年からフランス語に翻訳され始めると、フランス語の哲学的言説における文体が変化した（実存主義者の中には、これをよりよい方向への変化だと主張する人もいるだろう）。イタリアの作家エリオ・ヴィットリーニは、アメリカ文学の作品を数多く翻訳し、第二次世界大戦後のネオレアリズモ文学の隆盛に貢献した。しかし、翻訳による新語は、目新しいもの、とりわけ実体のあるもののほうが創出しやすく、実体のない観念などは外部からの影響を受けづらい。ウラジーミル・ナボコフによれば、ロシア語の〈тоска/toska〉は、「大きな精神的苦悩」から「憧憬」や「退屈」まで幅広い意味を持つ単語だが、英語では一つの単語で完全には表現し切れず、多くの翻訳者がこの語を英語の土壌に移植しようと試みたが、根づかなかったという。

翻訳で厄介なものの一つに、話し方や言葉遣いがある。言葉遣いには、平俗なものから高尚なものまでさまざまな段階があり、選択した言葉遣い（レジスター）のレベルをそこからズレないよう維持するだけでもかなり難しい。しかし、少なくともこうしたレベルは、一度見極めてしまえば、多くの言語でおおむね正確に一致させることができる。しかし、原文に方言や個人独自の言葉遣いが含まれている場合はどうすればいいのだろうか。この問題に関しては、さまざまな解決策が試みられてきた。エーコは別の講演で、自らの小説『フーコーの振り子』の翻訳（フランス語版とドイツ語版）から例を挙げている。フランス語訳者は、登場人物の一人が話す「フランス語風」イタリア語に似つかわしい同等表現として、プロヴァンス語を採用した。一方、ドイツ語訳では、別の登場人物が話すドイツ語の抑揚が古風な口調に置き換えられた。方言を方言に置き換えようとする場合は、さらにいっそうの注意が必要だ。ごく一部にのみ地方色を取り入れると、馴染みが薄すぎたり、目立ちすぎたりして、新しい含みを持たせられない場合があるからだ。飢饉に苦しむ一九三〇年代のウクライナを舞台の一つとする小説をロバート・チャンドラーと共訳した際、私たちは、ウクライナ語混じりのロシア語方言にふさわしい同等表現を探し求めた。私は、スコットランド語はどうかと提案してみたが、「スコットランドで飢饉？」とチャンドラーに一蹴された。あまりに不自然なイメージだったので、たがいの同意のもと、この案は立ち消えになった。アイルランド訛りもやはりそれほど適切でないように思われたため、結局、イングランド南西部地方の風変わりな言葉遣いを使うことに落ち着いた。

生の発言を通訳する際は、言葉遣い（レジスター）のレベルを適切に見極めることがとても重要である。エーコは、会話の最後に付け足すフランス語の〈Bonne journée（＝Good day）〉を「今日一日、楽しくてすばらしい経験ができることを願っています」と訳したり、イタリア語の〈Attento allo scalino（＝Watch your step）〉という絶叫を「そこにあることに気づかなかった可能性が高い段差に注意を払うよう忠告する」と訳したりしたらどうなるかと問いかける。形式的には同じ意味になるにしても、重要なのは、挨拶や警告は簡潔であるべきということだ。通訳者は、常に発言者のスピードに合わせなければならないので、長ったらしい文章には特に敏感になる。また、聞き手をまごつかせないように、聞き慣れない表現にも気を配る。そのため、国連通訳者は演説者独自の言葉遣いが目立つように訳してはならないことになっており、基本的には、訓練の一環として学ぶ、型にはまった〈国連語（UN-ese）〉を使って通訳する。国連で数十年を過ごした元英語通訳課長のスティーヴン・パールに、国連通訳者のやり方は型にはまりすぎているのではないか、と尋ねたところ、そうは思わないという返事だった。「たいていの演説者は記録に残すことしか念頭にないので、演説自体はさっさと二分ほどで済ませたいのです。実際のところ、物事は舞台裏での駆け引きによって決まるのですから」

第六章

崇高な門 The Sublime Porte

翻訳力が権力を持つとき

十九世紀初頭まで、オスマン帝国のイスラム教徒で、公用語であるオスマン語、ペルシア語、アラビア語以外の言語に通じている者はほとんどいなかった。歴史家フィリップ・マンセルは『*Constantinople*（コンスタンティノープル）』の中で、「オスマン語はその精緻な文構造と複雑な語彙によって帝国と外部世界との間に壁を築いた」と述べている。オスマン帝国は、近東でドラゴマンと呼ばれていた翻訳（通訳）者を介して外国人と意思疎通を図っていた。ドラゴマンの仕事は、用意されたメッセージを伝えるほかにも数多くあった。口頭や文書での翻訳（通訳）だけでなく、通信文の作成、取り引きの交渉、使い走り、秘密情報の売買なども行った。翻訳の際には、原文に介入することも少なくなかった。追加や削除を行い、時には意味を変え、しばしば原文を組み立て直した。文化的な側面に注釈をつけたり、政治的な要求を文脈に沿うように変えたりもしたし、著者の表現を言い換えたり、前置きを書き換えたりすることもあった。ドラゴマンはどうして原文を中立かつ正確に伝えることに専念しなかったのだろうか。原文の内容によっては、恐ろしくてそのまま伝えられなかったのだろうか。自己主張が強すぎて、自分の意見を言わないと気が済まなかったのだろうか。賢明にも、場合によっては忠実に訳さないほうがよいと気づいていたのだろうか。

十六世紀から十七世紀にかけて、イタリア語は地中海世界の共通語（リンガ・フランカ）の役割を果たしていた。オスマン帝国の最も重要な貿易相手国の一つだったヴェネツィア共和国は、早くも十六世紀に、臣民をコンスタンティノープル（イスタンブール）に派遣し、翻訳（通訳）者としての訓練を受けさせた。ヴェネツィアの代表者たるバイロ（領事）の屋敷には、若い男性が集められ、「言語少年（giovani di lingua）」として働いた。見習い少年たちは仕事をしながらオスマン語を学び、優秀な者はやがてドラゴマンに昇格した。

「崇高な門（シュブリーム・ポルト）」〔（Sublime Porte）英語読みでは「サブライム・ポート」とも〕とも称されるオスマン帝国政府は、奴隷や難民、商人や船乗りの中から調達した自前のドラゴマンを使っていた。その中には、ヨーロッパ出身のユダヤ人やキリスト教からイスラム教への改宗者、国外に出ていたアルメニア人やギリシア人などがいた。また、十七世紀以降は、キリスト教家系の子孫、主にファナリオティスと呼ばれるコンスタンティノープル在住の裕福なギリシア人がそれに加わった。彼らはヨーロッパに留学し、西洋の言語や伝統に関する知識を身につけて帰ってきた人たちである。その後、ヨーロッパ各国の大使館や領事館は、レヴァント人を専属の通訳として雇うようになる。レヴァント人とは、オスマン帝国に定住したヨーロッパ人（その多くはイタリア人かギリシア人）の子孫のうち、上記のようには明確に分類できない人たちである。東洋学者バーナード・ルイスの言葉を借りれば、彼らは「ヨーロッパ人だが、あまりヨーロッパ人っぽくなく」、「ヨーロッパの習慣や教育を少しかじった」にすぎない。当時のドラゴマンの大半は、歴史家のE・ナタリー・ロスマンが言うように、東洋と西洋を隔てるさまざまな境界（文化的境界、宗教的境界、民族的境界、政治的境界、そしてもちろん言語的境界）を自由に横断する仲介者、「脱帝国的臣民（trans-imperial subject）」だった。そして時が経つにつれ、その自由な立場を利用して、彼らの中から権力を持つ者が現れた。

オスマン帝国を「道具」にした通訳者

アレクサンドロス・マヴロコルダトスは、フランスの外交官から「ヨーロッパ最高の役者の一人」と評された人物である。十七世紀は、ドラゴマンの肖像画——本人または東洋の風習に興味を持つヨーロッパ人の注文によって制作された——が人気を集めた時代だった。マヴロコルダトス本人と思しき肖像画は見たことがないが、その仕事姿は容易に想像できる。ひげを生やした謹厳な男で、毛皮の帽子と深紅のマントを着用し（深紅は公務用。普段は青）、腰には筆記用具をぶら下げたベルトを巻き、印章を携えている。椅子に腰かけて耳を澄まし、発言者の言葉を吟味してから通訳し始める。

一六四一年、ギリシア商人の家に生まれたマヴロコルダトスは、初めて西洋で教育を受けたコンスタンティノープル市民の一人だった。ローマのギリシア学院、次いでパドヴァ大学、ボローニャ大学で学び、血液循環に関する論文を書いた。彼の人生――職業人生、政治人生、私的人生――を循環していたものは、血流とは別の流れ、つまり情報という名の激流だった。帰国後は宮廷医師を務めた後、一六七一年、オスマン政府（ポルト）の大ドラゴマン、パナギオティス・ニコウシオスの秘書となる。大ドラゴマンはその十年前に新設された役職で、政府の首席通訳者と外務大臣補佐の職務を兼ね合わせていた。一六七三年にニコウシオスが亡くなると、マヴロコルダトスがその任に就いたが、彼の出世街道は、大トルコ戦争（神聖同盟戦争）によって断ち切られてしまう。一六八三年にオスマン軍がウィーンで敗北すると、マヴロコルダトスは牢獄送りになり、巨額の罰金を科せられた。しかし、ヨーロッパの言語や習慣に精通していた彼はオスマン政府にとって不可欠な存在であり、すぐに復権を果たした。

一六九九年、マヴロコルダトスはオスマン帝国とオーストリア（ハプスブルク家）との間に結ばれたカルロヴィッツ講和条約の交渉に携わった。その交渉において、彼は両陣営のどちらにも、先に講和を持ち掛けてきたのは相手側だとまんまと信じ込ませた。同時代人のディミトリエ・カンテミールによれば、カルロヴィッツにおけるオスマン帝国の政府代表は「マヴロコルダトスの道具でしかなかった。彼が秘密裏に行った説得工作と助言によって、多くのことをなしえたにすぎないからだ。マヴロコルダトスはキリスト教徒であったため、公の場では何も提言できる立場になかった。その結果、マヴロコルダトスのような見識と能力の持ち主にしか考えつけない多くのことが、誤ってこの政府代表の手腕と洞察力の成果にされてしまった」。この功により、マヴロコルダトスは〈mahremi esrar〉、つまり「秘密を明かされる者」（カンテミールの英訳者N・ティンダルによる表現）に任命された。カンテミールによれば、マヴロコルダトスは「それまで一度も使われたことがなく、彼の死後も他の誰にも与えられていないこの新しい名称を、自分の役職のために創り出した」。この肩書きは、彼の前職からの自然な流れであったとも言えるだろう。宮廷医師の仕事は、密室で何が起こっているのかを知りうる立場にあったからだ。現代の歴史家は、このユニークな肩書きを〈minister of the secrets（機密大臣）〉と訳すことが多いが、〈secretaire intime（親密な秘書）〉という魅力的な訳語もある。これはネストル・カマリアノの『*Alexandre Mavrocordato, le grand drogman*（大ドラゴマン、アレクサンドル・マヴロコルダトス）』の中で使われている用語で、同書によると、マヴロコルダトスは「慎み深く礼儀正しい美男」、「あらゆる分野の教養があり、賢明かつ現実的な人物」、「ユダ」など、さまざまな呼称で呼ばれていたという。

ドラゴマンの王朝を築く

英国大使ウィリアム・パジェットとの往復書簡を読むと、マヴロコルダトスは、おそろしく弁が立つ人物のような印象を受ける（当時の基準からすれば、それほどでもないのかもしれないが）。イタリア語で書かれた一六九九年四月二十日付の手紙は、こう始まっている。「私たちの願いは同じように強いものではありますが、その願いは、閣下におかれましては、閣下の無限の善意から生まれたものであるのに対し、私にとりましては、閣下のより近くで閣下の寛大なる庇護を賜りたいという私の高まる衝動から生まれたものでございます」。マヴロコルダトスはそのきらびやかで仰々しい文体にもかかわらず、〈settembre（九月）〉を〈7bre〉と表記するなど、公的な書簡の中でも略語を使っていた。ラテン語に切り替わると、彼直筆の手紙はいっそう華麗になる。あるいは代筆を頼んでいたのかもしれないが、その装飾的な文字は実に凝ったものである。三世紀以上を経た今でも、その絢爛たる手紙は、吸い取り紙の代わりに使われた砂粒がちりばめられた状態で残されている。

古文書保管庫の椅子に座って古い手紙の束をしらみつぶしに調べていたとき、羊皮紙に付着した封蠟（ふうろう）の欠片（かけら）や染みが私を楽しませてくれた。もちろん、マヴロコルダトスのイタリア語を読み解けたこともうれしかった（古文で書かれているが、意外にスラスラ読める）。「閣下はかくも魅力にあふれた御仁でいらっしゃるので、久しく閣下の善意のこもった振る舞いや慈悲深い御尊顔を拝することが叶わないのは、ほとんど耐えがたく存じます」と彼は続け、パジェットに東洋的雄弁術の手本となるような名文句を次々と浴びせかける。カマリアノによれば、フランス大使シャルル・ド・フェリオールとはそれほど親しい関係ではなかったらしいが、マヴロコルダトスは、コンスタンティノープルで騒動が起こるたび、フランス大使館に避難していた。

アレクサンドロス・マヴロコルダトスの異名は山ほどあるが――博識家にして腐敗した政略家、高官にして策士、「多くの学問分野で名高い」学者、ヨーロッパ中に知れ渡った個人図書館を所有する富豪、大物や権力者の腹心、多言語話者（オスマン語、ペルシア語、アラビア語、ギリシア語、ラテン語、フランス語、イタリア語、そしておそらくドイツ語やルーマニア語にも通じていた）、神聖ローマ帝国の公爵（プリンス）、「哲学、神学、医学の教授」、東洋と西洋の政治における重要人物、など――さらにもう一つ、彼は「ドラゴマン王朝」の創始者でもあった。ドラゴマンの物語は、さまざまな意味で、オスマン帝国におけるギリシア人の歴史を反映している。イスラム文明の真っ只中で暮らすキリスト教徒であった彼らが、その文化の中にありながら、自らの宗教的・民族的アイデンティティを保つことができたのは、言語によるところも大きい。ドラゴマンという公的な地位は、本人とその家族に、他の非イスラム教徒には与えられない数々の特権をもたらした。大宰相の法廷で裁判を受ける権利、一定の税金を免除される権利、馬に乗る権利や武装した護衛を帯同させる権利、ひげを生やす権利や毛皮の帽子をかぶる権利などがそうだった。

マヴロコルダトス家をはじめとするファナリオティスの名門一族は、少数派ながらも、西洋と自在に意思の疎通ができる能力を武器として、ドラゴマン職を独占するなどのさまざまな特権を享受していた。ファナリオティスは、帝国の建設者であると同時にその受益者でもあり、アウトサイダー的視点をもつインサイダーとして、その独自な立場を存分に利用した。「彼らは一つのアイデンティティにとらわれることなく、国籍を一つの職業とみなしていた」とマンセルは書いている。本当の忠誠心がどこにあったのかは知りようもないが、彼らは、「オスマン帝国が存在する限り、自分たちギリシア人はその恩恵にあずかるほうが得だと判断していた」のである。

アレクサンドロス・マヴロコルダトスは賄賂を受け取り、情報を売買していたが、「彼の腐敗と無分別は決して例外ではなかった」し、大宰相の指示によって、あるいは大宰相から得た情報をもとに行動していた可能性もなくはない。オスマン政府（ポルト）の大ドラゴマン職の特権は絶大であり、彼が外国人仲間から受け取った賄賂などよりもはるかに価値があった。一六八〇年生まれの息子ニコラスは、父アレクサンドロスに匹敵するほど多くの言語に通じていたが、どれも外国ではなくコンスタンティノープルで学んだ。父の後を継いで大ドラゴマンとなったニコラスは、一七〇九年、ワラキア公国の君主（公）にまで登りつめた（以降、ワラキア公の座はニコラスの子孫が世襲することになる）。カンテミールによれば、「東洋と西洋の学問に精通した」ニコラスは、コンスタンティノープルを舞台にした『フィロテウスの余暇（*Φιλοθέου Πάρεργα/Philotheou Parerga*）』という初の近代ギリシア語小説も書いている。その中で語り手は「ドラゴマン王朝」全体を代弁するかのように、こう語る。

「私たちは骨の髄までギリシア人だった」

オスマン帝国で新たな人生を得たヨーロッパ人通訳者たち

ファナリオティス以前にも、図らずもその役割を担うことになった一群の翻訳（通訳）者たちがいた。それは、状況の変化に応じて過去を捨て、新たなアイデンティティを確立したヨーロッパ人である。ここで、オスマン帝国の領土に自らの意志でたどり着いたわけではないにもかかわらず、その新しい環境に人生の目的を見出した、十六世紀の三人のイスラム教改宗者を簡単に紹介しておきたい。まずは、ユヌス・ベイ。ペロポネソス半島出身のヴェネツィア臣民だった彼は、若いころに捕らえられてドラゴマンとなり、一五三九年のオスマン帝国とヴェネツィアの和平交渉に助力した。彼は帝国の行政に関する手引書を共同執筆し、イタリア語圏の人たちに大臣、近衛長官、宮廷執事、料理長などを意味するトルコ語の単語を初めて伝えた。この手引書は、オスマン帝国の著者がヨーロッパの読者に向けて書いた初の書物として知られ、プロパガンダの要素も含んだ実用的な広報物だった。

次に、ウィーン生まれのマハムード・ベイ。彼もオスマン軍に捕らえられ、母語のドイツ語と得意のラテン語を武器に、一五四〇年代から帝国に仕えた。彼の大著『ハンガリー史（*Tārīḫ-i Unguruş*）』は、オスマン帝国の皇帝（スルタン）スレイマン一世が征服したハンガリーの要塞で発見されたラテン語の書物を翻訳したものとされているが、実際には主にアレクサンドロス大王の事績が記されており、ローマの歴史家ポンペイウス・トログスの『ピリッポス史（*Historiae Philippicae*）』が種本と判明している。原本にかなり忠実に訳されてはいるものの、かなりの分量の注釈が付けられており、「七つの地方の支配者」など、スレイマン一世の称号のいくつかがアレクサンドロス大王に転用されている。マハムードは、スレイマンによる征服をハンガリー史の頂点として描いた本書を皇帝本人に謹呈したいと望んでいたが、スレイマンが目にした可能性は低い。存在自体がほとんど知られていなかったこの本は、一八五九年に出版され、ようやく陽の目を浴びた。それにしても、一介の翻訳者という立場を一種の免罪符として利用し、歴史を書き換える（少なくとも、いくつかの非正統的な見解を密かに忍び込ませる）というのは、実に巧妙なやり方だった。

最後に、トランシルヴァニア生まれのムラド・ベイ。彼は二年半の捕虜生活の後、イスラム教に改宗し、一五五三年に帝国のドラゴマンに任命された。オスマン語、ハンガリー語、ラテン語、ドイツ語、そしておそらくはアラビア語やペルシア語にも通じていたムラドは、翻訳が宗教思想の普及にも破壊にも重要な役割を果たすと考えていた。彼には自著もある。その論争的な著作『神へ向かうための手引き（*Kitâb tesviyetü t-teveccüh ila l-Hakk*）』には、自らの改宗の経緯も記されている。ムラドはまた、自著を含む多くの宗教書や歴史書をさまざまな言語に訳した。彼が使った種本の一つに、キケロの『老年について（*De Senectute*）』がある。オスマン語では『老いを讃えて（*Risâle fi medh-i pîrî*）』として出版されたが、キケロの原本と比べると多くの異同が見られる。だから、これは翻訳などではなく、依頼を受けて書いたキケロの模倣作品だとする歴史家もいる。また、オスマン語版の序文では、元になったのは皇帝（スルタン）ムラド二世とその息子の会話記録だとされている。ムラド・ベイは、アラビア語が得意ではない外国人がコーランの翻訳に取りかかると、どうしても遺漏や瀆神的表現が多くなってしまうことを批判し、「ある言語に属する単語の一つひとつには、それぞれ多くの同義語があるため、最終言語に翻訳された段階でそれを理解するには、否応なく原意からずれた意味を推測することになってしまう」と述べている。

ドラゴマンは、自分の意見を述べるときも、誰かの意見を代弁するときも、慇懃で仰々しい表現方法をとることが多かった。「厳格な通達」も「へりくだった嘆願」として役人に伝えられた。コンスタンティノープルの英国領事館で働いていた現地人の一人が投獄されたとき、ムラドは当局に情状酌量を乞うため、一種独特な言葉遣いで手紙を書いた。

服従して我が頭を垂れつつ、強大かつ優雅で偉ぶらず、寛容で情け深い我が恩人にして、この上なく寛大で鷹揚な我が主人たる貴殿の足もとに散らばる慈悲深き塵埃に、限りなき謙遜と全き卑下と懇願の印として、我が卑しき額を押し付けつつ、どうか、比類なき全能の救済提供者が、恩恵の極みたる貴殿の気高き人となりを祝福し、我が恩人を時がもたらす困難や苦難から守り、その命、その力と輝きをいつまでも永らえさせ、その憐憫と慈悲のかけらを引き続きこの奴隷にお恵みくださいますよう。

ドラゴマンは、度を超した阿諛追従の徒だったのだろうか、それとも、単に礼儀として慎み深く振る舞っていただけなのだろうか。ドラゴマンが威圧的な物言いを避けがちなことは有名だった。ヴェネツィアのバイロ（領事）、アントニオ・ティエポロは、一五七六年にこう書いている。「ドラゴマンは、しばしば通訳そのものに困難を覚え、さらには論点を理解できないのみならず、その論点を説得的に伝えるバイロのやり方も把握できないことが多いので、結果的にバイロの主張を弱め、バイロとは無縁の臆病さを示してしまう」。ドラゴマンが臆病になるのにはもちろん理由があった。特に外交官待遇とは無縁の現地人ドラゴマンの場合はそうだった。外国人の雇い主もやはり、彼らがオスマン当局を怖がるあまり、好ましくない情報は伝えようとしないとして彼らを叱責した。

ルイスによれば、これは当時のヨーロッパの文書に見られるレヴァント人ドラゴマンに対する数多くの不満の一つにすぎないという。そのほかにも、レヴァント人の無能さ（ルイスの見解では不当な評価ということになるが、レヴァント人は、より高位のファナリオティスの同僚ほど教養がなかったと指摘する研究者も多い）や忠誠心のなさに対する不満があり、雇い主は、レヴァント人ドラゴマンが、ヨーロッパ諸国であろうとオスマン帝国であろうと、「自分を一番高く買ってくれるところに自分を売る」という態度を非難した。彼らはたいてい知り合い同士だったため、ある大使館の秘密を別の大使館にばらすことなど造作もなかった。十八世紀の英国大使ジェームズ・ポーターは、こう書いている。

> それゆえ、仕事熱心な公使に大きな困惑が生じる。通訳者に秘密を託すと、彼らは大家族で少ない給料で生活しながらも、東洋の贅沢さに慣れているので、よそからの金の誘惑に抗うのは難しいからである。金銭面は抜きにしても、彼らは単なる虚栄心から見栄を張ろうとして、託された秘密を嬉々として暴こうとすることも少なくない。

とはいえ、歴史家のアレクサンダー・デ・フロートによれば、「フランク人の衣装を着た」レヴァント人は、ヨーロッパ列強とオスマン帝国政府（ポルト）の外交関係に不可欠な仲介者だった。どちら側のドラゴマンであれ、彼らにとって最も致命的なミスは、翻訳上の不正確さなどではなかった。高名なマヴロコルダトス一族でさえ、法廷と監獄とフランス大使館を行ったり来たりというありさまだった。デ・フロートの言葉を借りれば、ドラゴマンは「すべての卵を決して一つの籠に入れることはなく」、庇護者から庇護者へと渡り歩き、西洋の友人を頼ったかと思うと、オスマン政府に舞い戻ったりした。ファナリオティスは、帝国に恭順の意を示すことで多くの利益を享受し、大ドラゴマンの職を独占し続けたが、それも十九世紀初頭までだった。一八二一年、スタヴラキス・アリスタルキスが、ギリシア独立戦争を支援したとして、大逆罪で起訴されて追放処分となり、その後殺害された〔死罪になったという説もある〕。結局、彼がファナリオティス最後のドラゴマンとなった。

ドラゴマンたるべき資質

近代の翻訳者が解決しなければならなかった言語上のさまざまな問題については、その一部をロスマンが論じている。そこでは、同一の文書を二人の翻訳者が別個に訳した例が挙げられており、翻訳者の介入についての興味深い事例になっているので、紹介しておこう。ロスマンは、一五九四年に皇帝（スルタン）ムラド三世がヴェネツィア総督（ドージェ）パスクアーレ・チコーニャに送った親書の二つの翻訳を比較している。この親書は、アドリア海でガレー船団の一隻が北アフリカの私掠船（コーセア）に襲われた事案につき、ヴェネツィア側がオスマン側に抗議を申し入れた文書（請願書）に対する返書として書かれたものである。翻訳はそれぞれ別個に行われた。一つは、ジローラモ・アルベルティがコンスタンティノープルで訳したものである。彼は故郷のヴェネツィアから見習いとしてコンスタンティノープルに連れてこられ、その後ドラゴマンとなった。もう一つは、ジャコモ・デ・ノレスがヴェネツィアで訳したものである。キプロス生まれの彼は、トルコ人家庭の奴隷として幼少期から青年期を過ごした後、ヴェネツィア貿易委員会のドラゴマンとなった。この二通の翻訳文書の違いは、翻訳界を今日まで二分している大問題を典型的に示している。すなわち、翻訳者は不可視の存在にとどまるべきか、それとも主体性を発揮すべきか。意訳は是か非か。

　体系的な教育を受けたアルベルティの翻訳が直訳的であるのに対し、デ・ノレスは、かなり意訳的なスタイルを採用している。イタリア語風のタイトル、法律用語、暦の日付など、デ・ノレスが選択した表現の多くは、彼が文化の補足説明にこだわりを持っていることを示している。彼はまた、訳文に「私の高座に提示されたばかりの請願書を通して」とか「この請願書にはさらにこうも書かれている」といった前置きや注釈などの語句を追加して、原文に翻訳者の視点を導入し、原文から距離を置こうとしている。これは、国連通訳者が、発言者が失言した可能性がある場合に、「The distinguished speaker says（発言者様によると）」という注意喚起語句（レッドフラッグ）を挿入して、責任の所在を明確にしておくのと似ている。同様に、デ・ノレスは帝国側の書簡作成者が使用する一人称代名詞をしばしば避けている。たとえば、アルベルティが原文に忠実に「われわれの間に得られる」平和と表現した箇所を、デ・ノレスは「両者間」と訳している。また、「われわれの友の友」は「この崇高な門（シュブリーム・ポルト）の友の友」となり、「われわれの敵に助けの手を貸してはならない」は「彼らの敵にいかなる助けも与えてはならない」に言い換えられている。

ロスマンは、デ・ノレスの翻訳について、「どんな形であれ、訳者が皇帝（スルタン）の立場に与するような状況から解放され、より『中立的』とされる仲介者の立場に立とうとする努力がうかがえる」と指摘し、さらに、デ・ノレスはドラゴマンとしての専門教育を受けていないため、馴染みのない用語についてはその意味を推測しなければならず、その不正確さを補おうとするかのように、その用語について詳しく補足説明している箇所も散見されるとも述べている。もしこの二人が今、翻訳者資格試験を受けたとしたら（試験では通常、一般的な文章と専門的な文章の正確な翻訳が求められる）、アルベルティのほうがデ・ノレスよりも好成績を収めたことだろう。

とはいうものの、二十一世紀の翻訳市場では、最低価格入札者が仕事を総取りするシステムになっており、要求される基準がそれほど高く設定されているわけではない（第17章参照）。翻訳と通訳の質に対する懸念が高まっている分野もあるが、その懸念は、元をたどれば「支払った金額相応の働きをしてくれればそれでよい」という安易な姿勢に端を発しており、割に合わないという認識から、この業界では「奴隷労働」という言葉を口にする人もいる。この語の意味は、オスマン帝国時代から間違いなく変わった。翻訳（通訳）者の地位もそうである。かつての大物翻訳（通訳）者は、今日の翻訳者とは比べものにならない権勢と名声を誇っていた。そうした実力者の傍らでは、平凡な翻訳（通訳）者たちがあくせく働いていた。努力の結果が望ましくないものでない限り、ほとんど注目されることのなかった彼らだが、それでも、彼らは単なる語学力にとどまらない資質を持ち合わせていた。大物であろうがなかろうが、すべてのドラゴマンにとって語学の知識は、慎重さ、思慮深さ、多才さ、対人能力、演技力といった資質がなければ何の意味もなかった。マンセルによれば、息子がワラキア公になったとき、老いたアレクサンドロス・マヴロコルダトスは「頭を何度も叩き、髪をかきむしって、『一族の破滅だ』と叫んだ」という。「彼は、『言葉が人間に与えられたのは、その思考を隠すためである』というタレーランの格言を地で行っていたのである」

第七章

不貞 Infidelities

前代未聞の離婚通訳劇

法務長官　その後、何が起こったのか説明してください。

国王の通訳者　彼女は、同じ夜のことかと尋ねています。

大法官　彼女の答弁は、発言通りにそのまま一人称で訳してください。彼女が「私」と言ったのなら、「彼女」と言ってはいけません。

このやり取りは、一八二〇年に英国議会で行われた「重要かつ波乱に富んだ裁判」で交わされたものだ。実のところ、この「裁判」は通常の意味での裁判ではなかった。この手続きはイギリス国王ジョージ四世の要請によって行われたもので、彼は妻のキャロライン王妃を姦通の罪で訴えたのである。二人の結婚は出だしから波乱含みだった。一七九五年、ジョージは泥酔状態で結婚式に臨んだ。

翌年、娘が生まれると、ジョージは遺言書を新たに作成し、全財産を愛人に譲ると明記した。彼がキャロラインを嫌悪していたのは周知の事実で、夫婦は別居しており、どちらも不倫していると噂されていた。ジョージの不品行が国民の不評を買い、キャロラインは被害者という見方が強かった。一八一四年、国王側の圧力に屈した彼女はイギリスを離れ、イタリアに移住することに同意した。

イタリアで雇った使用人の一人が、元軍人のバルトロメオ・ベルガミである。一部の報告によると、その後数年間、キャロラインはこの男に寝室への出入りを許可し、彼を「無名人から著名人」へと育て上げた。この話を伝え聞いたジョージは、不貞を口実に離婚できればと考え、妻の素行調査に乗り出した。一八二〇年には、国王の密偵が大きな書類カバンに入り切らないほどの醜聞をかき集めていた。ジョージは結婚の解消を求めて、「王妃に対する刑罰法案」を議会に提出した。キャロラインが出席した貴族院でのこの法案の審議（読会）は、彼女の姦通を証明するための「裁判」として開催された。

公正な通訳者はいたか？

検察側の証人の多くは外国人（イタリア人、フランス人、ドイツ人）であったため、通訳者が必要になった。最初にスピネート侯爵が通訳者に選ばれたが、彼は外務省と大蔵省の息がかかった人物だった。王妃の顧問弁護士ヘンリー・ブルームは、彼女の公正な扱いを担保する必要上、別の通訳者ベネデット・コーエンを呼ばざるをえなかった。ブルーム自身が公正中立だったかというと、それも怪しかった。彼は証人が呼ばれる前から、出席者全員に証人の外国人はみな信用できないと警鐘を鳴らし、あまりに口汚く罵り始めたため、法務長官が証人の弁護に割って入る事態を招いた。「議員閣下のみなさまにおかれましては、このような議論に耳をお貸しになるのでしょうか」と議事録には記されている。「イギリス人の品性の優越性を誇るのは構いませんが、全面的な非難によって、すべての外国人は信用に値しないと断言してはなりません」。だが、議場内のイギリス人の多くは、この提案に納得したわけではなかった。

最初の証人、テオドーレ・マジョッキが議場に呼び出されると、元使用人の姿を見たキャロラインは「Theodore, oh no!（どうしてお前が！）」と叫んで絶句した。王妃の住居における寝室の配置について長々と質問されたマジョッキは、ベルガミの寝室がキャロラインの寝室に近いことや、王妃の寝室からは時おり何やらきしむ音やささやき声が聞こえてきたことなどを証言した。しかし、ブルームが反対尋問を始めてからは、この証人の発言内容に疑問符が付くようになった。先の証言についての詳細を厳しく追及されると、マジョッキは〈non mi ricordo（ノン・ミ・リコルド）〉と繰り返した。ブルームはこの表現を問題にした。正確な訳を求められたスピネートは、〈I do not remember（覚えていない）〉または〈I do not know（わからない）〉という意味だと答え、コーエンは、〈I do not recollect（思い出せない）〉という訳のみを提示した。詳しく説明するよう迫られたマジョッキは、しどろもどろになりながらも懸命に答えた。「『ノン・ミ・リコルド』というのは、お金を受け取った記憶がないという意味です。もしお金を受け取っていたら、そう答えます。でも、今となってはよく覚えていません。かといって、その逆の記憶もありませんが」

そのうち通訳者は、マジョッキが使った表現を詳しく説明せよとの要請を待たずに、さっさと自ら補足説明をするようになった。ある時間帯に寝ていたかと聞かれた証人が「私が今寝ているのと同じです」と答えると、通訳者はすかさず「それは起きていたという意味です」と説明した。反対尋問が進むにつれ、マジョッキは王妃の衣装やトイレの習慣、さらには彼自身の家庭環境についてなど、議員たちが興味津々の質問に答えなければならなくなった。おそらくその結果、彼の答弁は、彼への質問と同様に、しだいに回りくどいものになっていった（「誓ってもいいですが、いや誓って言いますが……」）。それと同時に、このつかみどころのない外国人に対する漠然とした反感も、貴族院の内外を問わず高まっていった。追い打ちをかけるように、「こんな愚か者とは」会話がまともに成立しないと不満を漏らす通訳者まで出てくる始末だった。この針の筵（むしろ）から解放されるころには、マジョッキは「すっかり意気消沈していた」。買収されているのではないかという疑惑が持ち上がったときには、マジョッキは通訳者の一人に自分が正直者であることを保証してほしいと頼み込み、そのメッセージはきちんと伝えられた。

彼以外の証人も同じ疑惑にさらされた。ブルームは「彼らの証言が真実であるなら、王妃はメッサリナ（ローマ皇帝クラウディウスの皇妃。放蕩と残虐の限りを尽くした稀代の悪女）以上の悪女か、マリー・アントワネットにも匹敵する毒婦ということになる」と主張し、イタリア人についての強引とも言える一般化を行った。通訳者のほうでは、誤解の可能性にますます注意を払うようになり、少しでも曖昧な点があれば自ら進んで指摘するようになった。ある証人が、ベルガミはキャロラインと**一緒に**寝ていたと発言したところ、スピネートは、証人が使ったイタリア語の〈insieme〉には「同様に」との意味もあると補足し、それを裏付けるように、証人も「二台別々のベッドで」と付け加えた。尋問は、キャロラインがベルガミと庭にいるところを目撃されたという話になり、別の証人は、その時刻を「一時か一時半ころ」と具体的に示した。スピネートはそれをひとまず直訳してから（おそらく、その場にいた他のイタリア語話者が口をはさむのを防ぐためだと思われる。彼らはそれまでにも繰り返し口をはさんできたが、必ずしも実りある結果をもたらさなかった）、「イタリア語と英語では、時間の数え方が異なります」と補足した。彼の説明によれば、この表現は日が暮れてから一時間半後という意味であり、コーエンもそれを追認した。「私はロンバルディア出身ですから、これがそのような数え方であることは承知しています」

茶番劇「イタリアの部」が幕を閉じると、検察側は次の証人、寝室担当の侍女バルバラ・クレスを呼び、スピネートとコーエンに代わってドイツ語通訳者のジョージ・ウィリアム・コルマンターが登場した。しかし、コルマンターの翻訳にはミスが多いとの指摘があり、少しもめた末に、別の通訳者を呼ぶことに決まった。このため、ブルームは延期を求めたが、準備不足ではないかと批判された。彼は、では次回は「いきなり、チュニジア人かトルコ人、ギリシア人、エジプト人の通訳者を連れてこいという話になるのでしょうか」と問い質した。「王妃は、これらすべての国にいたことがあるのですから」。翌日、チャールズ・カルステンが通訳者に任命され、クレスの尋問が再開された。王妃のスキャンダル暴きが続く中、哀れな侍女は、キャロラインのベッドシーツがある朝どのような状態だったかを詳しく説明しなければならなくなった。「彼女が使った単語は英語に訳せません」とカルステンが主張したため、再びコルマンターが呼ばれることになった。二人は〈disorder〉と〈waste〉の可能性を議論したが、クレスは一意的に〈stain（しみ）〉と訳される別の単語を口にするよう説き伏せられた。次いで、議員から既婚かどうかを尋ねられたクレスは、「はい」と答えると、堰を切ったように泣き出した。

　議会の外では、賄賂をもらって気の毒な王妃に不利な証言を突きつける外国人に対して、国民と報道陣がさらにいっそうの敵意を剥き出しにした。マジョッキ一人の証言だけでも、外国人排斥を訴える民衆の不満が爆発し、こんな調子の戯れ歌が流行る始末だった。

どんな侍女が、どんな従者が、
呼び鈴の音で駆けつけてきたんだよ？
どんな給仕が夕食を運んできたんだ？
Non mi ricordo quello（そんなの覚えてないよ）
やっぱり僕には言えないよ
まったく都合のいい野郎だよ！

定期刊行物には、国王を嘲笑する風刺画や王妃を支持する詩や歌が掲載された。『*Satirical Songs, and Miscellaneous Papers, Connected with the Trial of Queen Caroline*（キャロライン王妃の裁判に関連した風刺歌および雑文）』という本には、こんな激烈な詩の一節が収録されている。

それならば、イングランドとアイルランド、そしてスコットランドに高らかに宣言させよ。
女性の権利を求めて。

この下劣な茶番劇は、結局法案が廃案となり、その幕を閉じた。キャロラインは国民に人気があったにもかかわらず、一年後に挙行されたジョージの戴冠式への出席を拒否された。王妃は、先の戯れ歌「イタリア人の証人（イングランドの嘆き）」が廃れて間もなく、病に倒れて亡くなった。

この裁判が浮き上がらせた通訳の問題

この「裁判」は、王室問題がタブロイド紙のネタにされた最も古い例の一つであるが、現代の通訳者にも馴染み深いいくつもの問題を浮き彫りにしている。議員たちが重要視した問題の一つに、通訳の質がある。そのため、彼らは二人一組で通訳に当たらせるべきだと強く主張していたが、残念ながら、現実的ではないとして却下される場合が多かった。通訳者同士は、形の上では対立する陣営に属していたものの、たがいに協力し、必要に応じて補い合っていた。今では利益相反の恐れがあるため、そのような協定を結ぶのはほとんど不可能だろう。とはいえ、どこから報酬をもらっていようと、プロの通訳者なら公平性を保つのが当然で、それができない前提で話が進むのはどうにも理解に苦しむ。通訳の品質向上の妨げとなる要因としては、もっと重要な問題がある。それはもちろん、世界各地で見られる資金不足である。

一八二〇年の「裁判」で明らかになったもう一つの問題は、文化の補足説明の重要性である。これは、今日でもその妥当性を失っていない。イングランドとウェールズの裁判所で使われている法廷通訳者の宣誓文には、十分な理解を保証するために「必要な説明をする」との誓約が含まれており、発言者の文化に特有の細かな内容については、その国の習慣から宗教的伝統まで詳しく説明する必要がある。さらに、発言者の発言を通訳者は一人称で伝えるという基本原則があり、通訳者が自分自身に言及する場合は、「The interpreter would like to clarify …（通訳者から補足説明を申し上げます）」のように三人称を使う。これは、本章の冒頭でも述べたように、以前から広く認められているルールである。このルールを守ることが混乱を避ける唯一の方法なのだが、驚くほど多くの人が、無意識のうちに通訳者をパイプ役ではなく実際の発言者だと誤認してしまう。興味深いことに、この種の伝達媒体と伝達内容の取り違えは、思い通りにならないときに特に顕著になる。人は、「何が言いたいのかわかりません」とか「ふざけたことを言わないでください」とかいったセリフを返されると、本当の対話相手が誰なのかを簡単に忘れてしまうものらしい。そして、対話者ではなく、その不愉快な言葉を発した通訳者に対して、目を剝いて怒り出すのである。これに関してつい思い出すのは、コメディドラマ『ブラックアダー』のある回だ。これも王族結婚の話で、スペインの王女が、専属通訳者ドン・スピーキンググリーシュの助けを借りて、ローワン・アトキンソン演じるエドマンド王子に言い寄るのだが、出だしからつまずく。男性通訳者が「私が王女です」と訳すと、エドマンドは思わず金切り声を上げる。「えっ、ヒゲがあるなんて聞いてないぞ！」

発言者と通訳者のアイデンティティ

この手の話は、いつもアイデンティティの取り違えが原因になっており、法廷の内外を問わず、また世代の違いを問わず、これまで多くの通訳者が経験してきたことだ。証人席でよく耳にする卑語や罵倒語もその一例である。通訳者仲間には、罵倒語を口にすると、裁判所の心証を悪くするのではないかと心配する人もいるが、私はいつも卑語を訳すことに喜びを感じている。それは主に言語的な理由からで、卑語や罵倒語はロシア語と英語の本質的な違いを浮き彫りにするからだ。あるとき、通訳を担当した証人が、口汚い口論の内容をそのまま正確に再現するようにとの要請を拒んだことがあったが、私は失望を隠すのに苦労した。反対に、運よく言葉遣いを気にしない被告人の担当になり、彼が発した用途の広いロシア語の卑語を〈shit〉と訳したところ、本人からもっと強烈なレベルの卑語だと指摘され、喜んで訳語を訂正させてもらったこともある。

混乱を招きやすい原因にはもう一つ、通訳者から発せられる非言語的なメッセージがある。場合によっては、そのせいで聞き手が話し手の発言に集中できなくなってしまう。二〇一九年十月、ドナルド・トランプとイタリアのセルジョ・マッタレッラ大統領の会談の席で、女性通訳者の困ったような顔がカメラに映し出された。おそらく彼女はシリアでの軍事活動に関する議論に集中していただけなのだろうが、その表情をトランプの発言内容に対する沈痛な反応と受け止める人もいた。その動画が拡散したことで、トランプの長話に動揺を隠せない通訳者というのはプロとしてどうなのか、というような見当違いな批判も飛び交った。しかし、ニュース解説者は、通訳者のごく些細な表情に注目するあまり、同席者によるプロにあるまじき行為の実例を見落としていた。つまり、報道陣やマッタレッラ大統領自身が何度も彼女の通訳を遮っていたのである。対話者に対しては礼儀正しくありたいと考えている人でも、通訳者の邪魔をすることはあまり気にしない。そればかりか、通訳者には、発言内容をきちんと通訳するだけでなく、写真映えすることまで期待しているのだ。

一八二〇年に英国議会で演じられた茶番劇では、見た目も重要な要素の一つだった。議事録には、あるイタリア人の証人について「極めて愚かで道化師のような外見」と記されている。別の証人は、キャロラインが鑑賞したエキゾチックなダンスショーについて質問され、ダンサーの動きを実演して見せるはめになった。通訳者はおおむね敬意をもって扱われたが、証人は審問の間中、嘲笑され続けた。このような態度はどう見てもおぞましい限りだったが、それでも唯一救われる思いがするのは、聴衆がとにかく発言者と翻訳者のアイデンティティを区別できていたということだ。

ところで、議事録を読むと、通訳者はほとんど感情を表に出さなかったようだが、当事者同士が意思疎通に苦労しているのを見ると、ここぞとばかりにその説明に尽力した。画家のジョージ・ヘイターが実際に議事堂を訪れて描いた「キャロライン王妃の裁判」には、裁判の光景が生き生きと描き出されている。着席者の多くは注意深く耳を傾けているが、中には前のめりになっている者もいる。ホイッグ党のリーダーであるグレイ卿は、スピネートに向かって片手を伸ばし、発言を中断させようとしている。しかし、当のスピネートは冷静さを保ち、指を折って何かを数えながらマジョッキの証言を通訳している。グレイ卿は、審問中に他の議員が行ったように、不正確だと思った点をスピネートに指摘しようとしていたのだろうか。このような指摘には、通訳を遮った側に理がある場合もあったが、単なる言いがかりも多かった。通訳者の依頼人たちが些細な問題で空騒ぎを繰り広げる中（離婚訴訟を議会案件として扱うことに合意した時点で、この成り行きは目に見えていた）、当の通訳者たちは冷静に対処していた。国民の注目を集める案件だっただけに――事件の重要性を考えれば、それも当然なのだが――彼らはあらゆる要望を受け入れるためにできる限りの努力をしたのである。

通訳者は匿名か？

「翻訳史における最初の大きな跳躍は」とデイヴィッド・ベロスは述べている。「ある二つの共同体が、通訳者の発言は直前になされた本人の発言と同じ効力を持つものとみなすという合意を見出したときに生じたに違いない」[1]。私はよく、依頼人が逆方向に跳躍できればいいのにと思う。つまり、私が通訳中に使う一人称の言葉を私のものとして受け取るのをやめ、たがいに直接言葉を交わすようになればと思っている。そんなときに思い出すのが、ブライアン・フリール脚本の演劇作品『トランスレーションズ』（一九八〇年初演）である。一八三〇年代のアイルランドの片田舎を舞台に、抑圧、抵抗、自己決定の一形態としての言語について考察した作品である。この劇の中に、イギリス軍の大尉がアイルランド語を話す村人たちに英語で話しかける印象的な場面がある。通訳者をともなっているにもかかわらず、大尉は「まるで子どもに話しかけるように、声はちょっと大きく、無理にはっきりと発音しようとする」[2]。村人たちはクスッと笑い、通訳者は居心地の悪さを感じる。双方を仲介する通訳者としての役割をうまく果たせない彼は、アイデンティティの危機に陥る。かつてそうだったアイルランド人でもなく、将来なりたいと願うイングランド人にもなれずに、彼は「私たち」と「彼ら」の隙間にはまり込んだままでいることを運命づけられている。彼はオーウェンという名前なのに、上官たちはなぜだか彼をローランドと呼ぶ。そして、彼にはそれを訂正する勇気がない。

翻訳者の匿名性はさまざまな形で現れる。キャロライン王妃の「裁判」に関しては詳細な記録が残されているが、通訳者についてはスペルがまちまちだったりするため、追跡調査がかなり難しい。唯一の例外はスピネートである。彼はケンブリッジ大学で教鞭を執り、古代エジプトに関する研究書も出している学者だった。彼以外の通訳者については、まったく調べがつかなかった。あるいは、人文科学や法学が専門の学者だったのかもしれない。特定の専門分野を持つ通訳者は、その分野で積極的な役割を担えるようになるから、仲介者から実務者に転身する例は珍しくない。いわば、一定の期間をかけて専門家のふりをした後に本物の専門家になるのだ。反対に、さまざまな分野の通訳をこなすうちに一般知識が広がっていく――必ずしも深まっていくわけではないが――というシナリオもある。このような知識の広さは、転職の際に有利に働くだろう。通訳に携わった後、その経験を活かして、革命家や実業家、官僚、セラピストなどに転身を遂げる人も少なくない。その時が来るまで、通訳者は職務を遂行しながら、その声を頼りにしている人たちのために、自らを三人称で呼び続けなければならない。

第八章

ヒトラーの言葉の正確性

Precision was Not a Strong Point of Hitler's

「ある朝目覚めると、親衛隊（ＳＳ）にいた」。オイゲン・ドルマンは回顧録の中で、三十年前の出来事を回想しながら、こう語っている。「その動機にはさまざまな要因が入り混じっており、軽率であったと同時に誠実でもあったし、何よりもローマに、そしてイタリアにいられなくなる状況が訪れてほしくないという思いが込められていた」。オーストリア＝ハンガリー帝国末期にバイエルン貴族の息子として生を受けたドルマンは、ミュンヘンで学んだ後、美術研究のためにイタリアに赴いた。そこでミケランジェロの手稿を読み、十六世紀の枢機卿アレッサンドロ・ファルネーゼの足跡をたどった。ふとしたきっかけで、独伊両国の警察長官、ハインリヒ・ヒムラーとアルトゥーロ・ボッキーニが列席する晩餐会での通訳を頼まれた彼は、その大役を見事に果たしたことで、その後十年の人生が定まった。「もし、それがヨーロッパの教育大臣や農務大臣であったなら、おそらく事態は違った方向に進んでいただろう」と彼は書いている。だが、実際はそうはならず、ドルマンはその後間もなく「二人の伍長」（第一次世界大戦におけるヒトラーとムッソリーニの階級）と出会い、通訳を要する際は常に、二人の意思疎通を円滑に進める役目を任せられるようになった。

一九三八年九月、ドイツが当時チェコスロバキアの一部であったズデーテン地方を併合し、中央ヨーロッパを支配することを認める国際協定が結ばれた。その国際会議にムッソリーニの通訳として参加したドルマンは、「ミュンヘン会談について書かれた文献に私が何か付け加えられるとすれば、それは個人的な感想と経験だけだ」と記している。当のムッソリーニは、どんなに拙くても、自分の語学力を鍛えることには熱心だった。「ベニート・ムッソリーニが通訳の一部を肩代わりしてくれたおかげで、私は過労にもならずに済んだ」。一方、ドイツ側の通訳者「不屈のシュミット博士」にとっては、会議は「十三時間近く休むことなく続いた」。ヒトラーにつききりで通訳をしなければならなかったからだ。英仏の首相、ネヴィル・チェンバレンとエドゥアール・ダラディエが加わった会談の間中、パウル・シュミットは「発言のすべてを立て続けに三つの言語に訳し続けなければならなかった。そのため、四首脳（ビッグフォー）の全発言の文字通り二倍もの言葉を発していた」。それでもまだ足りないかのように、他の首脳たちがシュミットの通訳を途中で何度も遮った。そのたびに彼は、どうか最後まで通訳させてほしいと懇願した。通訳を途中で遮られると、元の発言とのズレが生じ、大きな混乱を招きかねないことを経験から身に染みて知っていたからだ。シュミットはその後、この会談をガラス戸越しにのぞいていた人たちから、「静粛に」と繰り返す彼の奮闘ぶりについて、こう言われたという。「あのときのあなたは、授業中にやんちゃな生徒たちをなんとか静かにさせようとする先生のようでした」

「独裁者の通訳者」の運命への向き合い方

シュミットは一九二四年にドイツ政府に採用され、一九三五年にヒトラーの通訳者となった。親衛隊にも入隊し、最後まで第三帝国のために働き続けた。彼の回顧録（一九五八年初版）を読むと、ナチスドイツの未来に対する自身の先見の明を随所で誇っており、そのくだりからは、先々どうなるかはわかっていたが、明白な理由から何もできなかった人物という印象を受ける。シュミットにとっては、すでに「運命の一九三九年」の時点で「遠からず最後の審判の日が訪れる」ことは明白だった。回顧録では全体を通して、「ヒトラーの意図に気づいていた」という点が強調されているが、彼は戦後もずっと、総統（フューラー）のことを称賛の念を持って語っていたと言われている。とはいえ、当時の彼の心境は知る由もない。それでも、こと言語の問題に限って言えば、通訳者としての発言の数々から、彼が真摯な人物であったことがうかがえる。そのことを示す一つのエピソードがある。ミュンヘン会談に先立ち、ヒトラーはチェンバレンと会談してズデーテン地方の今後について話し合った。ヒトラーは決して武力には訴えないとチェンバレンに請け合い、「私はこの問題を何らかの方法で解決するつもりだ」と言った。シュミットは、後に頻繁に使われるようになるこの言い回しが、この時点では、まさか「相手が要求に応じない場合は、武力行使や侵略、戦争によって解決する」という意味だとは気づかず、そのまま律儀に訳したのだった。

　二人の回顧録を読み比べると、シュミットが自分を悪の政権に仕えるまっとうな人間として描いているのに対し、ドルマンは、「二人の独裁者が没頭していたおもちゃの兵隊ゲーム」に魅了されたと、話のついでに触れているだけである。一九四一年八月、彼はヒトラーとムッソリーニの部隊視察に同行し、占領下のウクライナを訪れた。その際のエピソードを彼は記している。荒廃した国土を車で横断しながら、ヒトラーはアジア征服について「奔流のような無駄口」を放った。ムッソリーニは、ヒトラーの熱弁にもまして突拍子もない応答をした。ドルマンは一瞬ためらってから、こう訳した。「ならば、次の手は？　アレクサンドロス大王の故事に倣って、月に向かって泣くのはどうでしょう？」〔東方遠征で次々と版図（はんと）を広げた大王は、もう地上には征服すべき土地がないと月を眺めて嘆き悲しんだという〕。どういう意味かと尋ねたヒトラーに対し、ムッソリーニは詩を朗唱することでこれに答えた。「この詩を通訳するのはさらに難しかったが」とドルマンは書いている。「統帥（ドゥーチェ）がすかさず助け舟を出してくれたおかげで、私は、それがアレクサンドロス大王を歌ったジョヴァンニ・パスコリの有名な詩の冒頭だと説明する手間が省けた」。こうして、意気揚々たるムッソリーニとしかめっ面のヒトラーは、その様子をかたわらで面白がっているドルマンを引き連れて煙立つ廃墟の只中へと向かい、自軍の部隊を激励したのだった。

　ドルマンは回顧録の中で、自分の話にユーモアと自嘲の装いを施し、独裁者たちの行為に加担した事実をなんとかして薄めようと努力を重ねている。彼の取り繕いの一例を挙げておこう。「ゲーリング級の戦争犯罪に問われてもおかしくない事態が二時間近く続いた。その間、私はイタリア語はおろかドイツ語でもまったく理解できない統計や専門技術の翻訳に忙殺されていた」。対するシュミットは、常に生真面目である。一九四〇年七月、ヒトラーが「イギリスに対して非常に寛大な和平提案」を行った際、シュミットはその演説をできるだけ適切な英語に訳そうと決意していた。それは「ドイツ語の声明を極めて不正確かつ気まぐれに訳すことの多い」敵国に対抗するためであり、流血を防ぐ機会を万人に与えるためだった。ヒトラーが帝国議会（ライヒスターク）で演説している間、シュミットは放送室で英文原稿を手にして座っていた。同僚が現在の演説箇所を原稿上に鉛筆で示すと、シュミットはその箇所を読み上げ、ヒトラーの声がラジオ聴取者に聞こえるように、随時マイクのオン・オフを切り替えた。「多くの新聞が私の離れ技に驚嘆した」と彼は書いている（記者たちは、まんまとシュミットが即興で通訳したものと思い込んだわけだ）。シュミットは自分の仕事の出来には満足しながらも、「演説の内容には深く失望し」、ヒトラーが「このような意味のない、単なるレトリックの羅列が、冷静なイギリス人に何らかの影響を与えうると信じている」ことに驚いていた。回顧録を読み進めると、その批判はさらに露骨なものになる。「私は交渉の場で、正確な言葉遣いはヒトラーの得意とするところではないということを何度も思い知らされていた」

一方、芸術愛好家にして享楽主義者を自任するドルマンにとって、通訳の職は不愉快な仕事としか思えなかったが、少なくともその職のおかげで、気ままに社交の場を次から次へと飛び回るだけの時間ができた。「四月から七月にかけての数カ月間、通訳者としての仕事はほとんど何もなかった。

だから、オペラにもっと時間を費やして、不幸にも捨て置かれた自分の心に磨きをかけようと思った」。この厭世的な美の探求者は、運命のいたずらで、本来なら交わるはずのない人たちと少なからぬ時間を過ごすはめになったが、彼はその状況を苦笑しながら傍観していた。「ヒトラーの身の毛もよだつ私邸で昼食会が催された際」と、彼はある任務の話を記している。「私はその機会を利用して、熱心な党員たちの悪趣味を嫌というほど味わい尽くした。男も女も、おぞましい手工芸品をはじめ、ありとあらゆる土産物や贈答品の数々を差し出しながら、彼らの偶像たるヒトラーに敬意を表していた」。ドルマンの鋭い芸術的感性はひどく痛めつけられたが、「美的感覚に重きを置かないムッソリーニは、この光景にもまったく動じなかった」。二人の伍長に尊敬の念など抱いていなかったドルマンは、彼らの私生活に関するゴシップを回顧録でたびたび披露している。たとえば、ヒトラーは「後に彼の寵愛を競い合った無数の女性に対して、奇妙なほど自信のない態度」を示していたという。通訳の仕事については多くを語っていないドルマンだが、「スター通訳者」と高く評価されていたらしく、そのおかげで「あまり愉快でない任務から逃れる」ことができ、「独伊連合軍による遊興の修羅場」にも巻き込まれずに済んだ。

ドルマンとシュミットは、その経緯は違うにせよ、どちらも戦争犯罪には深く関与せずに済んだようだ。ドルマンは「この人間の諸感情（その大半はかなり原始的な感情）の市場（バザール）」を小馬鹿にしていたし、シュミットの関心は、ナチス政権が犯した罪の細部ではなく、彼らが興じた高度な政治ゲームに向けられていた。また、ドルマンは、「私はイタリアとドイツの恋愛の成就に不可欠な存在になっていったが、そのことに今でも困惑している」と記している。なぜなら、ドルマンは「一般には典型的な直訳主義の通訳者としか思われて」おらず、彼よりも優れた通訳者はいくらでもいたはずだからだ。一方、シュミットは、自分の通訳の腕前に誇りを持っていた。ニュルンベルク裁判で使われた彼の証言と覚え書きによると、彼は「三年の間、監獄から強制収容所、さらにはホテルへと、住み処を転々とした――ある時は囚人として、またある時は雇われ言語学者として、しかし常に通訳者として」と述べている。彼はその後、一九五二年にミュンヘン言語通訳研究所の所長に就任した。ドルマンも、大した罪には問われなかった。ローマのナチス高官だった彼には、一九四四年、イタリアパルチザンによる三十二名のドイツ兵殺害に対する報復として、三百三十五人のイタリア人を虐殺した事件に関与した事実があるのだが（この話は回顧録には出てこない）、この件については、連合国が、イタリアでのナチス降伏交渉における助力と引き換えに、起訴を免れるよう手を回したと言われている。

「三巨頭」の通訳者たち

ヒトラーとムッソリーニが各自の通訳者に助けられながら、「瀕死の民主主義陣営」に「致命的な一撃」を加えようと画策する中、連合国首脳は、それを阻止する方策を議論すべく一堂に会することになった。一九四三年十一月、三巨頭（ビッグスリー）は、それぞれ専属通訳者を引き連れてテヘランにやって来た。ベテラン外交官のチャールズ・ボーレンは、フランクリン・D・ルーズベルトの通訳を務めただけでなく、大統領の相談相手として、政治をはじめ、さまざまな面での助言を行った（たとえば、演説の際、聴衆の集中力が途切れないように、発言を二、三分ごとに区切ることを勧めたのは彼である）。ボーレンの言葉を借りれば、ルーズベルトは「通訳者にとっては最高の演説家だった。〔中略〕さまざまな形で私が通訳しやすいように配慮してくれた」。ウィンストン・チャーチルの通訳を務めたアーサー・バースも、彼の演説は「いつも明快で要点を押さえている」と雇用主を高く評価していた。そんなチャーチルでも、会談相手の発言中にしびれを切らして、バースが通訳用のメモをとっているのを遮り、「彼は何と言っているのか」と尋ねることがあった。そのくせ、自分の発言中は、「話し終えるまで通訳で中断されないことを好んだ」。その点では、ソ連の盟友スターリンのほうが好ましかった。ボーレンの回想によれば、スターリンは「通訳者のことを気にかけて、長々と話しすぎないよう細心の注意を払っていた」という。また、バースによれば、彼は「簡潔な表現でゆっくりと自分の意見を述べるやり方」をとっていた。スターリンの通訳者ウラジーミル・パヴロフは、ボーレンやバースと違って回顧録を残していないため、独裁者のもとで働きながら、彼が何を思っていたのかはわからない。

バースはパヴロフについて、「沈着冷静な彼は何事にも動じなかった」と書いている。「スターリンは、私には不当と思われたが、『さっさと訳せ、ぐずぐずするな、頼むから人間に理解できるロシア語で話してくれ』とパヴロフを激しく叱責することもあった。だが、そんな時でさえ、彼は冷静なそぶりを崩さなかった」。数年にわたって仕事をともにしてきたバースとパヴロフは、良好な協力関係を育んでいた。一人が訳語に悩むと、もう一人が何らかの提案をし、時にはたがいの訳文に疑問を呈することもあった。「彼の存在は私に自信を与えてくれた。そして、私も同じような気持ちを彼に抱かせることができたのではないかと思っている」とバースは書いている。テヘランでは印象に残る出来事があった。晩餐会でスターリンがスピーチをしている最中、デザートの「ペルシアのランタン」を運んできた給仕が、パヴロフの軍服にこのアイスクリームをひっくり返してしまったのだ。しかし、「彼は動揺したそぶり一つ見せずにそのまま通訳を続け、長くて難しいスピーチを見事に訳し切った」。

外交通訳ではふつうのことだが、この章の主人公たちも自分の第一言語から第二言語に通訳していたので、雇用主の話し方や言葉遣いに慣れていればいるほど、通訳が楽になった。バースとボーレンはどちらも、スターリンの演説は「流暢で、言葉選びに迷いがなく」、彼のロシア語は「完璧に正しく、簡潔で、余分な美辞麗句が一切ない」と高く評価していたが、そのグルジア（現ジョージア）訛りについては、意見が分かれた。ボーレンの耳には特に気にならなかったが、バースは最初のうちはこの訛りに悩まされ、「まるでスコットランドのハイランド地方の奥地に住む人が英語を話しているかのようだった」と記している。英露両語に精通していたバース（彼の父はロシアに移住したスコットランド人で、その英語からは終生スコットランドのダンディー訛りが抜けなかった）は、発言者の訛りに敏感だった。あるとき、バースはアメリカの国務長官コーデル・ハルの通訳をすることになったが、ハルは「聞き慣れないアメリカ南部訛りでボソボソと話した」。バースはその言葉を理解するのに苦労し、推測を重ねたり、ハルに発言を繰り返してもらったりしながら通訳を進めた。「聞き取れる限りの語句を聞き取り、それを直訳するしかなかった」と彼は書いている。お粗末な通訳だという自覚はあったが、誰も気にしているようには見えなかった。「だから、気を取り直してはつまずき、何度もそれを繰り返した」

一九四五年二月にスターリンが主催したヤルタ会談も、ボーレンとバースが揃って回顧録に記している歴史的会議の一つである。ここでも二人は、通訳する演説の主な評価基準として、明晰性と論理性を挙げている。チャーチルは、時おり自分の世界に入り込むことがあったという。「彼は出だしの一文を口にしてから、もう一度同じことを言い、時にはそれを二、三度繰り返したものだった。そうしているうちに、演説の全体像が頭に浮かぶのだ」とボーレンは書いている。「そして、壮大な演説へと飛び立っていくのだった」。一方、チャーチルの「存在の奥底から湧き上がり、突如として噴出する生気に満ちた言葉」に慣れていたバースでさえ、スターリンが主催した晩餐会では、「彼とチャーチルの二人は、パヴロフと私がそれぞれの言語で適切な表現を見つけるのにこの上なく苦労したほど、雄弁の高みに達した」と書いている。「テンポ、流暢さ、そして何よりも正確さ」を重視するバースは、チャーチルの特に修辞疑問、たとえば「Will the toiler see his home?（兵士は故郷の家を再び見られるだろうか）」といった発言がを訳しづらいと感じていた。また、「I propose a toast to the broad sunlight of victorious peace（勝利がもたらした平和に満ちた陽光に乾杯しよう）」というような曖昧な表現も苦手だった。

三巨頭は豪華な食事に舌鼓を打ちながらもたがいに雄弁をふるい続けるので、通訳者は忙しくて軽食をとる暇もなかった。私が取材した外交通訳者たちも、そのほぼ全員が職業病の一つとして空腹を挙げていたが、そのことをドルマンほど見事に言い表した人はいない。「賢明な通訳者は、前もって少し食べておくか、あとでたくさん食べる」。けれども、ご馳走を頰張るわけにはいかない側の窮状が、それを堪能している側の目に留まることもある。その晩餐会で、スターリンがグラスを掲げた。「今宵も、そして別の機会にも、われわれ三人の指導者はともに集ってきた。われわれは話をし、食べたり飲んだりして楽しんでいる。しかし、その間、通訳者は働かなければならず、その仕事は容易ではない。飲み食いする暇もないのだ。われわれは通訳者を頼りにおたがいの考えを伝え合っているのだから、彼らに乾杯しようではないか」。スターリンが通訳者の一人一人とグラスを交わすと、チャーチルもグラスを掲げ、マルクスの有名な標語をもじってこれに応えた。「万国の通訳者よ、団結せよ！　失うものは何もない、君たちの聞き手のほかには！」。少なくともバースの回顧録にはそう書いてある。一方、ボーレンは、この気の利いた返しを思いついたのは、「ウォッカを何杯も飲んで、調子づいていた」自分だったと主張している。作者が誰であれ、どちらのスピーチも平易で、少し酒を飲んだ後でも通訳しやすいのがいいところだ。その後も巨頭の翻訳者たちは、おそらくこんなロシアの諺でも頼りに仕事を続けたに違いない。「酒を飲んでも忘れないのが、技量というもの」

首脳会談に帯同する通訳者のもう一つの職業病（場合によっては役得）に、報道カメラマンの存在がある。主役の隣で誇らしげにポーズを取っている通訳者の写真はよく見かけるが、この章の主人公たちは写真にどう対応していたのだろうか。ドルマンの回顧録には軍服姿の彼の写真が数多く収録されているが、シュミットの回顧録（二〇一六年版）の写真に彼自身の姿はほとんど写っておらず、写っている場合でも、キャプションには「いつものように通訳業務に従事している著者」と記されているのみである。バースとボーレンには、写真撮影を避ける理由は特になかった。控えめなパヴロフはどうかというと、近くにカメラがあるときは端に寄る癖があったものの、これはおそらく全体主義に対する嫌悪とは何の関係もなかった。勝つか死ぬかの権力闘争の世界から引退した後、彼は出版業界に職を得たが、一説によると、死ぬまで忠実なスターリン主義者だったという。スターリン政権はソ連に戦争よりも多くの犠牲者をもたらしたが、通訳者にとっては好ましい話者だったのかもしれない。しかし、彼の外面（そとづら）に騙された人は誰もいない（おそらくパヴロフでさえそうだった）。「私は絶対的独裁者と同じ場に居合わせているという思いを払拭できなかった」とバースは回顧録の最後に書いている。「そして、彼が私の雇用主でないことに心から感謝した」

一般人と独裁者の通訳は違うのか？

通訳者にとっては、独裁者の通訳をするのも一般人の通訳をするのも、さしたる違いはない。そもそも、通訳する人物に対する個人的見解が仕事に影響をおよぼすことなどあってはならない。たとえ独裁者と政治信条が違っていたとしても、言葉の食い違いよりも折り合いがつけやすいものだ。また、通訳者なら誰しも同意するだろうが、不愉快な人物だからといって、必ずしも最悪の依頼人とは限らない。上品で博識の仕切り屋、特に通訳先の言語を少しかじったような依頼人は、口の悪い無学者に劣らず厄介な存在になりかねない。一つだけ例を挙げれば、彼らは同義語や類義語を真の地雷原に変えてしまうことがある。私は以前、通訳を担当した男性のためにわざわざ辞書を持ってきて、〈feckless〉という単語が存在し、〈irresponsible（無責任な）〉と同義であることを説明するはめになったことがある。それ以来、私は発言者が途中で発言を中断し（たいていは「彼女は私に文字通り『出ていきやがれ（bugger off）』と言ったのです）」のような罵倒語を口に出そうとしているときだ）、「さて、あなたがこの言葉をいったいどのように訳されるのかわかりませんが」と、まるで罵倒語が一番訳しづらいかのように警告してきても、もう顔をしかめることはない。

通訳者に発言者の最も困る特徴は何かと尋ねると、その多くは、途中で口をはさみたがることだと答えるだろう。聞き覚えのある表現を耳にすると、つい通訳の内容に口を差しはさみ、結局あとから説明を求めるような、せっかちな依頼者がいるものだ。ハンナ・アーレントは一九六一年、彼女が「悪の陳腐さ」について考えるきっかけとなった、ナチス犯罪者アドルフ・アイヒマンの裁判を傍聴した。彼女はその傍聴記事の中で、そんな性急な発言者について記している。通訳者の妨げとなったのは、被告のアイヒマンではなかった。「ランダウ裁判長は、通訳者が被告の発言を訳し終えるのを待たずに話し始めることが多かった」とアーレントは述べている。「裁判長は何度も通訳を中断させては訳を修正・改善させた。目先の耐えがたい職務から少しでも気をそらせることにありがたみを感じているようだった」

現場の証言が示す通り、独裁者の通訳も似たようなものだが、さらに悪いことにしかならない。独裁者に対して距離を置こうが寄り添おうが、よくも悪くも、時として通訳者の言葉はあっさり無視される。場を仕切るのが得意だったシュミット博士でさえ、口をはさめなくなる場面があった。シュミットは回顧録で、イギリスの政府高官ホレス・ウィルソンとの会談について記している。チェンバレン首相の側近であったウィルソンは、首相から託されたズデーテン問題に関する厳しい内容の書簡をヒトラーに手渡した。シュミットは通訳者としての務めを果たそうとしたが、その場の全員が口々に話し始めたため、併合を回避するわずかな可能性は失われてしまった。「めったにないことだったが」と彼は書いている。「私はこのとき、通訳者としての自分の存在をヒトラーにアピールし損ねたのだ」

これとは逆に、独裁者の言葉を無視することが、その通訳者をアピールする最善手になる場合もある。一九四〇年、フランスのアンダイエで行われたヒトラーとフランコの会談に同席したスペイン外相ラモン・セラーノ・スニェルは、ドイツ側通訳者のグロスは「われわれが言おうとしたことの半分も理解できなかった」と回顧録に書いている。いささか緊迫した交渉が終わると（ヒトラーは参戦に消極的なスペインに腹を立てていた）、フランコは別れの挨拶で「定型句や慣用句を繰り返すスペインの習慣」を実践し、「もしドイツが本当に私を必要とする日が来れば、見返りを求めず無条件であなた側につく」とヒトラーに言った。外相は、ヒトラーがこの「社交辞令」を文字通りに受け取るのではないかとひやひやしたが、フランコの発言が理解できなかったのか、それとも訳す必要のない無駄口だと思って無視しただけなのか、とにかくグロスは何も訳さなかった。後年、セラーノ・スニェルがあるドイツの外交官にこの出来事を話したところ、その外交官は、「われわれは通訳者グロスの功績を称え、記念碑を建てておくべきでしたね」と応じた。どんな言葉も――それが最良の訳であっても――事態を改善する見込みがないときは、沈黙はまさに金となりうる。

第九章

小物
Little Nothing

戦争裁判の
被告と通訳者

一九四五年七月、オーストリアで終戦を迎えた米軍二等兵リチャード・ゾンネンフェルトは、軍用車の修理をしていたところ、戦略諜報局（OSS）のトップ、「ワイルド・ビル」こと、ウィリアム・ドノヴァン将軍に呼び出された。ドノヴァンは捕虜の尋問のためにドイツ語話者を必要としており、その条件を満たす候補の一人がゾンネンフェルトだったのだ。ドイツ系ユダヤ人の彼は、一九三八年に十五歳でナチスから逃れ、まずイギリスに渡った。しかし、鉤十字（ハーケンクロイツ）付きのパスポートを所持していたために抑留され、オーストラリアへ強制移住させられた。その後、アメリカへの入国を果たし、そこで両親と再会した。一九四三年に召集されたときには、英語の語彙と文法を習得していただけでなく、ドイツ語訛りもほとんど抜けており、少なくとも彼の難民仲間と比べれば、外国人っぽくは聞こえなかった。

ドノヴァンとの面接が無事終了すると、すぐさまパリに派遣されることになった。パリではニュルンベルク裁判の開廷に向けての準備が着々と進行していた。到着早々、ゾンネンフェルトは「米国主席検事局尋問部通訳課長」に任命された。彼が事細かに書き綴った回顧録によると、「これは、私が一番乗りということで付けてもらった肩書きだが、私が通訳を担当した尋問に関して、言葉の問題で進行が滞ることは一度もなかったので、その後もこの肩書きのままだった」。

ニュルンベルクに到着したゾンネンフェルトは、裁判を待つナチス戦犯、中でもヘルマン・ゲーリングの通訳を受け持つことになった。「私は、ユダヤ難民としてのかつてのアイデンティティが呼び覚まされるのを感じた」と彼は記している。連合国に投降したゲーリングは、まるで名士でもあるかのように振る舞った。質問された内容を通訳なしで十分理解できる英語力を持っていた彼は、それを活かして隙あらば自分が有利になるよう画策した。最初の尋問で、尋問官の「私がこれから質問しますから、それに答えてください」という前置きをゾンネンフェルトが通訳したのを聞くと、早速ゲーリングはその訳に難癖をつけてきたが、ゾンネンフェルトはまったく意に介さなかった。それどころか、ゲーリング（Göring）と直接言葉を交わす許可を得た上で、「ゲリングさん（Herr Gering）」と呼びかけた（〈Gering〉は、ドイツ語で取るに足りない「小物」という意味で、彼はそう聞こえるようにわざと間違った発音をしたのだ）。そしてゲーリングに対し、速記者が記録している間は口をはさまず、何か問題があれば、その後に提起するようにと要請し、もし通訳なしで尋問を受けたいのであれば、自らそう要求してほしいと告げた（この最後の提案は、私も通訳者を巧みに操ろうとする発言者に出くわしたときに実践したことがあるが、いつも効果てきめんだ）。それ以降、ゲーリングはきまってゾンネンフェルトの立ち合いを求めるようになり、その結果、ホロコーストの生き残りであるゾンネンフェルトは、「最終的解決」の首謀者であるゲーリングと百時間以上もの時間をともに過ごすことになったのである。

「ほぼすべての被告の凡庸さ（中略）には、呆れるばかりだった」とゾンネンフェルトは述べている。ただし、二人の例外がいた。一人は「口ひげを生やし、縞柄のズボンをはいた金融界の魔術師（フーディーニ）」、ヒャルマル・シャハトで、もう一人は「頭脳明晰で出世第一主義者の建築家」、アルベルト・シュペーアである。ゾンネンフェルトの回顧録を読むと、注目を集める裁判に携わるうちに、通訳者が自分を大物だと思い込み、時として本来の任務を超えるようになっていった経緯がわかって興味深い。ゲーリングについて、彼はこう書いている。「どうにもつかみどころのない人物だったが、とうとう捕まえたと思える瞬間もあった」。私には、彼が指示された任務からのそうした逸脱を楽しんでいるようにも思える。記憶喪失を装ったルドルフ・ヘスが専門家の診察を受けた際、ゾンネンフェルトは疑念を抱いた。ヘスが「ノートカバー」を意味する学校俗語の〈Kladde〉を使い、それなりの記憶力をほのめかしたとき、その疑念はさらに強まった。ゾンネンフェルトはヘスの詐病を暴こうとしたが、本当に記憶喪失ならそんな若者言葉は使うはずがないということを、「ドイツ語を解さない有識者たち」にうまく説明できなかった。このエピソードは、翻訳（通訳）者がしばしば直面する問題を提起する。つまり、正しい理解に必要なコメントを加えたくてうずうずしているときに、どうして発言や文書を訳すだけで満足していられるだろうか。

大規模な同時通訳のために

数週間の予備尋問の後、ゾンネンフェルトはニュルンベルク刑務所の二十一人の収容者全員に向かって起訴状を読み上げた。「あなた方は、以下の罪で起訴される。平和に対する罪、戦争犯罪、侵略戦争の共同謀議罪、人道に対する罪、ジェノサイド」。裁判初日の一九四五年十一月二十日、彼は開廷時の通訳を依頼された。法廷で彼に求められたのは、特殊な技術だった。公判前の予備尋問では、通訳者は発言者が発言を一時中断するのを待ってから、一つずつ質疑応答を訳していた。この逐次通訳は現在でも、たとえば法廷で証人が証言するときなど、それが効果的な場面で使われている。また、被告人の通訳をする場合は、通訳者は通常、被告席にいる被告人の隣に座り、進行状況に合わせて、被告人の耳元でささやく「ウィスパリング（chuchotage）」と呼ばれる技法を使って、すべてを実況形式で通訳する。この方法は聞き手が少数の場合にしか使えない。ニュルンベルク裁判のような大規模な審理の場合には、上記のどちらよりも効率的な方法、つまり多くの人の耳に同時に言葉を流し込めるような方法が必要だった。

ブース内の通訳者がマイク付きヘッドホンを装着してボタンを押す国連式の会議は、一九四五年当時には風変わりな光景だったろうが、複数の伝送路と切り替えスイッチからなる装置自体は以前から存在していた。その二十年近く前に特許取得済みのファイリーン＝フィンレー方式（二人の発明者の名前にちなんで、当初はそう呼ばれた）が初めて試験運用されたのは、一九二七年六月にジュネーヴで開催された国際労働機関（ＩＬＯ）総会においてだった。ニュルンベルク裁判の翻訳局長レオン・ドステール大佐――戦時中はアイゼンハワー将軍の通訳を務めていた――は、この方式でうまくいくと考えていたが、懐疑的な人も多かった。ドステールは、この方式を最大限に活用するために、いくつかの改良を加えるよう指示した（当初、通訳者はメモを取ったり、事前に翻訳済みの演説原稿を参照したりしていた）。ＩＢＭが無償で提供した機材は、裁判開始の五日前に到着した。

もちろん、通訳者の手配はもっと早くから始められていた。戦後間もないころから、すでに通訳者の発掘と採用は深刻な問題だった。アメリカでは四百人以上の候補者の面接が行われたが、合格したのはその五パーセントにすぎなかった。イギリス、ロシア、フランス各国も、それぞれ人材を確保した。ドイツ文学者のアルフレッド・ステア（後の翻訳局事務課長）は、ペンタゴンでニュース映像をドイツ語に翻訳する試験を受けさせられた。試験官のドステールはドイツ語が話せなかったため、ステアは当惑したが、不合格にはならなかった。ロシア系移民の青年ジョージ・フレーブニコフは、ふとした巡り合わせからパリで試験を受けて合格した。翌日、彼は列車でニュルンベルクに向かい、そこで、初めて耳にした「同時通訳」なるものの試験にも合格した。国際連盟で働く古参たちにも声がかかったが、逐次通訳に慣れた彼らの多くは、新しい仕組みに対応できなかった。「パリの国際電話交換局は、人材発掘に絶好の場所だった」とステアは書いている。裁判が始まると、イヤホンをつけた人でいっぱいの部屋を見て、まさに電話交換局のようだと感想を述べる記者もいた。

合格者は、難民やゲットーの生き残り、ジャーナリストや学者といった具合に、雑多な顔ぶれだった。彼らの証言の一部は、ヒラリー・ガスキン編集の『*Eyewitnesses at Nuremberg*（ニュルンベルクの目撃者たち）』に収められている。その誰もが同意するように、この新しい技術は、任務の重要性から生じるプレッシャーに比べれば、比較的対応しやすかった。選抜試験の合格者には、研修プログラムが課せられた。その一つに模擬裁判があった。そこでは、検事や裁判官に扮した研修生が模擬原稿を読み、それを他の研修生が通訳するといった訓練が、徐々にそのスピードを上げていきながら繰り返された。このような訓練と、数キロメートルにもおよぶケーブル、何百個ものマイク付きヘッドホン、何十個ものスイッチボックスといった機材のおかげで、三十六人の通訳者の協力のもと、ドイツ語、英語、フランス語、ロシア語の四言語で効率よく裁判を実施することが可能になった。

ゾンネンフェルトは、そのメンバーに含まれていなかった。同時通訳は、彼が慣れ親しんだ通訳のやり方とはすっかり異なるものだったからだ。通訳者は発言者から物理的に離れた場所にいて、発言の中断や減速を要求するにも、いちいちボタンを押さなければならなかった。裁判初日――その日、ゲーリングはガラス張りのブースにいるゾンネンフェルトに気づき、親しげにウィンクした――が終了すると、ゾンネンフェルトは要請のあった同時通訳チームへの参加を辞退した。その代わり、法廷内に座って、以前の尋問と異なる証言をした者がいないかどうかを確認する任務に就いた。通訳者が直面する困難を熟知していたゾンネンフェルトは、同時通訳チームの「とびきり見事な仕事ぶり」を称賛した。

通訳の隙をうかがう者たち

とはいえ、誰もが同じように感心したわけではない。通訳には間違いがつきものというのが常識になっているせいか、それを利用して通訳者を操ろうとしたり、通訳者に責任を押し付けようとしたり、あるいはその一石二鳥を狙おうとしたりする者も出てくる。これは善意で行われることもあれば、個人的な損得勘定で行われることもある。ゲーリングは明らかに後者を念頭に置きながら、この方式を巧みに利用し続けた。その手口は、フランチェスカ・ガイバの研究書『ニュルンベルク裁判の通訳』に記されている。彼は、通訳者が間違えたとか、明確に伝えなかったなどと主張して、何度も裁判官に質問の繰り返しや言い直しを要求したり、通訳者のドイツ語は理解できないが、それでも質問自体には答えられると強弁したりしたという。ゲーリング十八番（おはこ）の不平の一つは、通訳者が彼に偏見を抱いているというものだった。たとえば、「ユダヤ系住民が〈erfassen〉された」という表現で、〈erfassen〉を「登録する」ではなく「捕まえる」と訳す場合がそうだ。ゲーリングの弁護人から動詞のニュアンスが強すぎると非難されたジークフリート・ラムラーは、「ここで私は、自分の通訳の正確さに対する反論を通訳しなければならないという奇妙な状況に陥った」と回想している。

通訳者に反感を抱いていたのはゲーリングだけではない。イギリスの判事の一人ノーマン・バーケットは、通訳者を「別人種」と呼んだ。「批判に対し神経質で自尊心が強く、その言動は不可解かつ奇妙だ。手を触れれば破裂せんばかりの虚栄心の塊で、言葉で表せないほど自己中心的だ。概して、日のもとに姿をさらしたがらない薄汚れた輩だ[1]」

二重翻訳は、当然のことながら、ゲーリングにゲームを楽しむ機会をたっぷりと与えた。彼の目の前にドイツ語の原文があり、裁判官が事前にこのドイツ語原文から翻訳した英文を読み上げたものを通訳者がドイツ語に再翻訳すると、どうしても食い違いが生じる。通訳のミスを見つけると——たとえば、誰かが「最終的解決（Endlösung）」と「完全解決（Gesamtlösung）」を取り違えるなど——ゲーリングはすぐさまそれを指摘し、どちらも「ユダヤ人抹殺」を意味するナチスの婉曲表現であるという事実から法廷の注意を逸らした。そうした指摘はみな、もちろん自己保身のためでもあったが、死刑判決を覚悟していたゲーリングにとっては、むしろ連合国とその「見せしめ裁判」に対する軽蔑の表明という動機のほうが強かった。

現在、同時通訳者が使用している機器は、ニュルンベルクで導入された方式と同じ原理に基づいているが、その品質にはまだまだ不十分な点が多い。設備業者は、ブースからマイク付きヘッドホンまで、あらゆる機材を節約したがるため、通訳者は雑音（自分の声を含む）混じりの状況で発言者の声を聞き取らねばならず、苦労が絶えない。一方で、通訳派遣会社の中には、実際に通訳がどのようなプロセスで行われるのかについて、極めて漠然とした考えしか持っていないところも少なくない。以前、会議通訳者を探していたある会社から、外国代表団十人分の見積もり料金を提示してほしいと言われ、驚いたことがある。何だか私は、通訳ではなく食事の提供を期待されている気分になった。しかし、いったんブースに入り、マイク付きヘッドホンが作動し始めると、聞くことと話すことが同時に進行するため、他のことを考える余裕はまったくなくなる。

ニュルンベルク裁判ならではの困難

そうではあっても、ニュルンベルクの通訳者たちは、法廷で語られる凄惨な事件の数々を完全に遠ざけることはできなかった。「発言内容をじっくり考えてみる暇などなかったが、睡眠中に悪夢として蘇ってきた」と、主任通訳者のピーター・ウイベラル（彼もまたアメリカに渡ったユダヤ難民だった）は、回顧録に書いている。彼らの仕事が技術的にかなり困難なものであったのは言うまでもないが、理解しづらいのは、目の前の仕事に専心する必要から生じるある種のストレスが、別の種類のストレスに頻繁に取って代わるという現象である。回顧録を読むと、彼らは通訳者という安全な立場からはみ出さずに語りながらも（それはおそらく、人生で最も強烈なトラウマが固着してしまわないための配慮だろう）、日々の悪夢は好んで話した。悪夢とは、ドイツ語の動詞のことだ。ドイツ語の動詞（過去分詞）は文末に来るので、英語話者は忍耐力を試される。たとえば、「シュミットさんとは知り合いでしたか？」というごく単純な質問に対する返答でさえ、忍耐力テスト並みの苦行になりうる事実をウイベラルが解説している。

証人が発言を始める。「Ja, den Schmidt, den habe ich im Jahre Fünfunddreissig oder nein im Jahre Sechsunddreissig, da habe ich den Schmidt ...」。まだ、何もわからない。証人はシュミットに会ったことがあるのか、知り合いだったのか、話したことがあるのか、それとも名前を知っていただけなのか。これらはすべて、最後の動詞（過去分詞）を聞いて初めて理解できる。というわけで残念ながら、通訳者はすぐには訳し始められない。ただし、裏技がないわけではない。それはかつてドイツ語で〈eine Eselbrücke bauen〉と呼ばれていた方法で、これに相当する表現が英語にないので訳しづらいが、直訳すれば「ロバの橋を架ける」といった意味になる。つまり、最後に話される動詞を聞くのを待たずに、「はい、えー、いいえ、えー、シュミットは、まあ、シュミットに関しては、三十五年だったか三十六年だったかに、ライプツィヒだったかドレスデンだったかで、はっきりしませんが、そのとき……」と、いきなり訳し始めてしまうのだ。

ドイツ語でもう一つ厄介な問題は、つなぎ言葉の〈ja〉（ヤー）から話し始める人が多いことだった。法廷通訳の分野では、英語で言えば、〈well〉、〈now〉、〈you see〉などの談話標識（ディスコース・マーカー）が、注意すべき重要ポイントの一つになっている。談話標識の訳を省略したり改変したりしてしまうと、発言者の発言に、特に質問に対する返答に、発言者の意図とは異なる偏向したニュアンスを与え、それが効力を有する証拠として採用されてしまう可能性もあるからだ。意図せざる罪の自白を避けるため、ウイベラルは、部下の同時通訳者たちに、ドイツ語の文頭の〈ja〉は、返答の内容が肯定的であると絶対的な確信が持てるまでは「はい」と訳してはならないと厳しく教えた。彼は後にこう記している。「どんな語であれ、正確な訳語というものは存在しない」

このような言語学的な問題に加え、ドイツに関する知識不足のせいで、法律家が図らずも自らの愚かさを露呈してしまったケースもある。ゲーリングに目を付けられたのは、アメリカの主任検事ロバート・H・ジャクソンだった。彼は事あるごとにジャクソンの発言に訂正を加えた。たとえば、ジャクソンがドイツ語の固有名詞を不正確に発音したために、通訳者が〈Reichsbank（ライヒスバンク）〉を〈Reichstag（ライヒスターク）〉、〈Wörmann（ヴェールマン）〉を〈Bormann（ボルマン）〉と勘違いしてしまった例がある。この二人の対立は、ジャクソンのゲーリングに対する反対尋問で頂点に達し、ジャクソンにとっては散々な結果に終わった。彼は、先の尋問におけるゲーリングの供述のことなどそっちのけで、翻訳のミスをめぐる議論を始めてしまったのだ。その結果、多くの場面で被告人ゲーリングが優位に立つことになり、「ユダヤ人問題の最終的解決」を命令したのは彼だと認めさせるには至らなかった。その後、ジャクソンは手前勝手な弁明をしている。「ゲーリングは自分の発言を準備する時間を常に確保できた。〈中略〉英語が得意な彼は質問内容を即座に理解できるので、通訳者が彼のために通訳している間に、すでに私の質問の意味を把握していた」

法律家の多くは、矢継ぎ早に質問することに慣れているため、通訳の介入によって必然的に生じる審理の間延びに不満を漏らした（同時通訳の「同時」とは、もちろん言葉のアヤにすぎず、通訳者は発言者から常に数秒遅れる）。その一方で、この新しい同時通訳方式に合わせて自分のスタイルを修正する有能な法律家もいた。英国の主任検事デイヴィッド・マクスウェル・ファイフは、あるときゲーリングにこう言った。「さて、証人は英語がお得意ですよね。それならば、すぐにお答え願えますか」。ジャクソンとは違って、マクスウェル・ファイフは反対尋問を成功させた。また、多くの同僚とも異なり、彼はこの同時通訳システムに合格点を与え、尋問が多少遅くなろうとも、「四言語（英独仏露）による正義（司法）と呼ばれるこの裁判に支払う代償としては高くない[1]」と理解を示した。彼の早口についていかざるをえなくなったとはいえ、通訳者たちはそのプロ意識を称賛した。

信頼なくして通訳なし

ニュルンベルクの通訳者は、被告人の犯罪（その認否にかかわらず）がどんなに残虐無比なものであっても、彼らとの信頼関係（ラポール）を築かずにはいられなかった。ウイベラルはこのストックホルム症候群にも似た現象について、「私たちは日々の観察を通して彼らと一種の知り合いになった」と語っている。二人の被告シュペーアとシャハトは英語が堪能で、進んで通訳者の手助けをした。要するに、質の高い翻訳を作り上げることこそが二人に共通の利益だったのである。通訳者が難しい単語で悩んでいるのを見かけると、二人はその訳語を紙に書いて通訳ブースに伝えた。「だから、私たちは二人に感謝していた」とウイベラルは言う。「シャハトは無罪になったので、まさに「罪なき／純粋無垢(イノセント)な友情だった。シュペーアの場合は、それほどうまくはいかなかったけれども」（シュペーアには禁固二十年の判決が下った）

言語的な次元に限れば、通訳者が被告人と純粋無垢(イノセント)な関係を築くことは珍しくない。別の言語でメッセージを伝えるという一つの目標に向かってともに努力すれば、どうしても絆が深まるし、通訳者として法廷で過ごす時間が長ければ長いほど、最も恐ろしい犯罪は、もしかしたら言語に対する犯罪、すなわち不正確な通訳なのではないかと信じやすくもなる。ニュルンベルク継続裁判の被告の一人、オットー・オーレンドルフは、ホロコーストにおける大量虐殺の罪で死刑を宣告されたが、別の裁判で彼の証言が必要とされたため、死刑の執行はしばらく延期された。その猶予期間に彼は、公正な裁判を受ける機会を与えてくれた通訳者に感謝する手紙を書いた。ウイベラルは、これを通訳者としての経験の中で「いささかぞっとはするものの、最もすばらしい経験の一つ」であり、「通訳者についてこれまで語られた言葉の中で最高のもの」であったと述べている。

同時通訳というプレッシャーにもかかわらず、ニュルンベルクの通訳者は自分好みのスタイルで仕事を続けた。ある者は感情をあらわにし、ある者は淡々とした態度で。ある者は一字一句そのまま逐語訳し、ある者はアドリブで自由に意訳した。こうした多様なスタイルが組み合わさってこそ、幅広い言葉遣い(レジスター)のレベルを表現しえたのだったが、それが物議を醸すこともあった。聞き手の中には、通訳者の話し方に違和感を覚える人もいたからである。具体的には、ドイツ人指揮官の言葉が女性の声を通して語られたり、ドイツ貴族の発言がブルックリン訛りになったりといったことだ。ある若い女性通訳者は、強制収容所には図書館やプールもあったというような「人道的」状況に関する発言を訳していたが、プールの次の単語で言い淀んでしまったため、彼女の代わりに、別の男性通訳者が文章を完成させる役目を果たした。「売春宿です、裁判長！」。通訳者の表現が不適当だと認識されるたびに、個々の通訳の仕方を統制しようとする動きが強まり、これが新たな要請を生むことにつながった。通訳者はその新たな要請に応えようと最善を尽くした。ある通訳者は、通訳があまりに簡潔すぎる（少なくともそう聞こえる）と叱責された。裁判官は、通訳者に発言通りにすべて訳すようにと伝え、発言者のほうに向き直って続きを促した。「Yes, Mr Pine?（では、パインさんどうぞ）」。通訳者はこう訳した。「では、タンネンバウムさんどうぞ（Ja, Herr Tannenbaum?）」（タンネンバウムはドイツ語でモミの木の意。日本語ならさしずめ「松木さん」と訳したということ）

第十章 二人のラストドラゴマン

The Last Two Dragomans

アラブ世界とヨーロッパ世界のはざまに消えゆく

十七世紀のオスマン帝国における翻訳（通訳）者は、キリスト教徒であっても、通常イスラム教徒にしか付与されない数々の特権を享受していた。たとえば、大宰相の法廷で裁判を受ける権利や、出張の際に武装護衛官を帯同させる権利などである（第六章参照）。また、外国人であれば、帝国とキリスト教国の間で結ばれた二国間協定（カピチュレーション）によって保証された権利もあった。一六七五年の対英カピチュレーションには通訳者の保護に関する条項があり、その英語版によると、「万一、通訳者が何らかの罪を犯した場合、わが国（オスマン帝国）の裁判官および知事は、（イギリスの）大使または領事の知ることなく、前記通訳者を叱責、殴打、または投獄してはならない」と規定されている。保護される権利こそが彼らの主な報酬だった。この取り決めは、たとえば、一八二六年にスミルナ（イズミル）の英国領事フランシス・ウェリーが書いているような状況をもたらした。「ドラゴマンの一般的な報酬は、彼らが誠実であり続けるには低すぎる」

オスマン帝国とヨーロッパの関係が発展していくにつれ、ドラゴマンの数は次第に増えていった。ヴェネツィアで十六世紀に始まった「言語少年（giovani di lingua）」の育成に倣い、フランスも一六六九年に独自の「言語少年（jeunes de langues）」育成組織を創設した。一八二一年、コンスタンティノープル（イスタンブール）のファナリオティスと呼ばれるギリシア人たちが政治的忠誠心を疑われ、この職業における支配的地位を失うと、キリスト教徒の影響力を弱めるべく、オスマン政府は独自に翻訳局（Tercüme Odası）を設立し、帝国で生まれ育ったムスリム翻訳（通訳）者を登用するようになった。そして一八七七年、イギリスはレヴァント領事館を設立し、トルコ、ペルシア、ギリシア、モロッコ各国の外交官ポストにイギリス生まれの外国語堪能者を充てた。

最後のドラゴマンの一人

アンドリュー・ライアンがレヴァント領事館の「通訳研修生」に応募したのは、安定した仕事に就くためだった。彼は回顧録の中で、「本当は弁護士を目指したかったが、あまりにも不確実な職業に思えた」と書いている。一八七六年にアイルランドのコークで生まれたライアンは、「当時、アイルランドの若者に人気のあった」公務員職に就くことを選んだ。また、「東洋の言語にほとんど関心がなかったが、アラビア語だけはその数学的とも言える正確さに惹かれた」。彼のケンブリッジ大学卒業時の語学力は、「トルコ語はかなりできる、アラビア語は少しだけ、ペルシア語はほとんどできない、ロシア語は初歩を習ったがすぐに忘れてしまった」といったレベルだった。法律の知識も多少はあったらしい。以上が、一八九九年に彼がコンスタンティノープルに持ち込んだ荷物のすべてだった。

大使館の下級ドラゴマンとして、ライアンは英国民が関与した裁判に出席し、基本的には通訳者兼弁護士の役目を果たした。仕事のほとんどは平凡で退屈なものだったが、「外交の初歩」を学び、トルコ語能力を向上させるよい機会になった。裁判官から被告人への質問の際、ライアンは「被告人の答弁を公式記録に適した気品のある言葉遣いにまとめ直す」必要があったが、イギリス人の言葉遣いの中には、言い換えが難しいものもあった。たとえば、「たいそういかがわしい年配の女性」が、顔を赤らめた青年に向かって裁判官の頭越しに「ダーリン！」と叫んだケースがそうだし、ライアンが「酔って暴れたごく平凡な一般人の罪を軽減してもらうべく」骨を折ったケースもそうだった。「その酔っぱらいは警察官に手を出しただけでなく、預言者ムハンマド、皇帝（スルタン）、ヴィクトリア女王を分け隔てなく罵っていたのだった」。イスラム教の教祖に対する罵詈雑言については、彼の力では如何ともしがたかった。その場で対処するには事が重大すぎたからだ。「ヴィクトリア女王の件は私に任せてもらえれば、と言ってはみたものの、結局、その男は禁錮九カ月の刑を言い渡された」

法廷通訳者の地位は比較的安定していたが、盤石とまでは言えなかった。「その定義は十七世紀のトルコ語文書に記された二つの単語の解釈に大きく依存していたので」と、ライアンはカピチュレーションについて書いている。「ドラゴマンはわれわれが主張するように裁判官、それも拒否権を持つ裁判官と同等の身分なのか、それともトルコ側が強く主張するように、単なる公式立会人なのかという問題について意見の一致をみるのが、どれほど困難だったかは容易に想像がつく」。ライアンは、法廷通訳以外にもさまざまな業務をこなした。たとえば、税関の申告（輸入品は、おもちゃのライフルからライオンの子、新約聖書まで多岐にわたったが、ある役人は新約聖書の『ガラテヤ人への手紙』を「コンスタンティノープルのガラタ地区住人に宛てた手紙」と誤解して、「この手紙を書いたのは誰か」と質問した）、税金関係、拘留、イスラム教への改宗、庇護を求めて大使館に駆け込む奴隷の対応、などである。コンスタンティノープルで『ヴェニスの商人』が上演禁止になった際、ライアンは「この芝居はシェイクスピアという英国民の作品ですが、われわれは彼を好ましくない人物とはまったく考えておりません。それどころか、国家の名誉となる人物なのです」と抗議したが、功を奏さなかった。オスマン当局は不許可の理由を「シャイロックの扱いが帝国臣民の間に不和をもたらすべく計算されている」からと回答した。

揺れるトルコ

当局の危惧は杞憂ではなかった。一九〇八年七月、立憲政治の確立を目指す民族主義政党、青年トルコ党が無血革命の末に政権を握った。しかし、翌年三月末には皇帝（スルタン）派が反革命を企て、さらに、トルコ南部の都市アダナで多数のキリスト教徒が虐殺されるという事件が続いた。一九〇九年四月、メルシン近郊に駐在していた英国副領事チャールズ・ダウティ＝ワイリー少佐は、アダナのドラゴマンから騒乱を知らせる手紙を受け取った。副領事はすぐに現地に赴き、秩序回復のために奮闘した。ドラゴマンとその家族は、荒れ狂う暴徒に危うく殺されそうになりながらも、自宅の安全な場所に避難し、そこに五百人の難民をかくまった。副領事はこの件を報告書に詳しく書き留めており、そのドラゴマンの名前を頭文字にして〈C. Trypani〉と書く一方で（他の資料では〈Athanasios Trypanis〉）、当局に助けを求める他の通訳者を「外国のドラゴマン」と呼んで区別している。アダナでは最大三万人が殺害されたと推定されているが、この事件は、後のアルメニア人大虐殺（一九一五年）の前触れにすぎなかった。

　四月末には反革命が鎮圧され、トルコ議会は皇帝（スルタン）を退位させる準備を整えた。そのためにはまず、宗教令（ファトワ）の発令をイスラム教指導者（ムフティー）に要請する必要があった。ファトワの要請は慣例に従い、皇帝（スルタン）を退位させるべきか否かについての質問文を用意し、ムフティーに「賛成」か「反対」かの二択で答えてもらう形式で行われた。当時、大使館の第二ドラゴマンだったライアンは、このファトワ要請の質問文を翻訳することになり、「文量の多い公文書を息の長い一文にまとめるというトルコの古い習慣」に従って、一ページ近くもある質問文の忠実な翻訳を作成した。ムフティーの返答は「賛成」だった。

　第一次世界大戦が始まる少し前から、イギリスとトルコの関係は悪化の一途をたどっていた。イギリスの外交官はトルコの中立を担保すべく奔走したが、すでにトルコは、ドイツとロシアが戦争になった場合はドイツ側につくとドイツに誓約していたのだった。トルコに住む外国人の立場は次第に不安定になり、彼らの忠誠心は、自分たちを守ってくれそうな側に移っていった。トルコに特別な思い入れがあったわけでもないライアンは、もはや本音を隠そうともせず、戦争におけるトルコの役割がどうであれ、「トルコは将来、非常に面倒な存在になるかもしれない」と警鐘を鳴らした。事態が危機的状況を迎えると、ライアンらは「あらゆる問題に関してトルコ政府（ポルト）を非難する文書」の作成に慌ただしく取りかかった。

一九一四年十月、トルコ軍による黒海沿岸のロシア港湾都市への砲撃が、すべての発端となった。十一月五日夜、ロシア、フランス、イギリスの避難民を乗せた船の甲板では、ガイ・フォークス・デーを祝ってドイツ皇帝（カイザー）の人形（ひとがた）が燃やされた。ライアンはトルコから引き揚げる直前に書いた報告書の中で、英仏協商に不満を漏らすトルコの大臣が発したフランス語の暴言を、英語に訳した上で引用している。翻訳では表現が少し和らげられており、「豚」という蔑称は省かれているが、「悪魔（devil）」はそのまま残された。これは当初、大使によって削除された箇所だが、ライアンが罵倒語〈devil〉をあえて伏せ字〈d—l〉にしなかったにもかかわらず、『タイムズ』紙が「見事な文章」と評してそのまま掲載した。その称賛は別にして、イギリスの新聞は事態を収拾できなかった大使館をこぞって非難した。『デイリー・メール』紙は、領事館業務の実態を『不思議の国のアリス』に例えて揶揄し、「誰一人として、トルコ語を知っている者も、コンスタンティノープルに長く滞在している者も、トルコ式の物事の進め方や習慣を理解している者もいない」と酷評している。その非難が正当かどうかはともかく、ひとたび語学に通じていない人から語学力を非難されると、その汚名を返上するのは容易ではない。

　第一次世界大戦が終結すると、ライアンはコンスタンティノープルに戻った。言葉の達人である彼は、翻訳を精密技術としてとらえ、公式的な定型表現を駆使し続けた。一九二四年三月、誕生間もないトルコ共和国がカリフ制を廃止すると、彼はその法律の条文を例によって衒学的な表現に満ちた英語に訳した。

> 法律文をできるだけ文字通りに翻訳するにあたり、私はトルコ語の〈Khilafat〉という語の二つの用法を明確に区別するため、〈Caliphship（カリフシップ）〉という語を使うことにする。トルコ語には定冠詞がないため、〈Khilafat〉はカリフ制（Caliphate）を意味しうる語であり、通常はそうなのだが、カリフの諸機能を表す抽象的な意味で使われる場合もある。

彼の訳はこうだ。「カリフは退位する。カリフシップは、政府および共和国の意味および意義に根本的に含まれているため、カリフ職は廃止される」。彼は、この訳し方が「カリフ制の存続に微かな希望を持つ人たちに、共和制の性格の内に古いカリフ制がある意味維持されていることをほのめかすに足る実に巧妙な」表現だと考えたのだった（とはいえ、そのような含みは政権与党によってすでに否定されていた）。

対照的な最後のもう一人

ライアンが雑多な職務をせっせとこなしていたころ、ラストドラゴマンの称号に値する、もう一人の有力候補がトルコに現れた。スウェーデンの東洋学者ヨハネス・コルモディンは、ウプサラとベルリンで語学を学んだ後、一九一七年、学術研究のためにイスタンブールにやって来た。奨学金だけでは暮らしていけないとすぐにわかったので、生活費を稼ぐためにスウェーデン公使館に職を得て、数年のうちにドラゴマンとなった。ライアンは民族主義政府に対し、特にトルコ国内の非ムスリム系住民に対する扱いをめぐって、批判的な立場を取り続けたが、彼とは対照的に、コルモディンは新共和国の忠実な友であり、建国の父ムスタファ・ケマル・アタテュルクの熱烈な支持者だった。一九二二年、ケマル派がスミルナでアルメニア人およびギリシア人の大量虐殺におよぶと、彼はこの事件の報道を「悪意に満ち、歪曲された」虚報と断じ、虐殺の事実がいよいよ否定できなくなると、今度はトルコ人以外の何者かのせいにした。

ライアンが共和制支持派と反対派の間で中立を保とうとした（少なくともそう見せようとした）のに対し、コルモディンは、はばかることなくその一方に肩入れした。その姿勢は彼の訳文にも表れている。カリフ制廃止に関する法律を翻訳する際、彼は曖昧な用語でお茶を濁すようなことはしなかった。コルモディンはスウェーデン語にこう訳した。「カリフは退位する。共和国の概念自体の一部を構成するものとしてのカリフ制は廃止された」。彼はその二年前、私信の中でこう書いていた。「この制度を『共和制』と呼ぶことは非常に重要である。なぜなら、スルタン制廃止の一方で存続することになるカリフ制は、決してローマカトリックのように実体があるものではなく、トルコ人民の国家がその礎となるはずの、イスラムの世俗的一般表現であるからだ」。彼は、「スウェーデンと新体制の関係構築は順調に進んでいる」とも記し、「私は率先して講和全権団の準備に取りかかった」と自慢気に書いている。

　スウェーデン公使館長グスタフ・ヴァレンベリに対するコルモディンの感情は、彼らが取り組んでいた外交政策よりも複雑だった。ドラゴマンは大使の分身（オルター・エゴ）になるべく運命づけられている存在だと考えていたライアンに対し、コルモディンは自分独自の存在価値を信じて疑わなかった。公使館の主な仕事は本国への報告書の作成だったが、その大半を担っていたのが彼だった。エリザベス・オズダルガが編集した研究論文集『*The Last Dragoman*（最後のドラゴマン）』によると、コルモディンの学術論文には、丸括弧、ダッシュ、二重否定、従属節の多用という特徴が見られるという。しかし、公使館の署名入り報告書では、「彼個人の意見が簡明かつ率直に表明されており、（中略）ヴァレンベリから書き直しを命じられる心配もない文体で書かれていた」。公使は、部下のドラゴマンの功績を否定するどころか、むしろ積極的に認めている。「数々の重要事件に関する報告書は（中略）

すべてコルモディン博士の手によるものである。彼の卓越した知識とトルコ語能力は、こうした興味深い戦争の動向を記述するのに不可欠だった」

一方、コルモディンは上司に対する不満を述べている。「残念ながら、彼は頭がかなり鈍い。だが、それを認めようとせず、彼が主催する会議を私に手伝わせるのだ。その後、面倒なことになると、私がその尻拭いをさせられる」。コルモディンは、翻訳者にありがちなことだが、自己評価の高さと他者評価の低さのズレから生じる悪循環にはまり込み、疑心暗鬼になっていたのだろうか。一九一九年十二月、彼は「大言壮語がすぎるかもしれないが、私はコンスタンティノープルで今、最も尊敬されている外国人である」と記している。一方のライアンは、自分が注目に値する人物であるなどと買いかぶることはなかった。一九一八年三月、占領下のコンスタンティノープルで二人のフランス人憲兵に誰何（すいか）された際、彼は自分の身分をうまく説明できなかったので、憲兵は地元の通訳者に意見を求めた。その通訳者は、「よくわからないが、この紳士の言葉遣いから判断して、おそらくイギリス人だろうと慎重に答えた」。

「ここでは、最悪の事態であっても、そこに明るい希望を見出すようにしなければならない。特に外交官のように振る舞う場合にはそうすべきである」とコルモディンは書いている。これだけでは、彼が政府の仕事で発揮していた忠誠心について、やや漠然としているように思える（あるいは、その英訳からははっきり伝わらない）かもしれないが、私信を読むと、彼の考えが明確に浮かび上がる。コルモディンは一九二二年にアタテュルクが行った演説を翻訳し――「イスラム教徒の中にもキリスト教徒の中にも、残念ながら裏切り者がいる。宗教の如何を問わず、政府は自らの権利および義務として、裏切り者への対策を講じてきた」――トルコ人がキリスト教徒を迫害しているなどという「人心を惑わす報道」を食い止めるために、スウェーデンの新聞に取り上げてもらおうとした。彼はさらに、「トルコ語を話さない独立したコミュニティが存在する余地はほとんどなくなるでしょう」と予測している。「トルコで暮らすキリスト教徒は、一念発起してトルコ語を学ぶ必要に迫られることになるのです」。現在、多くの国家は、その国の国籍を取得したすべての移民にその国の言語を習得するよう求めており、こうした政策に不安を覚える翻訳者も少なくない。現代の翻訳者は、はたして以前の翻訳者よりも寛大になったのだろうか。それとも、私たちの商売道具である言語を誰もが流暢に話せるような未来はあまり望んでいないのだろうか。

一九二二年、西欧列強とトルコとの問題を解決するためにローザンヌ会議が開催された。この地で、二人のドラゴマンの人生は再び交差することになった。この会議の主要言語はフランス語だった。イギリスの外務大臣カーゾン卿はフランス語に精通していたが、「彼の演説はすべて英語で行われた」とライアンは回顧録に書いている。「そして、通訳者は演説原稿を書いた本人の前で通訳することを余儀なくされた。その原稿作者は、通訳者のミスを完璧に見抜く能力の持ち主だった」。カーゾン卿は、通訳者に書き直しを命じた文書をようやく承認すると、「お見事！」と叫んだという。「しかし明らかに、彼が称賛したのは通訳者という鏡に映った自分の姿だった」。彼らの共同作業は、演説者・通訳者・聴衆という三者間のパワーバランスをよく表している。通訳者は必要不可欠な存在であり、理想的には公平な仲介者としての役割を果たすが、ほとんど注目されずに終わる。スウェーデン代表の通訳者としてローザンヌを訪れたコルモディンは、カーゾン卿の主な関心事は「少数民族問題ではなく〔中略〕油井」であったと述べている。何通もの手紙の中で、彼は繰り返しトルコ人の無実を主張し、「いわゆる『残虐行為』」については、一九一五年に設立された人道支援団体〈Near East Relief〉（近東救援基金の前身）が資金調達のためにでっち上げた作り話だと書いている。

二人の最後

一九三一年、コルモディンはトルコを離れてエチオピアに移り、二年後にアディスアベバで亡くなった。最後の雇い主となった皇帝ハイレ・セラシエ一世が彼を見舞いに病院を訪れた直後のことだった。コルモディンは、スウェーデンでは「われわれの最後の、最も輝かしいドラゴマン」として記憶されている。一方のライアンは、その後長らく外交官として成功を収め、モロッコ、サウジアラビア、アルバニアで領事や公使の要職に就いた。二人の違いの中でも、特に考えてみる価値があるのは、その翻訳の文体の違いだろう。興味深いのは、トルコをこよなく愛したコルモディンの訳文のほうが、さほど関心がなかった言語を苦労の末に習得したライアンに比べて、くだけた印象を受けることだ。また、コルモディンの翻訳がトルコのあらゆるものに対する忠誠心によってもたらされたのに対し、ライアンは生まれ育ったアイルランドやイギリスで培われた文化的・政治的立場を固守する傾向が強かった。この二つのアプローチはたがいに相容れないと考える人もいるが、翻訳者はその両方を、時には一つの段落の中でさえ使えるし、またそうできる力量を備えておくべきだと思う。この二つのアプローチ——異化（foreignisation）と同化（domestication）〔第十一章参照〕——に関する議論は文芸翻訳の分野に限定されがちだが、他の分野の翻訳者も絶えず同様の選択を迫られている。

百年経った今でも、通訳者は、どちらかの側につくか（あるいは中立を保つか）を選択し続けている。未来が不透明になり始めると、こうした態度決定はえてして二極化するものだ。最近メディアを通じて広まった「死にゆく職業」リストには、弁護士は含まれているが、通訳者（interpreter《インタープリター》）は含まれていない。だがこれは、私たちがすでに死んだも同然だと思われているか、通訳という職業名に馴染みが薄いからにすぎない。ちなみに私は、他の通訳者が〈spoken translator（口頭翻訳者）〉と名乗るのを聞いたことがあるし、一度などは〈interpretator《インタープリテーター》〉と呼ばれるのを聞いて思わず吹き出しそうになったこともある。話を百年前に戻すと、「不確実な」弁護士よりも安定していると考えてドラゴマンの道を選んだライアンは、その選択から十年後の一九〇九年には、早くも自分の職業の将来性に不安を抱いていた。「もし憲法制定を期にすべてが好転し、トルコが西洋化路線を進んで本当に復活するのであれば、私たちドラゴマンは遅かれ早かれ姿を消すことになるだろう。文明の進んだヨーロッパの国々に、その国のあらゆる公的機関に首を突っ込むのが仕事などという外国政府役人の存在を許容してくれる国など、あろうはずもないからだ」。実際、一九二三年七月二十四日に調印されたローザンヌ条約によってカピチュレーションは終わりを告げ、その結果、ドラゴマンの称号も消滅した。進歩に道を譲るため、ドラゴマンは消え去るほかなかったのである。

第十一章

「私のほうが彼に近しいと思うのだが」

As Oriental as Possible

「この本に登場するペルシア人たちを自分の意のままに操るのは愉快なことです」。一八五七年、文学、音楽、植物を愛好するサフォークの富豪エドワード・フィッツジェラルドは、友人のエドワード・カウエル宛ての手紙でそう書いている。フィッツジェラルドにペルシア詩を紹介し、オックスフォードのボドリアン図書館に保管されている十一世紀の写本に注目させたのは、東洋学者のカウエルだった。オマル・ハイヤームの作とされるこの写本は、複数の四行詩（rubaiyat）からなり、各四行詩は脚韻のある単語の最後の文字を基準にアルファベット順に並べられている。この四行詩集に想像力をかき立てられたフィッツジェラルドは、すぐさま翻訳に取りかかった。一八五九年、彼は完成した訳を『*Rubaiyat of Omar Khayyam, the Astronomer-Poet of Persia*（ペルシアの天文学者・詩人オマル・ハイヤームのルバイヤート）』というタイトルで、自分の名前は出さずに自費出版した。この本はあまり売れなかったが、二年後、ダンテ・ガブリエル・ロセッティがたまたま見切り本を見つけて気に入り、ラファエル前派の仲間にこの本を紹介した（ロセッティ自身、別の友人に薦められたという話もある）。二十世紀に入るころには、『ルバイヤート』は最も広く読まれ、最も引用される英語詩集の一つになっていた。

翻訳者のJ・M・コーエンは、「フィッツジェラルドに忠誠を誓うべき原文など存在しなかった」と書いている。『ルバイヤート』は「東洋の詩形を借りたヴィクトリア朝の詩にすぎなかった」。写本と翻訳を一行ずつ比較検討した研究者によると、フィッツジェラルドの四行詩の半数近くは写本に直接対応する原詩があり、一部は写本に遡ることができず、残りはいくつかの原詩を組み合わせたものだという。フィッツジェラルドは、「深刻な詩と陽気な詩が妙な具合にない混ぜになった」四行詩集から素材を選び出し、一つの物語になるように配置した。主人公は、今この一瞬を楽しみたいという欲求に駆られて、ある庭園でその探求を開始し、ワイン、恋愛、自然を大いに楽しんでから同じ庭園に戻り、快楽主義こそが諸行無常のこの世界で追い求めるに値する唯一の哲学だと確信するに至る。序文によれば、フィッツジェラルドは、翻訳にあたり写本から選んだ四行詩を田園詩風に並べ、「（真贋のほどはともかく）写本であまりにも頻繁に出てくる『飲めや歌えや』系の詩の割合をおそらく半分以下にまで減らした」。

序文ではさらに、オマル・ハイヤームの天才ぶりが語られ、「彼が生きた時代や国をはるかに超えた科学的な洞察力と能力を備えた哲学者」と紹介されている。続いて、フィッツジェラルドは、作者を「オマル」と呼び、まるで非難を浴びるのを予期していたかのように、「私は彼を、キリスト教的な名前ではなく、馴染みの名前で呼ばずにはいられない」と弁明している。実際、数十年後、フィッツジェラルドは「翻訳警察」に目をつけられた。「すべての文化は平等であるが、一部の文化はそれ以外の文化よりもさらに平等である」〔ジョージ・オーウェル『動物農場』の一節のもじり〕をモットーに掲げる翻訳警察は、フィッツジェラルドが「登場人物のペルシア人」を見下していると非難した。ハイヤームを「この注目すべき小男」とか「私のもの（my property）」などと呼ぶとはどういう了見か、というわけだ。後者の表現は、カウエル宛て書簡にも出てくる。「オマル老は、君のものというより私のものだ。私のほうが彼に近しいと思うのだが、どうだろうか」。フィッツジェラルドの批判者は、彼の言葉にすぐさま下劣な動機をかぎつけはしても、彼が敬慕する相手への親近感を語っている事実については見て見ぬふりをする。原文に惚れ込んだ経験のある翻訳者なら、誰もがフィッツジェラルドと同じように、それを自分のものと呼びたくなる衝動に駆られたことがあるはずだ。

これは翻訳か、それとも翻案か？

フィッツジェラルドは「東洋の比喩を伝えるには、サクソン語（古英語）の慣用表現のみを使って、できるだけ東洋らしさを残すべきだ」と述べている。そのために、さらには「ヨーロッパ的な明瞭さよりも、東洋的な不明瞭さのほうが好ましい」という原則に従って、フィッツジェラルドは原文にはないペルシアの事物で翻訳を飾り立てた。そうした東洋への傾倒ぶりは、時おり見受けられるサクソン語の使用と矛盾しはしなかった。

この世界へと、なぜかは知ることなく、
どこからとも知らずに、否応なく（willy-nilly）流れ来たる水のごとく、
この世界から、荒野を渡る風のように、
どこへとも我知らず、否応なく（willy-nilly）吹き流されてゆく。

〈Willy-nilly〉――当時は今よりもユーモラスな響きが漂っていたはずのこの語を、フィッツジェラルドが選んだのはどうしてだろうか。あるいは、「なんとしてでも、作品の命を絶やすわけにはいきません。原文のよき命を保てないなら、自分の悪き命を注入してでも。剝製のワシよりも生きたスズメのほうがすばらしいのですから」という信念のもとに選んだのかもしれない。この四行詩の英訳で原文と共通しているのは、「知る（know）」の一語のみである。これは、彼の自由すぎる傾向を暗示しているのだろうか。それとも、魂の伴侶に自分の声を貸し与えたいという自然な欲求の表れなのだろうか。

「詩を翻訳する目的は優れた英語の詩を創り出すことにある、とアメリカではよく言われるが」と、詩人であり翻訳者でもあるエリオット・ワインバーガーは講演録「Anonymous Sources（匿名の源泉）」の中で述べている。「私はいつも（中略）詩を英語に翻訳する目的は優れた英語の翻訳を創

り出すことにある、と訴えてきた」。フィッツジェラルドは、どちらの流派に属していたのだろうか。伝記作家のトマス・ライトやA・C・ベンソン以降、フィッツジェラルド研究者の多くは、彼の『ルバイヤート』を翻案と呼ぶべきだと主張している（ただし、ライトは「多少の行きすぎを除けば、オマルの忠実な再現である」と認めている）。翻案かどうかはさておき、フィッツジェラルド版『ルバイヤート』は広く、それに見合った称賛を受けた。初版では訳者の名前が記されていなかったため、もともと英語で書かれた作品と勘違いする人もいたが、作者をめぐる謎がかえって人気を高めた。イギリスでは多くの「ハイヤーム・クラブ」が結成され、さらには、大西洋を渡ってアメリカの大衆にまで『ルバイヤート』の評判が知れ渡った。ユーモア作家O・ヘンリーの短編小説「The Handbook of Hymen（縁結びのハンドブック）」では、語り手がこんなふうに想像力を膨らませる。

このホーマー・ケイ・エム〔〈語り手の友人が〈Omar Khayyam〉を〈Homer K. M.〉のように発音したことによる誤解〕とやらは、人生を自分のしっぽにくくりつけられた空き缶のようだと考えている犬みたいなやつだと私には思えた。死ぬほど駆け回った末にハアハアと舌を出して座り込み、しっぽの空き缶を見てこう言うんだ。「ああそうか、この空き缶は振り落とせないんだな。だったら、角の飲み屋で空き缶にビールを注いでもらって、俺のおごりで一杯やろうじゃないか」

詩や文芸は翻訳不能なのか？

「翻訳の実現可能性に対する最大の悲観論は詩に集中しているが、これには驚かされる」と、メキシコの詩人オクタビオ・パスはある論考で書いている。「というのも、西洋ではどの言語においても、優れた詩の多くは翻訳であり、その翻訳の多くは偉大な詩人の手によるものだからだ」。パスは、フランスの言語学者ジョルジュ・ムーナンの「詩は暗示的意味の織物であり、それゆえ翻訳不可能である」という見解に反論し、詩の普遍的性質、ひいては翻訳の普遍的性質を強調する。パスによれば、どんな作品も完全にオリジナルなものはなく、すべてはすでに翻訳であり（思考の言語（メンタリーズ）からの翻訳とも言えるだろう）、あらゆる文章は、直訳調の翻訳でさえ、どれもが唯一無二の作品なのだ。これを受けて、ワインバーガーはこう主張する。「翻訳できない作品は存在しない。存在するのはただ、まだ翻訳者が見つかっていない作品だけだ」。パスの多くの作品も、ワインバーガーとの親交によってふさわしい翻訳者が見つかったのだった。ワインバーガーによれば、パスとの翻訳作業は一種の共作だったという。作者はあれこれ意見を出すものの、最終的な判断は常に翻訳者に委ねられた。パスは、翻訳を通して浮き彫りになった微妙なニュアンスにヒントを得て、スペイン語の原文に手を加えることもあった。パスはこうも言っている。「スペイン語の『私』には、自分でもつかみ切れない部分が数多く残っているが、英語に訳された『私』には満足している」

理論家が主張するように、文芸翻訳には同化（domestication）と異化（foreignisation）という二つのアプローチがある。教科書的な定義に従えば、フィッツジェラルドがハイヤームの原文に登場するある施設を〈this batter'd Caravanserai（この粗末な隊商宿（キャラバンサライ））〉と表現するのは異化の例であり、別の四行詩で使われている〈the Tavern Door agape（開けっ放しの宿屋の扉）〉は同じ施設を同化しようとする試みである。理論はさておき、同化と異化は明らかに相対的な概念であり、作者と読者にとってはそれぞれ異なるものを意味するが、翻訳者の目には同じコインの両面のように見える。私はどっちがどっちだったかを思い出すのにいつも時間がかかるのだが、同化とは文化的適応を意味し、異化とは異国情緒をそのまま残すことである。この二項対立の論理は、そもそもなぜ二項対立であらねばならないのかがはっきりしない。結局のところ、翻訳によって必然的に同化されるのは原文（翻訳元言語）であり、翻訳の過程で時おり異化されるのは翻訳先言語である。この二つの技法はそれぞれ別個の言語を対象としているため、両者を対照的にとらえるのは、リンゴとオレンジを比較するようなものだ。翻訳者の仕事とは、この両者の交配種（ハイブリッド）を創り出すことにあるのではないだろうか。

翻訳を真の国際文化に不可欠なものとして称揚するワインバーガーは、この二つの原理が両立しえないとは考えていない。彼によれば、作者と翻訳者の双方が、それぞれの仕事において同化的なものと異化的なものを組み合わせ、不必要な説明を避けると同時に、読者を遠ざけることもないように配慮すべきだという。彼の弁証法的推論は、多文化主義とそれが翻訳に与える（必ずしも肯定的ではない）影響にもおよび、「オリエンタリズムに支配的なあの常套句、『学問は帝国主義に追随する』」

という事実をも暴き出す。しかし、ワインバーガーはその逆の例として、十九世紀のドイツではインドやペルシアと利害関係がなかったにもかかわらず、特にサンスクリット語やペルシア語の翻訳が盛んであったという事実も挙げている。文化的所有権をめぐる議論に対するワインバーガーの見解は、翻訳警察がぜひ肝に銘じておくべき次の金言に集約されている。「翻訳とは、時にそのような主張も見受けられるが、盗用ではない。それは聞き方の一形態であり、それによって相手の話し方も変わってくる」。このように翻訳を一種の対話ととらえるなら、相手の言葉を自分の言葉に置き換えるだけでなく、会話という行為によって相手の話し方がさまざまに変化するのは当然のことだ。

作者と読者、どちらを優先すべきか

異化と同化という概念は、翻訳学が学問の一分野として成立するずっと前から定式化されていた。ドイツの学者フリードリヒ・シュライアマハーは一八一三年の講演で、こう述べている。「翻訳者が取るべき道には、以下の二つがある。すなわち、なるべく作者の邪魔をしないで、読者を作者のほうに向かわせるか、それとも、なるべく読者の邪魔をしないで、作者を読者のほうに向かわせるか[2]」。シュライアマハーは前者のアプローチを好んだ。この原文重視の方法は、ドイツで翻訳ブームが巻き起こる端緒となった。シュライアマハーらは、読者と作者が中途半端に歩み寄ることを望まなかった。下手をすれば、両者が完全に行き違ってしまう可能性があるからだ。哲学者ヨハン・ゴットフリート・ヘルダーも、すでに十八世紀半ばに同じ考えを述べていた。「フランス人の捕虜となったホメロスは、彼らに不快感を与えないように、彼（か）の地のファッションに身を包んでフランス入りする。〔中略〕一方、われら哀れなドイツ人は〔中略〕ありのままのホメロスを見るだけで満足する」。この皮肉の矛先は、十七世紀の著名な翻訳家ニコラ・ペロ・ダブランクールにも向けられていたに違いない。ダブランクールは、古典作品をさりげなくフランス風に見えるように訳すことを好んだ。というのも、「外交官は通常、派遣先のファッションに身を包む」ものだからだ。

よく使われるこの服装の比喩は、翻訳に際し、読者が理解しやすいようにと翻訳先の文化コードを採り入れるすべての翻訳者に当てはまる。このタイプの代表格に、十九世紀イギリスの探検家で作家、翻訳者のリチャード・バートンがいる。アジアやアフリカを旅したバートンのエピソードの中で最も印象的なのは、一八五三年のメッカへの旅である。外国人にとって、当時のメッカは死も覚悟しなくてはならない禁足の地だった。バートンは三十五の言語を話し、十七の言語で夢を見ると豪語していたが、ムスリムの衣装に身を包み、念のために割礼もして、メッカにたどり着いた。そんなバートンも、東洋の作品をイギリス人向けに翻訳する際には、ヴィクトリア朝のファンタジー小説を装うようなことはしなかった。バートン訳『千夜一夜物語（アラビアンナイト）』は、語り手のシェヘラザードが語る登場人物が全身英国風の立派な身なりで登場し、彼以前の翻訳に慣れ親しんでいた国民に衝撃を与えた。

異文化についてどこまで解説するべきか

一八八五年から一八八七年にかけて、バートンは東洋のエロティックな書物を出版する目的で導入した印刷機を使って、『千夜一夜物語』本編十巻と補遺六巻の全十六巻を出版した。『ルバイヤート』の熱心な愛読者だった彼は詩もかじっていたが、その冒険心を東洋の興味深い散文に向けたのだった。さて、彼は優れた翻訳家だったのだろうか。バートンの死後、一九〇六年に彼の伝記を出版したトマス・ライトは、彼を偉大な言語学者にして人類学者と呼びつつも、バートン版『千夜一夜物語』をそれ以前に出版されたジョン・ペインによる翻訳と比較し、バートンは少なくともその四分の三をペイン版から借用していると結論づけた。一部には、バートンはペインが翻訳に取りかかるずっと前から資料集めをしていたとして、ライトの非難を荒唐無稽な作り話とみなす向きもあったが、ペインはライトに関連資料一式を提供し、「バートンに何か疑惑が見つかっても、疑わしきは罰せずで」と言い含めていたのだった。

とはいえ、イギリスの文学愛好者を激怒させたのは、バートンの盗作疑惑ではなかった。「女は男と戯れ、男は女をしばし弄(もてあそ)んだ」というような、従来の翻訳では削除されていた露骨な性的シーンと、とりわけバートンの膨大な脚注――こちらは盗作疑惑が持ち上がらなかった――が反発を招いたのである。この脚注には、イスラム教、地域の伝統、神話、建築、地理などについての豊富な情報に加え、アラブの性風俗に関する人類学的知見の数々が記されている。そのためイギリスでは、バートン版『千夜一夜物語』は十年以上にわたって検閲を受け、一部削除され、槍玉に挙げられ続けた。たとえば、一八八五年の書評では、「労苦と学識の、そして研究調査の記念碑的業績」と皮肉られている。さらにその百余年後、歴史家のロバート・アーウィンは、バートンの人種的偏見を明るみに出し、彼の注釈を「目障りで、倒錯しており、あまりにプライベートな秘め事の暴露」、「筋金入りの偏見の驚くべき実例集」、「いかれた薀蓄のオンパレード」と酷評している。

　コレット・コリガンは、『千夜一夜物語』と文学におけるポルノグラフィーに関する論文の中で、「バートンの翻訳は、イギリスの柔らかな東洋趣味の慎み深い物語に慣れていたイギリスの読者には受け入れがたいものだった」と書いている。バートンは序文で、「全人類が関心を抱く習慣や風習を新たに知るという、念願の機会[1]」について語り、「世間体」や「礼節」の名のもとに、異文化の習慣や風習を非難してはならないと説く。そして、これらの事柄についてイギリス国民を啓発し、「何の含みもないのに、隠れた含みを詮索し、礼節が踏みにじられたわけでもないのに、みだらなことを暗示する、あの最も図々しい、近ごろの慎み深さ[1]」から国民を解放しようとする。

　アラブ人の私生活について学ぶべきもう一つの理由は、そうすれば大英帝国の大義が実現されやすくなるからだ、とバートンは述べている。彼は、イギリスが当時アフガニスタンでの覇権獲得に失敗したのは、「東洋民族についてはなはだしく無知[1]」であったせいであり、「ヨーロッパはもとより、東洋諸国からの侮蔑[1]」を免れるには、「異教徒の中でも最も有力な種族であるイスラム教徒（モスレム）[1]」についてもっと学ぶしかない、と考えていた。もっとも、アラブ人の性風俗を知ることがどのようにして大英帝国の利益につながるかについては語っていない。バートンの記述にしばしば「東洋民族」に対する優越感が感じられるが、彼が植民地政策の熱烈な支持者であり、アーウィンの言葉を借りれば「多くの偏見の持ち主」であったことを考えれば、納得もいく。

他方、バートンを非難していたヴィクトリア朝の同時代人も、大した国際人ではなかった。バートン版のある読者は、アラブ人が婚外交渉に興じるだけでなく、男色や獣姦、異人種間交渉に耽っていることを知り、「他民族の巨大な汚物の山をわざわざ輸入しなければならない理由があるのだろうか。〈中略〉そして、その中に身を置く特典に高い値段をつけるべき理由があるのだろうか」と疑問を呈している。当時はバートンの人種的偏見に加え、その価格（一巻一ギニー）も憤慨の的になっていたのだ。とはいえ、現在手に入るさまざまな解説書を参照してみても、彼が旅した東洋の国々への関心が、いつどこで偏見にすり替わってしまったのかは判然としない。

バートンが翻訳を始めたのは駐トリエステ領事として赴任した一八七二年以降のことだが、当時『千夜一夜物語』はすでにイギリスの批評家たちに注目されていた。批評家の一人は、ヨーロッパで最初に出版された『千夜一夜物語』であるアントワーヌ・ガラン訳『*Les Mille et une nuits*』（十八世紀初頭にフランスで出版）をデタラメな翻訳と断じている。というのも、東洋人が「前世紀に流行ったフランス風の帽子、手袋、ブーツを身につけていた」からだ。原作の異国情緒あふれる剝き出しの異質性を覆い隠すために、翻訳者がどんな衣装を登場人物に着せようとも、不適切な服装と受け取られる危険性は常にあったのである。ホルヘ・ルイス・ボルヘスは「『千夜一夜物語』の翻訳者たち」

の中で、「ガラン版はどの版よりもお粗末な翻訳で、原典に忠実でなく、表現力にも欠けるが、最も広く読まれた」[3]と書いている。ガラン版以降、世界で数多くの版が出版されてきたが、滑らかで読みやすい文体か、表現に凝った古風な文体のいずれかを目指す翻訳者が多かった。この状況を打破しようとしているのが、最近『アラジン』の新訳を出版したヤスミン・シールである。彼女はその狙いを、「テキストにすでに内在する現代性を引き出すこと」だと語っている。残りの『千夜一夜物語』については、一部はガランの仏訳版から、その他は直接アラビア語から訳され、今後数年かけて順次出版される予定になっている。第一巻の『アラジン』を読むと、シェヘラザードの機知と魅力が鮮やかに描き出されており、これまで幾重もの伝統に包まれて見えなかったユーモアがはっきり見えるようになった。シールは語り手にぴったりのエレガントな衣装を新たに見つけ出したのである。

翻訳の三つのミス

ウラジーミル・ナボコフは『ロシア文学講義』の中で、翻訳上のミスを、単なる無知から生じるもの、意図的な不明瞭化から生じるもの、原文を美化しようとすることから生じるもの（これが最も罪深いミス）、の三つに分類している。第一のミスは、主に空似言葉や翻訳借用（カルク）などによるごくふつうの誤りで、たとえば、〈public house（酒場（パブ））〉をそのままロシア語に直訳すると、「売春宿」という意味になってしまう。ナボコフは二つ目のミスを説明するために、「ヴィクトリア朝の慎み深さを示す最も魅力的な例」として、初期の英訳版『アンナ・カレーニナ』を挙げている。どこか具合が悪いのか、と聞かれたアンナは、「私、ベレーメンナなの」と答え、「外国の読者に、おそらく一風変った恐ろしい東洋の病気なのだろうと思わせる。というのも、『私、妊娠したの』と書けば、どこかの清らかな魂の持ち主にショックを与えかねないと訳者が考えたからだ」[4]。そして、ナボコフは最も罪深い翻訳者のミスへと話を進める。その一例として挙げられているのが、バートンである。「シェヘラザードの寝室を自分の好みに合わせて改装する、この手練れの訳者は、優雅な職人技を駆使して彼の犠牲者たちの容姿に磨きをかけようとするのだ[4]」

話をヴィクトリア朝に戻すと、バートンの卑猥な描写は当時のイギリス人を憤慨させた。国民の多くは、女性の寝室を応接間っぽく見えるよう、こぎれいに描写すべきと考えていたのだ。ナボコフはプーシキンの韻文小説『エヴゲーニイ・オネーギン』を逐語訳した際、二百二十ページの本文に対し、その注釈を千二百ページにもわたって書き連ねた人物だから、バートンが詳細な注釈をつけた意義は認めたに違いない。しかし、バートンの翻訳については、十分な正確さを欠いていると非難したのではないかと思う。ナボコフは、多くの直訳主義者と同じく、折衷というものを信じていなかった（これは意訳主義者にも言える）。けれども、作者を読者のほうへ、あるいは読者を作者のほうへと向かわせようとするなら、直訳と意訳のどちらか一方を排除する必要はない。バートン版が興味深いのは、その間口の広さだ。彼は読者に東洋の魅惑的な壮麗さを見てもらいたいと望みつつも、読者が見慣れぬ道具立てに圧倒されてしまわないように西洋の事物も織り交ぜている。だから、バートン版の登場人物は、〈turband（ターバン）〉や〈bag-breech（半ズボン）〉はもちろんのこと、〈mantilla（マンティラ〔頭から肩を覆う女性用のレースのスカーフ〕）〉や〈gaberdine（ギャバジン〔レインコートなどに使われる丈夫な布地〕）〉、〈bonnet（ボネット帽）〉なども着用している。彼らは〈sherbet（シャーベット水）〉を飲み、〈scone（スコーン）〉を食べる。〈tabret（小太鼓）〉を打ち、〈belle-lettre（純文学）〉を楽しむ。〈bazar（市場）〉や〈saloon（酒場）〉を頻繁に訪れる。〈divan（長椅子）〉に寝そべり、〈closet（クローゼット）〉の中に隠れる。挨拶の仕方も、〈salute（敬礼）〉や〈salam（額手礼）〉など、いろいろある。職業もさまざまで、〈eunuch（宦官）〉や〈castrato（カストラート〔変声期前の声質を維持するために去勢された男性歌手〕）〉、〈fellah（農夫）〉や〈courtier（廷臣）〉、〈wazir（宰相）〉や〈chamberlain（侍従）〉らが登場する。さらには、いったん厳かに「ダビデの子スライマーン王（Lord Sulayman son of David）（両人にアラーの祝福あれ！）[1]」と紹介された人物が、注釈ではイギリス人風に「ソロモン・デイヴィッドソン（Solomon Davidson）」と言い換えられており、このユーモラスな言い換えのおかげで小難しい注釈も楽しく読める。

ボルヘスが最初に読んだのもバートン版だった。後に『千夜一夜物語』各版の比較分析を書くことになった時点でも、彼はまだその魅力に取り憑かれていた。ボルヘスはそこで、一九二六年から一九三二年にかけて出版されたJ・C・マルドリュス訳の『*Le Livre des mille nuits et une nuit*（千夜一夜の書）』について論評し、この版の「幸福で創造的な不忠実さ」を称賛している。ボルヘスによれば、折衷的であること、つまり、原作の優位性を尊重しつつもその奴隷にはならないことは不可能ではない。言語が異なるだけでなく、時代や文化、風土まで違う作品を作者の意図通りに体験する機会を読者に与えることが、最もダイナミックな意味での忠実さなのだ（ただし、作者の意図が知られているか、推測できる場合に限る）。

古代の劇作品を二十一世紀の寛大な観客向けに翻訳する場合を考えてみよう。たとえば、エウリピデスの悲劇『バッコスの信女』では、傲岸不遜な王ペンテウスが登場し、自分の女たちにディオニュソスの祭儀に耽るのをやめさせ、機織り仕事に戻らせようとする。このマッチョな王を頑迷な暴君として描くのと、時代の産物として、つまり古代ギリシアの王としてはごく平均レベルの保守的人物として描くのとでは、どちらが作者に忠実なのだろうか。あるいは、D・H・ロレンスの『チャタレイ夫人の恋人』（一九二八年）を新たに翻訳する場合、どのように訳せばよいのだろうか。当時のモラルに著しく反していた主人公の行動を原文のままに訳してしまうと、現代の基準からは、むしろお堅くなってしまうのではないだろうか。本当に忠実な翻訳者なら、現代においても猥褻(わいせつ)罪に問われかねない訳書を生み出す必要があるのではないか。

翻訳者の「改変許可証」は便利な商売道具である。あらゆる分野で役に立つが、とりわけ効果を発揮するのは、詩においてである。ジョン・ドライデンは、オウィディウスの英訳版『書簡集』の序文で、ロープ上でのダンスを披露するに先立ち、ダンスで使う三つの主要動作について語っている。すなわち、直訳(メタフレーズ)（逐語訳）、意訳(パラフレーズ)（「自由度のある翻訳」）、模倣訳(イミテーション)である。最後の模倣訳とは、「後世の詩人が、同じ主題について自分より前に書いた人に倣って書こうとすることである。つまり、先人の言葉を翻訳したり、先人の感覚にとらわれたりするのではなく、ただその先人を雛形として、もし彼が私たちの時代、私たちの国に生きていたら、おそらくこう書いただろうと推測して書くことである」[5]。アメリカの詩人ロバート・ローウェルは、これと同じ考えを訳詩集『*Imitations*（模倣）』で実践し、ヨーロッパ文学の「正典」とも言うべき詩の中から選りすぐった収録作品について、こう述べている。「私は言葉の文字通りの意味は気にせず、その口調を手に入れるために悪戦苦闘した。（中略）私は生き生きとした英語を書こうと努力した。もし原作者が現代のアメリカでその詩を書いたとしたら、どんなふうにしただろうかと考えてみたのだ」。案の定、盗用だとローウェルを非難する者もいたし、詩風がローウェルにそっくりだと指摘する者もいた。あるいは、ホメロス、ランボー、ボードレール、リルケ、モンターレらが自然なアメリカ英語で語るのを聞けるようになったと感謝する者もいた。

　軽い気持ちで翻訳に手を出す詩人は、多方から批判を浴びる。その手の詩人が批判されるのは、自己陶酔的なまでに虚栄心が強く、盗めるものは何でも盗んでやろうとアイデアをあちこち物色し、その強奪行為をインスピレーションの探求だとごまかすからだ。また、模倣元の言語を学ぶことさえ面倒くさがり、アンチョコに頼ることも多い。原文から翻訳する場合でも、「詩とは、翻訳で失われるもののことだ」とうそぶき、自分には勤勉な翻訳者に許される範囲をはるかに超えて自由を行使する権利が与えられていると信じている。その一方で、彼らを非難する人たちが見逃しがちなのは、詩人翻訳者が盗用したとされる作品は最終的に彼らの個人コレクションに収まるのではなく、世界で共有されるということだ。翻訳者の忠誠心がどこにあるべきかについては、二〇一八年に『オデュッセイア』の英訳を出版したエミリー・ウィルソンがうまく表現している。

忘れてはならないのは、翻訳というのは、常に部分的であり、常に解釈的であり、常にそれを創り出す人たちの多様な選択と長くて厳しい労働の所産であるということだ。私たち翻訳者は、一人一人がそれぞれまったく異なる方法で、原詩にも私たちと時空を共有する読者にも等しく敬意を払いながら、できる限り責任を負い誠実であろうとしている。

作者と読者のどちらもが豊かになれる両者の理想的な出会いの地点を探し求めて、私たち翻訳者がその道のりを双方向に移動できるのであれば、翻訳を一方通行に限定してしまう必要はない。ページ上の言葉が誰のものかと議論するのではなく、世界文学全体が私たち全員――作者、翻訳者、読者――のものであることに同意し、それを私たちの共有財産として扱えば、三者の理想的バランスを追い求める私たちの探求は、より実りあるものになるはずだ。この試みはあまりに現実離れしたものに聞こえるだろうか。その場合、作者という概念はどこに残されるのだろうか。そもそも、作者と翻訳者は対等な立場で協力し合えるのだろうか。両者の関係については翻訳者の側から語られることが多く（そのこと自体が何やら示唆的ではある）、どれほど主観的なものであれ、両者の言い分を比べてみる機会などめったにない。めったにないが、まったくないわけではない。

第十二章

ボルヘスの五十パーセント

Fifty Per Cent of Borges

翻訳者という枠を超えた二人三脚

「幸運なことに、ここ三年近く、私のそばには専属の翻訳者がいる」と、ホルヘ・ルイス・ボルヘスは一九七〇年に書いている。「これから二人して、私の作品を十冊あまり英語に訳して出版する予定だ。英語は私には扱う資格のない言語だが、英語が生まれながらに使えていたらとよく思う」。ボルヘスは一九六七年にハーバード大学を訪れた際、エネルギッシュなアメリカ人青年、ノーマン・トマス・ディ・ジョヴァンニと出会った。ディ・ジョヴァンニは回想録『*The Lesson of the Master*（師の教え）』の中で、ボルヘスの連続講演を聴き、その言葉遣いの「優しさと慈悲深さに心を打たれた」と書いている。ディ・ジョヴァンニは師に手紙を書いた。そこで自分が翻訳したばかりのスペイン語の詩集に触れ、ボルヘスの英語詩集の共同制作を持ちかけた。その十五年前から視力を失っていたボルヘスは、一度電話で連絡してほしいとの返事を口述筆記させた。それが、二人の人生に予期せぬ文学的、経済的、個人的展開をもたらすことになる関係の始まりだった。

ボルヘスのアメリカ滞在中、二人の共同作業は順調な滑り出しを見せた。ディ・ジョヴァンニによれば、初めて一緒に仕事をした日の午後、ボルヘスの新作詩について語り合っているうちに、「詩と言葉の音楽」という共通の絆が生まれたという。「一カ月もしないうちに、ボルヘスと私は一冊の本を作る計画を立てていた」。一九六八年、ボルヘスは帰国する直前に、一緒に仕事の続きがしたいからアルゼンチンで落ち合おう、と青年に告げた。六カ月後、ブエノスアイレスにやって来たディ・ジョヴァンニは、再開の準備を整えていた。彼は手ぶらで来たわけではなかった。実入りのいい『ニューヨーカー』誌との先買権契約を取りつけていたのだ。ボルヘスの新作を翻訳すると、両者に同額が支払われるという契約だった。その契約書にサインするのは「この世の極楽にたどり着くようなものでした」と、二〇一〇年にディ・ジョヴァンニは私に語った。「もっとも、ボルヘスの五十パーセントは油田とまでは言えませんが」。ボルヘスは海外から講演に招かれるほどには有名であったものの、アルゼンチン以外ではさほど知られておらず、著作の英語版がベストセラーになったこともなかった。そんなボルヘスを『ニューヨーカー』誌の読者に売り込める、千載一遇のチャンスが訪れたのだった。この夢の計画も、当初は企画倒れに終わりかねない雰囲気だった。七十歳を目前にして八年間も本を出していなかったボルヘスは、そのころ手すさびに詩を書いていただけだった。彼は新しい作品の出版を拒否した。以前の作品におよばないと評価されるのを恐れていたのだ。ディ・ジョヴァンニが『師の教え』で述べているように、ボルヘスは「もう新しい作品を書くことはないと達観していた」。

ボルヘスが抱えていた作家特有の精神的不安定さにもかかわらず、ディ・ジョヴァンニは根気よく仕事を続けた。新作が仕上がらなくても、翻訳すべき旧作はまだまだあった。毎日午後四時きっかりにボルヘスの自宅まで迎えに行き、二人でボルヘスが館長を務めるアルゼンチン国立図書館まで歩く。館長室が彼らの仕事場となった。英文学をこよなく愛するボルヘスの英語は実に見事で、二人が考案した方法は実り多いものになった。まず、ディ・ジョヴァンニが前もって下書きを作っておく。次に、館長室にともに腰かけて、ディ・ジョヴァンニが半行ずつ、最初はスペイン語で、次に英語でボルヘスに読み聞かせ、改善可能な点を話し合う。家に帰ると、ディ・ジョヴァンニはノートをきれいにタイプし、翌日分の下書きを新たに準備する。共同作業が進むにつれて、ボルヘスは相棒をますます信頼するようになった。ディ・ジョヴァンニの提案に納得すると、ボルヘスは原文に立ち返って修正を加えたり、新作の詩の場合には、ボルヘスのお気に入りだったソネット形式から他の形式に変更したりすることもあった。

縮まる著者と訳者の距離

二人はすぐに私生活でも親しく付き合うようになった。一緒に語らったり、パーティーに出かけたり、散歩をしたりと、ともに過ごす時間が増えた。ある小旅行の際、ボルヘスは思いついた短編小説の粗筋を口にした。ディ・ジョヴァンニはそれを出版してはどうかと勧めてみたが、ボルヘスは難色を示した。そのうち、ボルヘスは以前から温めていた他の短編小説の話もするようになった。そこで、ディ・ジョヴァンニは、「師を励まし、師の自信を高め、師の文筆生活が決して終わっていないことを証明すべく、ささやかな作戦を開始した」。ディ・ジョヴァンニは、二度と出版はしないというボルヘスを翻意させようと、叱咤と激励を繰り返した。「たわ言を、たったの八ページ。先生ならできます」。あるとき、ディ・ジョヴァンニはお金が入り用だと嘘をついた。すぐに財布に手を伸ばしたボルヘスを押しとどめ、お金を借りるわけにはいかないが、『ニューヨーカー』誌に何か原稿を送れば、それで問題は解決すると告げた。数日後、ボルヘスは口述筆記によるタイプ原稿を彼に手渡した。それは、後に「めぐり合い（The Meeting）」と題されることになる、ナイフによる決闘と「武器たち」の秘密の生活を描いた短編小説の草稿だった。その後二週間ほどかけて、二人は草稿に手を加えながら英語に翻訳していった。この短編は、『ニューヨーカー』誌とアルゼンチンの日刊紙『ラ・プレンサ』に掲載された。「その後は疾風怒濤の勢いだった。師を止めることはもはやできなかった」

一方、二人が取り組んでいた詩集は、一九六九年、ボルヘスの七十歳の誕生日に『闇を讃えて（*Elogio de la sombra*）』というタイトルでまずスペイン語版が出版された。ボルヘスはディ・ジョヴァンニに「Al colaborador, al amigo, al promesso sposo（共作者、友人、新郎へ）」との献辞が入った一冊をプレゼントした（その日はディ・ジョヴァンニの結婚式の前日で、結婚式には証人としてボルヘスと彼の妻エルサが立ち会った)。この詩集に収められた二編の詩は英語の草稿から翻訳し直したものだった。ほかにも、共同作業の結果による変更点があった(その後、英語版は『*In Praise of Darkness*』として出版された)。ディ・ジョヴァンニは、当初アルゼンチンに数カ月ほど滞在して帰国する予定だったが、結局、三年近くもこの国で過ごすことになった。ディ・ジョヴァンニとボルヘスの共同制作による作品には、ほかにも短編集『アレフ』(一九四九年の初版をベースに、翻訳者の協力のもとに書かれた作者の短い自伝を収録)、新しい短編集『ブロディーの報告書』、そして、二人が共同で「改訂、増補、翻訳」した初期の小品集『幻獣辞典』がある。この三冊の出版と『ニューヨーカー』誌に定期的に掲載された一連の新しい短編によって、英語圏でのボルヘスの人気が高まった。それが自信回復に絶大な効果をもたらしたのだろう、ボルヘスは一九八六年に亡くなるまでに、さらに六冊の詩集と十七編の短編小説を発表した。

欠点に注意が向いてはいけない

ディ・ジョヴァンニは『師の教え』の中で、「私のふだんの翻訳作業は英語でどのように表現するかに尽きる」と書いている。「これは英語なのか、と週に百回は自問自答している」。二人はともに、翻訳を一種の創作活動とみなしていた(ボルヘスは翻訳者でもある)。翻訳にも自己表現の機会がいくらでもあるからだ。彼らはまた、「スペイン語からすぐに連想できる単語は、英語では避けるべき」とも考えており、そのせいか、二人の英訳は過剰翻訳だとみなされることもある。ボルヘスの「Everything and Nothing――全と無」という詩を例に取れば、スペイン語原文では、シェイクスピアの言葉が「copiosas, fantásticas y agitadas（饒舌で想像力と感情にあふれた）」と表現されているが、二人はこれを「copious, fantastic and agitated」のように直訳することを拒否し（これは別の訳者による訳。さらに別訳で「multitudinous, and of a fantastical and agitated turn」という訳文もある）、代わりに「swarming, fanciful, and excited」と訳している。ディ・ジョヴァンニは「独創性のない逐語訳」を切り捨て、二人の考える理想の翻訳についてこう述べている。「目立たず、目に見えずを目指しつつ、原文の痕跡は一切残すべきではない」

彼らのモットーは、ローレンス・ヴェヌティが『*The Translator's Invisibility*（翻訳者の不可視性）』の中で引用した、アメリカ人翻訳者ノーマン・シャピロの言葉と呼応している。「優れた翻訳とは、窓ガラスのようなものだ。引っかき傷や気泡といった小さな欠点があって初めて、そこにあることに気づく。理想としては、いかなる欠点もないほうがいい。欠点自体に注意が向くようなことは決してあってはならない」。英訳者の間で伝統的に人気があるこのアプローチは、ウラジーミル・ナボコフが推進したものとは真逆である。ナボコフは、翻訳は翻訳として読まれるべきだと考えていた。とはいえ、最初からそのような考えを持っていたわけではない。文学的キャリアをスタートさせたころに訳したロシア語版『不思議の国のアリス』では、主人公の名前をアーニャに変え、彼女の冒険にナボコフ自身の文化的遺産をふんだんに盛り込んでいる。ナボコフは原作の言葉遊びを巧みに作り直したり（「We called him Tortoise because he taught us」〔「taught us」だから「Tortoise」というダジャレ〕）のロシア語訳としてひねり出したダジャレには、同音異義語のためだけに生み出された小枝を持って徘徊するタコが登場する）、原作の詩をロシアの有名な詩のパロディに置き換えたりするなど、徹底的に原文をロシア化したのだ。この才気あふれる翻訳を読むにつけ、その後、極端な衒学者へと変貌してしまったのが惜しまれる。

直訳主義者はアルゼンチンの学者にもいた。ディ・ジョヴァンニとボルヘスのコンビの仕事に対する彼らの反応は予想通り狭量なものだった。後年、私はディ・ジョヴァンニと話をする機会があったが、彼はそのときも学者とのいざこざを忘れておらず、頭から湯気を立てんばかりに怒っていた。

> 特定の単語ばかりをしきりに非難された。ある短編に「彼は空（sky）を見上げた」と訳した箇所がある。〈sky〉の原語は〈cielo〉で、スペイン語では「空」と「天」の両方の意味がある。二人でその箇所に取り組んでいたとき、ボルヘスがそれは「空」の意味だと言ったから、そう訳した。なのに、学者は怒り出した。どうして「空」と訳したのか、って。翻訳には作者の名前が載るけれど、それが重要なのだろうか？そうじゃないことは彼ら自身が一番わかってるのに。
>
> 　別のアルゼンチン人学者の話もある。翻訳学が専門の女性研究者だった。翻訳の話がしたいと言う人がいたら、一目散に逃げ出したほうがいい。とにかく、その学者はこう言った。「ディ・ジョヴァンニさん、質問があります。ボルヘスの短編『ペドロ・

サルバドーレス』は全部で七百三語ですが、あなたの訳では七百五十三語になっています」。確かにそうですねと言うと、それはなぜだと聞くから、英語の特質だからだと説明した。彼女はそれでも引き下がらない。まるで鬼の首でも取ったようにこう言った。「わかりました。でも、もう一つ気づいたことがあります。ボルヘスの原作では四つの段落に分かれていますが、あなたの訳では七つの段落になっています」

私はディ・ジョヴァンニに、ボルヘスの有名な短編「『ドン・キホーテ』の著者、ピエール・メナール」に関する質問をしてみた。主人公メナールの例の野望、「ミゲル・デ・セルバンテスの大著の一語を一語に、一行を一行に対応させて数ページの作品を作るという、称賛に値する野望」についてどう思うか、と尋ねたのだ。この不可能に近い仕事をどうすれば実現できるのかはよくわからないけど、それだけに挑戦してみる価値はある。翻訳のたとえ話、だよね？「私もそうしてくれとよく言われた」とディ・ジョヴァンニは答えた。「ボルヘスになり切って、彼の作品を逐語的に翻訳してくれ、とね」

一方、ボルヘスは「いついかなる場合でも協力的」であり、ディ・ジョヴァンニに最大限の敬意を持って接してくれたという。共同制作の話を最初に検討し合ったとき、ボルヘスは、自分の名前を共同翻訳者として加えれば、ディ・ジョヴァンニの地位が下ってしまうのではないかと心配した。ディ・ジョヴァンニが、そんなことはない、むしろ作品の地位が高まるだけだと答えると、ボルヘスは、アルゼンチンなら「翻訳者があまりに嫉妬深くて、作者と手柄を共有するなんてありえない」

と言った。その後、『ニューヨーカー』誌との契約条件について話し合ったとき、ディ・ジョヴァンニは、二人で折半という条件に対するボルヘスの反応に感動した。「それでいいのか？　もっと取るべきだと思うんだが」。公の場で共同翻訳について語るときも、ボルヘスはやはり寛大だった。「私の詩や散文を二人で英語に翻訳、つまり再創造しているとき、私たちは二人の人間だとは思っていません。本当に一つの心が仕事をしていると思っているのです」

著者と訳者の関係を乱すもの

この一心同体とでも言うべき調和のとれた状態は、しばしば第三の存在によってかき乱された。ボルヘスは渡米する直前の一九六七年にエルサという女性と結婚していたが、エルサは、自分の夫を誰かと分け合う心の準備が整っていなかった。ディ・ジョヴァンニの言い分では、「私がいるとボルヘスに肩入れするから、エルサは主導権を握れなかった」ということになる。ディ・ジョヴァンニは『*Georgie and Elsa*（ジョージーとエルサ）』〔ジョージーはボルヘスの愛称〕の中で、彼が間近で見てきた破綻寸前の結婚生活にまつわる「秘話」を洗いざらいぶちまけ、エルサの理不尽な要求、卑劣な侮辱、支配欲、虚栄心、強欲ぶり、ボルヘスの知的生活に対する無関心などについて、辟易するほど事細かに記述している。ディ・ジョヴァンニによれば、エルサは感情の起伏が激しかったようで、彼の肩で泣いたり、「ジョージーが男として彼女を失望させた」事の次第を打ち明けたりする一方で、ディ・ジョヴァンニに対して誹謗中傷を仕掛けてくることもあり、一度は窃盗罪で訴えられたという。癇癪と噂話に満ち、酸っぱい葡萄のにおいが濃厚に漂うこの本を読んでいると、誰が誰に嫉妬していたのかわからなくなる。唯一人、ボルヘスだけは本当に不憫だと思う。

同書には、知り合った当初から、ボルヘスが「結婚生活の苦悩」を打ち明けていたことが記されている。エルサとの結婚について、ボルヘスはこうも言ったという。「今となっては自分でも訳がわからないミスを犯した。それはとんでもないミス、まったく説明のつかない不可解なミスだった」。ボルヘスに私生活の些事をさらけ出す傾向が人一倍あったのだとしても、ディ・ジョヴァンニは所構わずそのすべてを明かし、さらにはそれ以上の話もした。一九七〇年、離婚話が持ち上がると、ディ・ジョヴァンニはエルサの束縛からボルヘスを解放するために手を尽くした。弁護士と話し合い、離婚訴訟の手続きを開始するのに必要なボルヘスの不満リストの作成を手伝った。『ジョージーとエルサ』に再現されたリストは二十七項目からなっており、その一つにはこう書かれている。「彼女は、私と同じ文学的嗜好をもつ友人を、商売重視の友人と取り替えることを望んでいる」

事態が極限まで悪化すると、二人はほとぼりが冷めるまでブエノスアイレスから逃げ出そうと画策した。ある日、ボルヘスはいつものように仕事に行くふりをして、エルサと住んでいた家を出た。ディ・ジョヴァンニはボルヘスを連れて空港に行き、二人して逃避行へと旅立った。彼らは数日後、ボルヘスが結婚前に住んでいた母親の家に舞い戻った。この本は笑えないギャグが山盛りで、語り手の苦々しい感情が隠し切れていない、出来の悪いコメディのように読める。それでも私は、二〇一七年に亡くなったディ・ジョヴァンニを、自分の仕事を愛する有能な翻訳者であり、皮肉なユーモアの持ち主として記憶にとどめている。二人の複雑な関係について語りながら、ディ・ジョヴァンニはふと言った。「今さら嘘をつくつもりはない。僕たちはとても仲がよかった。ボルヘスは僕に会うたびに泣いていたんだ」

　ボルヘスとディ・ジョヴァンニが二人でブエノスアイレスの街を歩いているときに撮られた一枚の写真がある。老人は若い同行者の腕に寄りかかっている。この写真がアルゼンチンの週刊誌に掲載されると、ディ・ジョヴァンニはようやく自分が脚光を浴びる番がめぐって来たと思った。アメリカの青年が民主主義国家の間では評判の悪い軍事独裁政権下のアルゼンチンにやって来て、その国で最も高名な作家の国際的評価を確固たるものにする——これは、国民に喜ばれる身ぶりだった。ディ・ジョヴァンニは『師の教え』の中でこう書いている。「だから、その記事は私についての記事だった。その記事の写真は、国の宝を腕に寄りかからせている私の写真であって、私を寄りかからせているボルヘスの写真でなかった」。翻訳者の不可視性についてはもうこれで十分だろう——そう言いたくもなるが、残念ながら、ディ・ジョヴァンニにはそれがわからなかった。けれども、可視性とは、翻訳者の立ち位置によって決まる相対的な概念であり、翻訳者が訳文から自分の「姿を消す」にはかなりの努力が必要になる（そもそも、その努力を気づかれないようにするだけでも至難の業だ）。目の前にある本が翻訳であることを知らなければ、最初から自国語で書かれた文章にしか見えないかもしれないが、そうでなければ、ページの表面に翻訳者の指紋が透けて見えるのはごく当然である。

翻訳者がいかなる策を弄しようと、翻訳で使われている言葉は、結局、翻訳者自身の言葉なのだと見抜くのはたやすい。

ボルヘスは、翻訳者とは、何よりもまず「極めて親しい読者」だと考えていた。そして、優れた読者とは「優れた作家よりもいっそう黒くて稀な白鳥」であり、その活動は「謙虚で、慎み深く、知的」なものだと信じていた。ディ・ジョヴァンニの本を読んでも、「謙虚」や「慎み深い」といった言葉はにわかには思い浮かばないが、それはおそらく、彼が手はずを整えたボルヘスとエルサの離婚よりもはるかに苛烈な、ボルヘスと彼自身の別れの後に書かれたものだからだろう。ボルヘスとディ・ジョヴァンニは、波乱に富んだ五年間を過ごした後、疎遠になった。一九八六年、重篤な病を患い死期が迫っていたボルヘスは、助手のマリア・コダマと再婚した。彼の死後、ディ・ジョヴァンニは切り捨てられた。マリアは、ディ・ジョヴァンニとボルヘスがサインした直近の出版契約（これも印税は折半が基本）を破棄し、二人の共作に代わる新しい英訳を出すことにした。私がディ・ジョヴァンニに会ったとき、彼は、マリアをはじめとする敵対者たちへの鬱憤を吐き出した。ディ・ジョヴァンニにしてみれば、彼らは「本当の人間というものを知らず」、二人の友情を妬み、二人の契約条件をやっかんでいるやつらなのだった。ディ・ジョヴァンニがボルヘスの翻訳者、筆記者、代理人、親友としての自らの役割を語るのを聞いていると（当時は七十代後半だったが、人を引きつける魅力は健在だった）、すべてを諦め、暗闇に沈んでいた作家に再び執筆する気力を起こさせた、四十年前のカリスマ的魅力に満ちあふれた彼の姿が目に浮かんだ。

翻訳も芸術である

二人の共作の出来栄えについては、実際に読んで見ても、二人の区別がまったくつかないことがある。「ボルヘスと私」（ディ・ジョヴァンニ訳は「Borges and Myself」、別訳では「Borges and I」）という小品は、一人の人物の中に共存する二つの自己について書かれたものだが、幅広い解釈が可能だ。

ボルヘスが価値ある作品をいくつか書いたと認めるのは難しくないが、それらの作品は私を救いはしない。というのも、優れた作品はもはや誰のものでもなく、もう一人の男のものでさえなくて、むしろ言葉や伝統に属するからである。いずれにせよ、私はこれを最後に行方不明になる運命にあり、私自身のある瞬間だけが、もう一人の男の中に生き残ることになる。（中略）そして、私は失踪する。私はすべてを失い、すべては忘却の彼方に消え去るか、もう一人の男に委ねられる。

この文章を書いているのが私たちのどちらなのか、私にはわからない。[1]

私はボルヘスの専門家ではないけれども、ほとんどの場合、他の英語版よりも、彼とディ・ジョヴァンニが二人して作り上げた文章のほうが好きだ。私だけではない。ディ・ジョヴァンニと袂（たもと）を分かった遺産管理団体が出版した新訳の一つを読んだ作家のポール・セローは、ディ・ジョヴァンニにこう書き送った。「あれはボルヘスではない。あなたこそがボルヘスなのだ」

「書くことが芸術なら、翻訳も芸術である」と、ディ・ジョヴァンニは『師の教え』の中で述べている。「書くことが職人技なら、翻訳も職人技である」。執筆と翻訳を対等な活動とみなす翻訳者は少なくないが、エリオット・ワインバーガーの見解は異なる。「翻訳は翻訳であって、芸術作品ではない——何世紀もかけて独自の特異性を獲得し、芸術作品へと成長しない限りは」。ワインバーガーは、両者が完全に対等な存在だと主張するのではなく、翻訳を、アナロジーによって定義される必要のない「まったく独自なジャンル」として称揚する。翻訳者が「必要悪」とみなされることが多いとしても、その事実は、怒りの抗議ではなく、皮肉と取るべきだという。「翻訳者にとって本質的で愛（いと）おしい匿名性の旗を掲げよう」というワインバーガーの冗談まじりの提案については、疑念を抱く翻訳者もいるかもしれない。けれども、ささやかな皮肉を込めつつ、控えめでありながら堂々とした態度で表現された、文学における翻訳の役割に対する彼のスタンスは、声高に可視化を求める人たちよりも、翻訳界に役立ってきたことだろう。

　翻訳文学の読者の多くは、訳者の知名度で本を判断したりはしない。その一方で、作者の名前を知る権利は決して手放さない。匿名性が作品の本質だと言われているイタリア語作家エレナ・フェッランテの正体については諸説あるが、一説によれば、「本物のフェッランテ」は、彼女の小説を英訳しているアメリカ人翻訳者アン・ゴールドスタインであるという。しかしこの説は、比喩的な意味であっても、ゴールドスタイン本人によってきっぱりと否定されている。ゴールドスタインは自分を作家の分身とは思っていないし、自分の翻訳が原作の再解釈だとも考えていない。とはいえ、フェッランテの愛読者が実際に会える人物といえば、彼女をおいて他にはいない。

ついでながら、この妙なからくりを解明しようと試みた人たちの努力によって、この件に関与する別の翻訳者の存在が明らかになった。二〇一六年、ある報道記者が印税の支払い記録を丹念に調べ、エレナ・フェッランテというペンネームの背後にいるのは、独伊翻訳者のアニータ・ラジャに違いないと結論づけた。その一年後、専門家が多くの作品を分析した結果、ラジャの夫である作家のドメニコ・スタルノーネこそがフェッランテ名義の小説の作者である可能性が最も高いと判明した。今後、もし新たな発見があり、フェッランテの小説はもともとイタリア語以外の言語で書かれていたということにでもなれば、この話はさらにいっそう興味深いものになるだろう。

おそらく、翻訳者の可視性（あるいは不可視性）は、訳す作品ごとに変化する翻訳者の文体にではなく、翻訳するという行為、ひいては書くという行為に内在する二重性に最も深く結びついているのではないだろうか。その鮮やかな例が「ボルヘスと私」である。この短編の語り手は自分自身と自分の分身を比較する。たとえば、「私が好きなのは、砂時計、地図、十八世紀の活版印刷、単語の語源、コーヒーの匂い、スティーヴンスンの散文。もう一人の男も同じものが好きなのだが、役者の場合によく見かけるように、何となくそれをひけらかす気味がある」[1]。視力を失った後、ボルヘスは、かつて自らスペイン語に訳したスティーヴンスンの『寓話』を朗読してほしいと、しばしば人に頼んでいたらしい。彼が自分の作品の翻訳者たちに、「私を単純化してくれ。私を作り替えてくれ。私を赤裸々にしてくれ。〔中略〕私をマッチョに、ガウチョに、骨と皮ばかりにしてくれ」と懇願していたのは、ある種の「ジキルとハイド効果」を期待してのことではなかったろうか。こんな場面を思い浮かべてみる。ボルヘスがディ・ジョヴァンニと並んでブエノスアイレスの街を歩きながら、ある短編の構想を練っている。短編の語り手はその短編の翻訳者という設定だ。そして、語り手自身が行方不明になってしまう。語り手は自分で自分の失踪事件を調査し、最後に自分と作者とが本質的に同一人物であることを認めるに至る——なんと楽しい想像だろうか。

第十三章

単語を変えるのはアリか？

Word-Worship

聖書という困難な翻訳の対象

二〇一八年七月、ITコラムニストだったか、単なるヒマ人だったかが、グーグル翻訳に「ag」と入力した。すると、それはアイルランド語と認識された（本稿執筆時点においても同じ結果が表示され、英語の前置詞〈at〉の意味だと教えてくれる）。さらに「ag」を二十五回連続で入力すると、「主の御名がヘブライ語で書かれていたように、それはヘブライ民族の言語で書かれていた」と英訳された。これ以外にも似たような薄気味悪い結果を吐き出す検索語句が見つかり（そのほとんどが希少言語がらみ）、グーグルはアルゴリズムの訓練に聖書を使っているのではないかという噂が広まった。グーグルはコメントを控えたが、この種の暗号めいた訳文がある日を境に一斉に出なくなったことで、機械翻訳の訓練に聖書が使われている可能性はさらに高まった。データとして使える原典が極めて少ない言語の場合、アルゴリズムは一つの原典に大きく頼らざるをえず、たとえデタラメな入力内容であっても、とにかく何らかの訳文を提示しようとして、一種の「幻覚（ハルシネーション）」を生み出してしまうのだ。

二〇一五年、コペンハーゲン大学の研究者チームが聖書コーパスを利用して、十分に研究されている言語を低資源言語（利用可能なデータが少ない言語）にマッピングするソフトウェアの訓練を始めたとき、彼らの念頭にあったのはそうした言語だった。アメリカのダートマス大学を拠点とする別の研究グループも、聖書の利用を公言している。彼らは三十四種類の英語版聖書を分析し、機械翻訳の品質を向上させる研究を行っている。巨大なデータセットである聖書には、同じ構造をもつ何百もの版（パラレルテキスト）が存在する。どの版も通常は（科学者に言わせれば）「保守的な」翻訳によって作成されているため、言語ソフトウェアの開発にうってつけのデータなのだ。

最も「ありがたい」引用

それはそうとして、人間の翻訳者はその事実をとっくの昔に知っていた。翻訳作業中に聖書の引用に出くわすことほどうれしいことはない。それ以外の引用とは異なり、聖書の場合は出典が簡単に突き止められるため、自分で翻訳する手間が省けるからだ。この特典にあずかれるのも、はるか昔から努力を重ねてきたすべての翻訳者のおかげである。記録に残る初の聖書翻訳の取り組みは、紀元前二百年ごろに行われた。言い伝えによると、七十二人の翻訳者がそれぞれ個室に籠もって、ヘブライ語で書かれた旧約聖書を一斉にギリシア語に翻訳し始め、七十二日後に全員がまったく同じ訳文を完成させたという。アレクサンドリアのフィロンによれば、「彼らはみな霊感を受けた者のごとくに預言した。つまり、ある者があることを言い、別の者が別のことを言うのではなく、まるで目に見えない黒子が書くべきすべての言葉を教えてくれたかのように、誰もがまったく同じ名詞や動詞を使って訳したのである」。この奇跡によって原典の神性が確かめられた。この翻訳——七十を意味するギリシア語にちなんで「七十人訳聖書（セプトゥアギンタ）」と呼ばれる——は、その後カトリック教会公認のラテン語版が作成されるまで、数世紀にわたり正典とされた（けれども、典拠の疑わしい偽典の系列に連なる版の一つであることには変わりはない）。

　そのラテン語版作成の大任を果たしたのが、聖ジェロームとして知られるエウセビウス・ヒエロニムスである。おそらく彼の肖像画をご覧になった方も多いだろう。中には時代錯誤の赤い枢機卿の法衣をまとった絵や、どうみても近代風の眼鏡をかけた絵も混じってはいるものの、きまって書斎で蔵書に囲まれている姿は、数々の絵画でお馴染みかと思う。書架にはおそらく、彼が最初に取り組んだ七十人訳聖書、その後目を向けたヘブライ語とアラム語の原典、そして彼以前のラテン語訳などが並んでいたに違いない。ヒエロニムスが三九一年から四一五年にかけて翻訳したウルガタ訳聖書は、新約聖書の改訳と旧約聖書の新訳で構成されている。このラテン語聖書は、今でもカトリック教会の公認聖書である。

語順さえも神の御業

ヒエロニムスのラテン語は、標準的な古典ラテン語に最も近いと称賛されてきたが、その翻訳理論は矛盾に満ちている。彼の著作や書簡を読むと、感情的な文章が多く、必ずしも論理的に一貫しているわけではないが、直訳主義に批判的なのは間違いない。ただし、彼が神聖視する原典については例外を設けている。現存する最古の翻訳宣言とも言うべき「パンマキウス宛ての手紙」（三九五年）の中で、ヒエロニムスはこう述べている。「私はギリシア語を翻訳する際、語順さえも神の御業である聖書を除いて、語から語へ訳すのではなく、意味から意味へ訳してきた。私はこのことを認めるばかりでなく、声を大にして言っておきたい[1]」（L・G・ケリーによる英訳）。ケリーが〈God's doing（神の御業）〉と訳した〈mysterium〉は、他の箇所では〈holy sacrament（聖なる秘跡）〉や〈mystery（神秘）〉とも訳されているが、そもそも〈mysterium〉という語自体が「謎めいている（mysterious）」。ヒエロニムスが聖書を含む原典に対して翻訳者の自由を行使する際、彼がいったい何をもくろみ、どこで線引きをしたのかは想像するほかないが、とにかく、翻訳者の守護聖人たる聖ジェロームが投げかけた「忠実」か「自由」かというジレンマは、今日に至るまで彼の後継者たちを悩ませ続けている。

翻訳は精密科学ではない。だからこそ、ヒエロニムスは意味と語の間を絶えず揺れ動き、何度もこの問題に立ち戻る。「語から語へ訳すと滑稽に響く。さりとて、必要に迫られて語順や言葉遣いを変えると、翻訳者としての責任を放棄したとみなされる[1]」。どちらの戦略を選ぼうと、批判は絶えることがない。「敵どもは無学な信者たちを前にして、ヒエロニムスは元の手紙を改竄しただの、語から語へ逐語訳しなかっただの、『尊敬する師』の代わりに『最も親愛なる人』と書いただの、口に出すのも忌まわしいことだが、故意に『尊師』という称号を省略しただのと言いふらしているのだ」[1]と、ヒエロニムスは「パンマキウス宛ての手紙」で激怒している。言葉に関する反論が倫理的な反駁に横滑りすることもある。「賢慮を悪巧みと呼ぶ者どもに私は問い質したい。いったい私の翻訳をどこで手に入れたのか。〈中略〉自宅の壁や手紙箱の中ですら自分の秘密を隠しおおせないなら、人のいる場所のどこが安全だろうか」[1]。それでもヒエロニムスは翻訳をやめず、忠実と自由、職業上の信念と宗教上の決まりごとの間を揺れ動き続けた。

毀誉褒貶あるヒエロニムスの訳

この点に関しては、ヒエロニムスを批判する二十一世紀の現代人たちも五十歩百歩である。彼らはまずヒエロニムスの人格を問題にし、次に彼の物の見方がその翻訳に影響を与えたと主張する。小説家のアン・エンライトはある論考の中で、「老いたペテン師、聖ジェローム」の女性蔑視を具体例をいくつも挙げて非難している。その一つに、アダムとイブの堕落の場面に対する彼の視点が歪んでいるというのがある〈ちなみに、ヒエロニムスはそこで、原典では種類が明記されていない禁断の果実に名前を付けた。「悪」と「リンゴ」の両方を意味するラテン語の〈malum〉を巧みに使ったのである〉。エンライトは、この場面で、英語であれば〈deceived（欺かれた）〉と訳すべきところに〈seduced（誘惑された）〉が使われ、アダムとイブが〈vulnerable（脆弱な）〉ではなく〈naked（裸の）〉と表現されている点を批判している。しかし、複数の専門家が指摘しているように、エンライトは間違っている。最初の例では、四世紀のラテン語〈seductus〉には、現代英語の〈seduced〉とは異なり、性的な意味合いは含まれていなかった。〈naked〉については、これはヘブライ語〈erom〉の標準的訳語であり、聖書の他の箇所では姦通に関連して使われている。エンライトの論考に対するコメント投稿者の一人は、こう結論づけている。「ヒエロニムスは人好きのする人物ではなかったが、神聖視していたテキストを個人的な見解で歪めてしまうには、あまりにも優れた翻訳者であった」

エンライトの異議には正当なものもある。ヘブライ語の創世記で「お前の欲望は夫に向けられるだろう」となっているところが、ウルガタ訳では「お前は夫の支配下に置かれるだろう」となっている（ヒエロニムスは他の箇所では、「欲望」に対応するヘブライ語を正しく理解している）。ジェーン・バーも原文と乖離したこの節を、ウルガタ訳創世記を通してヒエロニムスの女性観を詳しく検討した研究論文で引き合いに出している。バーはまず、ヒエロニムスの文章力とヘブライ語の理解力を高く評価し、以前の版よりもウルガタ訳のほうが優れている点を列挙した上で、ヒエロニムスが偏見の持ち主であることを示す例を（すべてとは限らないが）数多く提示している。ヒエロニムスはある節で、「彼は少女の心に語りかけた」を「彼は穏やかな言葉で彼女の悲しみを和らげた」と、思いやりを込めて訳している。別の節では、「彼女は子を宿している」が「彼女の子宮は腫れている」という粗雑な表現に変えられている。さらに別の節では、ヨセフがある人妻に抱いてほしいと言い寄られたのを断る場面で、〈molesta（煩わしい）〉と〈stuprum（不義密通）〉という二語が余分に付け加えられている。バーはヒエロニムスの介入を次のように要約している。「ある箇所では女性嫌いのヒエロニムスという先入観をくつがえし、ある箇所では女性に対する彼の深い思いやりと配慮が示されている。〔中略〕ヒエロニムスは概してヘブライ語の忠実な翻訳者であり、それゆえ、そこからの逸脱は例外的であり、注目に値する」

どう見ても、ヒエロニムスは女性蔑視者（ミソジニスト）だったし、責任を転嫁する傾向もあった。彼は、彼以前の翻訳者によって、また福音書の著者たちによって聖書に紛れ込むことになった不正確さについて言及しているが、その言及は、ただ自分の自由な翻訳スタイルを正当化するためのものだった。つまり、批判に備えて賢明にも予防線を張ったというわけだ。というのも、奇跡のテキストといわれる七十人訳や福音書を批判すれば、間違いなく異端の烙印を押されたに違いないからだ。しかし、そうした人間的な一面を示す一方で、彼は確固たるプロ翻訳者でもあった。ヒエロニムスの翻訳に対する取り組み方を、別の種類の翻訳者、たとえば宣教師のやり方と比較することもできるだろう。宣教師がどのようにして聖書の多言語翻訳に取り組んでいるのかを見てみると、そこには彼らの使命が大きくかかわっているのがわかる。

雪のない地域では、白いキノコにしてもよいか？

ユージン・A・ナイダは、生涯の大半を神の御言葉を世界の隅々に届けることに費やした高名な聖書学者である。第二次世界大戦中の一九四三年、彼は聖書翻訳の監修業務を担うアメリカ聖書協会に言語学者として採用された。以来、ナイダは世界各地を訪れ、現地語への聖書翻訳に取り組む人たちに助言を与えるようになった（多くの場合、翻訳元の聖書には手近な英語版が採用された）。ナイダは何十年にもわたってこの活動に取り組み、現地語話者と非現地語話者を一堂に集めて、キリスト教の基本概念からその細部まで、あるいは宣教対象となる民族の言語の特質や文化の特徴など、問題になりそうなさまざまな点について議論を重ねた。

ナイダたちがとりわけ苦労したのは、語と意味のどちらを優先すべきかという問題だった。というのも、彼らの主な関心が、できるだけ多くの人に聖書のメッセージを伝えることにあったからである。いかなる言語であっても、聖書に書かれている内容はすべて完全に理解されると信じる彼らは、翻訳者向けの解説書を作成し、文脈から考えられる意味をどのように表現するのが一番よいのかを説明した。また、新約聖書用のギリシア語辞典を編み、各単語のさまざまな語義を新約聖書における出現頻度に従ってリスト化した（これは機械翻訳のアルゴリズムと同じ考え方である）。ナイダは聖書の翻訳に関してこう述べている。「聖典を効果的に翻訳する際に最大の障害となるのは、『単語信仰』の蔓延である。つまり、重要そうに見える単語は常に同じように訳さなければならないという考えが広く定着してしまっているのである」。この見解は、聖書以外の翻訳分野にも広く当てはまるだろう。

彼はまた、動的等価（dynamic equivalence）という考え方を提唱し、新しい用語や概念を導入する際は細やかな文化的配慮を怠らないようにと翻訳者に訴えた。ナイダを喜ばせた実例を一つ紹介しておこう。パナマのある宣教師が、バリエンテのインディオにとって未知の概念である「聖化」という用語を何と訳せばよいか思い悩んでいたところ、小川のほとりで洗濯婦たちを見かけた。その瞬間、ふと「神の霊によって洗われ、清潔な状態に保たれる」という言葉を思いついた。ナイダ自身も「雪のように白い」の「雪」を、雪の降らない国では「白鷺」や「マッシュルーム」に置き換えるなど、具体的な提案をしている。ナイダが感心しなかった例もある、中南米のある翻訳者チームは、イエスのエルサレム入場の場面で、従来使われていた〈burro〉（スペイン語でロバの意、動物学的でない意味も含む）に代えて、「耳の長い動物」と訳したが、これでは「巨大なウサギ」と勘違いする読者が出かねない。

中国文化にどう普及させるか

宗教的信条を新たな言語に移し替える必要がある場合、その鍵となるのが、文化の補足説明である。一五八三年、イエズス会士のマテオ・リッチは、中国でカトリックの布教活動を始めるにあたり、地元民にきちんと受け入れてもらえるようにと儒学者の衣装をまとった。リッチは、改宗者たちに彼らの伝統である祖先崇拝の儀礼（典礼）を認めるとともに、中国語の語彙に「天主（Lord of Heaven）」という用語を導入した。この語は儒教の典籍にある漢字二字を組み合わせた新造語で、中国人には馴染みのないラテン語の〈Deus〉よりも受け入れられやすかった。これに対して、ライバルのドミニコ会は、イエズス会の文化的配慮を重視する布教方法に異を唱え、偶像崇拝と真の宗教をない混ぜにしていると非難した。この典礼論争は一九三九年まで続き、結局、中国のカトリック教徒は儒教的伝統を公式に認められた。

十六世紀に話を戻すと、イエズス会は中国での布教活動を、科学や芸術の分野も組み入れた多分野プロジェクトとしてとらえており、ラテン語とギリシア語から始め、自然哲学、数学、天文学を経て、最後に神学を教えるという独自の教育体系を構築した。彼らは、西洋の科学思想と真の信仰の間には深いつながりがあり、学識と知性が高く評価される中国においては、そのほうが布教成功への近道だと考えたのである。一五八三年から一七〇〇年の間に、宣教師たちは中国語の本を四百五十冊ほど出版した。そのうちの少なくとも五十冊は翻訳本であり、翻訳はたいてい中国語話者との共同作業によって行われたため、彼らの協力が欠かせなかった。その際、イエズス会士が朗読した原文を中国人の共訳者が中国語に訳しつつ書き留めていく場合もあったし、イエズス会士がざっと訳した草稿に共訳者が手を入れることもあった。

リッチ自身も翻訳に取り組んでいたが、その翻訳能力については、「私には才能が欠けている」と記している。「しかも、東洋と西洋の論理は驚くほど違う。同義語を探ってみても、今一つしっくりこない単語が数多くある。口頭ではどうにか説明できても、それを文章にするのは至難の業だ」。けれども、歴史家のロニー・ポチャ・シャー（夏伯嘉）は、リッチを「中国語の構文と成句を取り入れ、キリスト教の説教を中国語の美辞麗句を盛り込んだ形で実践しようとした優雅な名文家」と高く評価している。中国の文人たちと積極的に交わったリッチにとって、彼らは同じ知識人であり、「私の進歩をあちこちで助けてくれた仲間」だった。リッチは、多くの重要人物をキリスト教に改宗させたこと以外にも、中国で印刷された最古のヨーロッパ式世界地図（坤輿万国全図）の作成や、ヨーロッパ系言語（ポルトガル語）と中国語では初となる二言語辞書の編纂（宣教師仲間とともに編んだこの『葡漢辞典』には、独自の翻字方式が使われている）など、数々の功績を残している。

初の漢訳聖書が出版されたのは十八世紀後半のことだが（イエズス会士のルイ・ド・ポワロがウルガタ訳から抄訳した『古新聖経』）、中国人が初めて福音書の物語に触れたのはそれよりも早く、リッチの翻訳を通してだった。彼はその一部を記憶をたどって訳したという。リッチは文化的適応の原則に忠実に従い、中国の道徳観や死生観に訴えかけるような工夫を凝らした。また、ローマから携えてきた絵を使って福音書に挿し絵を入れた。その際、手持ちの絵に合わせて内容に手を加えたりもしている。その編集手腕は見事なもので、ある物語では、別のエピソードの挿絵に合わせて、キリストが海の上を歩くのではなく、海辺に立つという設定に変えられている。また、ルカによる福音書から引かれた別の物語には、「真実を聞いた二人の弟子はすべての慢心を捨てる」という印象的なタイトルが付けられ、適切な挿し絵を入れて出版されたが、それでも言葉と絵をぴったり合わせるために、リッチはあるエピソードをカットしている。カットされたのは、復活したイエスがエマオへの途上で二人の男に出会う場面である。イエスがパンを裂いて彼らに渡した瞬間、二人は出会ったのがイエス本人だと気づく。このエピソードには深い意味が隠されており、神学的にはさまざまに解釈できる重要な場面だが、リッチ版ではこの場面が省略されているのだ。だが、それはパンが中国にそぐわなかったからではなく、版木の彫師がこの場面をそこまで細かく再現できなかったからにすぎない。似たような妥協は多くの翻訳者が経験している。たとえば、あまりに複雑な言葉のアヤは訳し切れないことがある。そんなときには、すべての慢心を捨て、カットすることを余儀なくされる。

聖書の翻訳には、実に多くの要因——思想的要因、現実的要因、偶然的要因など——がからんでおり、また実に多くの翻訳者がかかわっているため、ほとんどの版に間違いが見つかるのも無理はない。ヒエロニムスが考案したリンゴのほかにも、数多くの間違いがあり、今ではキリスト教の伝統の一部となっているものさえある。よく引かれる例を挙げると、イザヤ書七章十四節では、〈almah（若い娘）〉がインマヌエルという象徴的な名前〔インマヌエルは「神はわれらとともに」という意味〕を持つ子を産むと預言されているが、このヘブライ語〈almah〉は、七十人訳では〈παρθένος/parthenos（処女）〉と訳されている。しかし、おそらくこの訳語は「子を産んだことがない」女性という意味で選ばれたにすぎず、キリストの処女降誕を示唆するものではない。ところで、聖書の誤訳を指摘する者は、そのことによって自らの宗教観や哲学観をも表している。たとえば、近代の急進的プロテスタントは、新約聖書の翻訳が十分に直訳されていないと批判し、〈επίσκοπος/episkopos〉は「司教（主教）」ではなく「監督」、〈εκκλησία/ekklesia〉は「教会」ではなく「集会」と訳すべきだと主張した。十七世紀には、オランダの自由思想家アドリアーン・クールバッハが、旧約聖書で通常「悪魔（devil）」と訳されているヘブライ語の単語の正確な意味は、「告発する者」または「誹謗する者」だと述べている。

誤訳と多様性

翻訳の可能性の広がりを最も顕著に示す例は、意味の多義性から生じる。それは、呪いであると同時に祝福でもある。欽定訳聖書（King James Version）――一六〇四年から一六〇九年にかけて、ヘブライ語、ラテン語、ギリシア語、スペイン語、フランス語、イタリア語、ドイツ語、英語の各版をもとに五十四人の翻訳者が共同で作成――には、こうした例があふれている。なるほど、〈gave up the ghost（魂を解き放った、死んだ）〉は本来〈breathed his last（最後の呼吸をした、息を引き取った）〉であるべきだが、前者が採用されたことで、生き生きした英語の成句が一つ創り出された。同様に、新国際版聖書（New International Version）の「and on earth peace to those who his favor rests（地には平和、御心に適う人にあれ）」は、欽定訳の「and on earth peace, good will toward men」と同じようには響かない。

ナイダたちは誤訳にも対処しなければならなかった。彼らはたとえば、「私たちの負い目（debt）を赦してください」と懇願する際の「負い目」は金銭的な負債ではなく、「罪（sin）」（ギリシア語原典が示唆する語で、〈trespass〉とも訳される）を意味すること、「食事の世話をする（serve tables）」弟子たちは実際には財務を担当していること（使徒言行録六章二節の英訳版には、やや紛らわしく「食料の分配（the distribution of food）」と訳されている版もある）などを説明している。さらに、ナイダたちは、誤解を招きかねない表現も問題にした。たとえば、「Lead us not into temptation（私たちを誘惑に遭わせず）」には、神が人間を誘惑して罪を犯させるかのような含みがある（二〇一八年、教皇フランシスコは、この表現を「Abandon us not when in temptation（誘惑に遭っても私たちを見捨てず）」に変更すべきとの考えを述べた）。また、ナイダの見解では、〈our daily bread（日ごとのパン）〉や〈to know God（神を知る）〉などの「ぎこちない直訳的表現」についても、手直しする必要があるという。

できるだけ多くの人に聖書を届けたいと願う者にとって、さらに深刻な障害となるのは、欽定訳聖書を美しくも理解しがたいものにしているあの特徴、すなわち、時代遅れの言葉遣いである。古風な訳文のほうが高い評価を得ることが多い、とナイダは書いている。「文章が古めかしく見えれば見えるほど、人は数千年前に起こった実際の出来事に近いと思い込む。さらに、自国語の聞き慣れない表現を理解できるのは、神の神秘的な言葉遣いを解釈する特別な才能を神から授かったからだと信じる人も少なくない」。しかしその一方で、ナイダは、大学出や神学校出の弟子たちの多くが、〈Hallowed be（～が崇められますように）〉や〈Your kingdom come（御国が来ますように）〉といった時代遅れの表現の意味を理解していないことに気づいた。そこで聖書協会は、格調を多少犠牲にしてでも明晰性を重視する方向で大規模な改訂作業に乗り出した。ラテンアメリカではまず街頭アンケートが行われ、集まった意見は千七百ページにも達した。宣教師たちは、「聖書がそんなにわかりやすくなってしまっては、説教者は何を説教すればよいのか」という一部の日本人翻訳者の異議にもひるまず、改訂作業に取りかかった。

時代の言葉違い

古風な言葉遣いは、聖書が提起する最も魅力的なテーマの一つである。イングランド王ジェームズ一世は、権威ある唯一の版となりうるような聖書の新訳作成を命じたが、その際、保守的な翻訳をせよという指示が出されたため、一六〇四年の時点ですでに廃れていた〈verily（= truly）〉や〈it came to pass（= it happened）〉といった表現はそのまま残された。その指示はおそらくナイダが述べた、古風な文章はその古さゆえに歴史を感じさせるというのと同じ発想に基づいていたのだろう。欽定訳聖書の訳者たちはその序文で「われわれは、自分たちが正しい方向に進んでおり、神のお告げに導かれていると信じていた」と述べている。彼らが創り出した大量の成句表現はその方向性の正しさを十二分に証明しているが、だからといって、欽定訳の存在が聖書の新版を作る妨げになるわけではない。ヘブライ語翻訳者のアタール・ハダリが、彼が進めていた聖書の再翻訳プロジェクトについて話してくれたとき、私はあっけにとられて、つい彼の顔をまじまじと見てしまった。けれども、彼がおもむろに訳文を朗読し始めると、そこには光があった。

　一度だけでもあの方に口づけしてもらえたら
　あなたのタッチはシャンパンよりも甘いから

ハダリは「雅歌」の二行をそう訳した。一九二〇年代のダンスミュージックの微かな響きをそこに反映させようとしたという。というのも、「当時の流行歌は、今も歌い継がれている歌でありながら、私の耳に古風な響きを与えてくれるからだ」。

　ハダリのジャズ風の斬新な訳は、思った以上に楽しめた。しかし、私の好みはその対極にある。一つには、ひとたび現代風の訳文にし始めると、すぐに流行り言葉に流されて、収拾がつかなくなってしまうからだ。古びた翻訳を改訳する機会が訪れるたびに、ドストエフスキーの英訳版『未成年（*The Adolescent*）』を『ティーンエイジャー（*The Teenager*）』に改題して出版し直してはどうかという冗談めかした提案――まさか真面目な話ではなかったと思いたい――を思い出さずにはいられない。もちろん、逆に古風な文体を使って翻訳する機会もあり、その場合もやりすぎは禁物だ。この点については、私は幸運だった。これまでの拙訳書の中で、かなり楽しく訳せた一冊に、ピーター・アクロイドの『魔の聖堂（*Hawksmoor*）』がある。一九八五年に出版されたこの小説は、奇数章は十八世紀を生きる主人公が当時の言葉で語り、偶数章は現代英語で書かれた、二つの言葉遣い（レジスター）のレベルからなる小説だ。アクロイドの表現形式にできるだけ近づけようとして、私は十八世紀後半のロシア語を模倣することにした。当時の資料に基づいて自分用の辞書を作成すると同時に、編集者向けにも文法マニュアルを作成し、古めかしい言葉遣いの訳文が書き間違いだと誤解されないように気をつけた。その結果、いつになく満足できる翻訳作品に仕上がった。それから数年後、『魔の聖堂』についての記事を書く過程でネットの反応を調べていると、ある投稿が目に留まった。「翻訳本を選んで大正解だった。十七世紀（だっけ？）の英語なんて、そんなの読みたくないからね」。私は投稿者に何語版を読んだのかと聞いてみた。すると、うれしい返事が来た。「ロシア語だよ:)」と書いてあったのだ。

ヒエロニムスが聖書のある一節を自分の信念に従って解釈したとき、その大原則は「神の神秘〈mystery〉を隠蔽したり軽視したりするのは神を冒瀆する行為である」というものだった。彼が「聖書に取り組む際には、逐語的な言葉ではなく、内容を重視しなければならない」と主張したのは、単に批判を避けるためだけでなく、この場合は、目的が手段を正当化するということを表明するためでもあった。彼は、自分の翻訳は神聖な目的のために行われたものだと力説している。だからこそ、自分の仕事に誇りを持ち、自らの価値を理解していたにもかかわらず、あの極めて重要な一語〈mysterium〉に直面したときには、困難に立ち向かう覚悟があったのである。

どちらがよいのか——異化か同化か。多くの聖書翻訳者は文化の補足説明の重要性を理解し、できる限りのことをしてきた。彼らの翻訳先（ターゲット）言語に対する敬意は称賛に値するが、それでも、どこで立ち止まるべきかという問題は残されたままだ。翻訳先言語の語彙に直接対応する用語がなくて、延々と頭を悩ませている場面を考えてみよう。そんな場合は、新語を導入すればそれで済むのではないだろうか。ウラジーミル・ナボコフは自身の小説『ロリータ』を自らロシア語に訳しているが、そのロシア語版で使った「青いカウボーイズボン」は、言語の進展に後れをとった翻訳の典型だと言えるだろう。ロシアを離れて久しいナボコフは〈джинсы/dzhinsy（ジーンズ）〉がすでに普及していたことを知らなかったのだ（普及していたのはあくまで単語の話で、一九六〇年代のソ連では、この衣料品自体はまだ珍しかった）。私がロシア語への翻訳（通訳）をやめたのは、〈фастфуд/fastfud（ファストフード）〉や〈сквот/skvot（スクワット）〉、〈фейк/feĭk（フェイク）〉といった英語からの借用語が、雨後のタケノコのように増え続けているロシア語の現状についていけなくなったからでもある。もちろん意味はわかるが、私の脳内辞書にはもはや収まり切らない。

　新しい表現を習得するのが難しいとしても、本の中で見覚えのある表現に出会ったときは、往年の論争の賜物である既存の訳に手を伸ばせば、物事は簡単になる。引用を引用と認識できさえすれば、聖書は今でも極めて有用な辞書の一つだ。一方、聖書の引用と気づけなければ、ナジェージダ・テッフィの風刺短編小説「Переводчица/Perevodchitsa（翻訳者）」の女性主人公のようになりかねない。自称「言葉の達人」の彼女が翻訳している神学書の一節には、「一匹の羊を手に入れられる」人に待ち受けている明るい未来が詳しく記されている。主人公の翻訳者は、想像力を駆使して、それが「迷える羊」のたとえ話であることを見抜かなければならない。しかし、原文にある聖書の引用を見抜けたとしても、聖書の引用に満ちあふれた言語に翻訳するのであれば、それをわざわざ一から訳すには、よほどの理由が必要だろう。実際、聖書の遍在ぶりは、共同事業としての翻訳の縮図であり、聖書が時代や言語、嗜好、主義を超えて広がっていった過程を示している。アレクサンドル・プーシキンはかつて、自分の詩の余白に「翻訳者は啓蒙のいち早い使者である」と書き込んだ。聖書には、言葉が誕生して以来、すでにどれだけ多くのことがなされてきたかを振り返る貴重な機会が含まれている。

第十四章

ジャーナレーション
Journalation

ジャーナリズム翻訳に求められるもの

十八世紀初頭から、新しい定期刊行物の波がヨーロッパに押し寄せ、その後世界各地に広がった。『*Zuschauer*』（ドイツ語）、『*Le Spectateur ou le Socrate moderne*（ル・スペクタトゥール）』（フランス語）、『*Der Patriot*』（ドイツ語）、『*La Spectatrice*』（フランス語）、『*El Pensador*』（スペイン語）、『*Patriotiske Tillskuer*』（デンマーク語）、『*Зритель/Zritel'*』（ロシア語）、『*O Carapuceiro*』（ブラジルポルトガル語）などの定期刊行物はどれも、一七一一年にジョゼフ・アディソンとリチャード・スティールがロンドンで創刊した日刊紙『スペクテイター（*Spectator*）』の影響を受けている。一七一四年、この英字新聞から厳選した記事をフランス語に翻訳した『ル・スペクタトゥール』がアムステルダムで創刊された。これを皮切りに、類似の定期刊行物が相次いでヨーロッパ中に広がり、各国の読者にそれぞれの言語で提供されるようになった。『ル・スペクタトゥール』の創刊の辞には、「人間を逸脱から引き戻し、名誉と美徳の原則を人間に吹き込むこと」を目指して創刊したと記されている。その無名の翻訳者（創刊者）は、自らをイギリスと「諸外国」の仲介役と位置づけ、諸外国の読者にイギリスの事例を通して有益な情報を提供せんと意気込んでいる。この新しい試みはすぐに人気を集め、フランスでは一七八九年の革命勃発時に、『スペクテイター』を模倣した定期刊行物が百紙以上も発行されていた。オランダでは、オランダ語またはフランス語の模倣紙が約七十紙あった。ドイツ語圏では、当時の翻訳者の一人ルイーゼ・ゴットシェットによれば、その数は挙げればきりがないほど多かったという。

直訳とローカライズのはざま

こうした定期刊行物の多くは、意訳と直訳の間で揺れ動いていた。だから時には、魂の不滅について考察した『スペクテイター』の記事に出てくるセントポール大聖堂が、ロシア語の模倣紙ではクレムリン宮殿に化けたり、元記事には出てこない奴隷とトロピカルフルーツジュースがブラジルポルトガル語訳では追加されたりすることもあった。意訳寄りの『スペクテイター』模倣紙はすぐに一大ジャンルを形成するに至り、ただ単に直訳しただけのものよりも人気を博した。最も多くの模倣紙を発行したのはジャック＝ヴァンサン・ドラクロワで、紙名に「spectateur（スペクタトゥール）」を冠する新聞を十五紙以上も発行した。彼は一七九一年に発行した『*Le Spectateur français*（ル・

スペクタトゥール・フランセ)』のある号の中で、本家の『スペクテイター』に言及して、「まねのできない独創的な刊行物がある」と述べ、「二つの異なる国を描くのに同じ色を使うのは芸術の規則に反するだろう」と書いている。ドラクロワは啓蒙思想家のヴォルテールから高く評価され、アディソンとスティールの真の後継者とまで呼ばれたが、敵も少なくなく、その気取った態度や厚かましさを激しく非難された。イギリスの同業者とは異なり、ドラクロワは大衆だけでなく検閲官も喜ばせなければならなかった。革命に大きな期待を寄せていた彼は、表現には十分気を配っていたものの、新体制を批判する記事を書いたとして逮捕され、民衆の敵というレッテルを貼られた。

『スペクテイター』摸倣紙が流行するずっと以前から、ニュースは国際的な必需品として取り扱われ始めていた。「コラントス(corantos)」と呼ばれる最初期の英字新聞は、主にラテン語、ドイツ語、フランス語の情報を翻訳したものだった。一六一八年ごろ、三十年戦争によって引き起こされたニュース熱がヨーロッパ中に広まると、週刊の『コランテ(*Corante, or News from Italy, Germany, Hungary, Spain and France*)』が創刊された。十七世紀後半には『ロンドン・ガゼット』紙が創刊され、主にフランス語の情報に基づき大陸の戦争に関するニュースを報道した。一七〇二年創刊の『ザ・デイリー・クーラント』紙は、フランスやオランダの新聞をわかりやすく意訳した記事で構成されていた。現在、主要な報道機関は、海外特派員(予算が潤沢な場合)、あるいはロイター通信やＡＰ通信などの配信サービスを使って、世界中のニュース記事を伝えている。どの方式を使うにせよ、ニュースを翻訳する報道記者は、通常の意味での翻訳者ではない。その仕事はむしろ通訳に近いと考える人もいる。外国語の元情報をそのまま直訳するのではなく、頻繁に言い換えたり、要約や補足説明をしたり、背景を説明したりしながら、視聴者や読者にわかりやすいニュース原稿を作成しなければならないからだ。彼らは〈ジャーナレーター（journalator）〉〔〈journalist〉と〈translator〉の混成語〕と呼ばれることもあり、その仕事は〈トランスエディティング（transediting）〉〔〈translation〉と〈editing〉の混成語〕とも呼ばれている。この二つの新造語はぎこちなく聞こえるかもしれないが、ニュース翻訳に要求されるローカライズ（ローカライゼーション）や簡略化、定型化のプロセス、つまり物事を文脈の中でとらえるプロセスをかなり的確に表す便利な語として重宝されている。

もちろん、ローカライズはジャーナリズムの占有物ではない。広告、ゲーム、ウェブサイト、映画、新聞記事など何であれ、消費者向け商品をある国から別の国へ支障なく移植するには、旧来の意味の翻訳では十分ではない。その種の商品が消費者の気持ちと財布をつかむには、それぞれの国に見合ったパッケージングが必要になる。ローカライズ、すなわち文化的再構成は、翻訳における古くからの工夫であると同時に、新たな事業の成否が国の垣根をどれほど簡単に越えられるかで決まるグローバル化の時代にあっては、絶対に欠かせないものだ。この文化的再構成（グローバルコンテンツを各国の消費者向けにそれぞれ独自の言語、文化、政治における特徴を考慮した上で適応させること）は、報道機関においてひときわ興味深い形を示している。

世界のどこか遠くの片隅で起きている事件は、どうしても自分とは縁遠い異国の話として認識される。しかし、その一方で、そうした事件は遠く離れた場所へも報道する価値があると考えられており、そのこと自体が、遠くの視聴者や読者であっても事件を身近な問題としてとらえうることを示している。小説を読むときは、それが翻訳であるかどうかを気にすることもあれば、気にしないこともあるだろうが、それがフィクションなのはたいていすぐにわかる。一方、ニュース記事は原文の文章自体を楽しむのではなく、事実を知るために参照するものだ。また、ニュースの場合はたいていそれが原文だと思っており、翻訳だと思い当たるのは、何らかの違和感を覚えたときだけである。

翻訳を通したニュース記事には、間違った情報が忍び込む余地がある。その原因には、意図的な歪曲（しばしばイデオロギーの名のもとに行われる）によるものもあれば、単なるミスによるものもある。報道の仕事は常に急ぎ足で行われるため、平凡な翻訳の落とし穴にはまる危険が高い。たとえば、空似言葉（二つの言語でたがいに綴りや発音が似ている単語のペア）が、ニュースに紛れ込んでしまうケースも少なくない。具体例を一つ挙げよう。一九六六年、ＮＡＴＯ統合軍事機構からの脱退を表明したフランスは、すべての外国軍に国外退去を要請し、アメリカとその同盟国を驚かせた。この決定は不可逆的なのかと問われたドゴール大統領は、フランスはＮＡＴＯ機構に「ゆくゆくは（eventually）」復帰すると将来的な復帰を約束したかのような発言をした。しかし、実際には、「場合によっては（éventuellement）」その可能性もなくはないという意味にすぎなかった。結局（eventually）、フランスは二〇〇九年に復帰を果たした。

よくある単純な間違いや誤解はさておき、報道機関における翻訳上のミスは、原文を意訳しすぎるか、直訳しすぎるかのどちらかに起因することが多い。言い換えれば、記事の内容をローカライズしすぎるのも、外国色を残しすぎるのも、どちらもよくないのだ。ほんの一例を挙げると、二〇〇六年、アルカイダの副司令官アイマン・ザワヒリは、エジプトの過激派組織ジェマ・イスラミアがアルカイダに合流したと述べた。ところが、この組織はウェブサイト上の声明でこの発言を「全面的に否定」し、多くの報道機関がそれを翻訳した。そのうちの一つ、ロシアの新聞『イズヴェスチヤ』は、見出しに〈откреститься/otkrestit'sya〉という動詞を使った。この動詞は、「強硬に否定する」という意味の、やや口語的なごくふつうの語だが、語源的には「（不関与を誓うために）胸の前で十字を切る」という意味があり、この意味でとれば、イスラム原理主義者たちがあたかもキリスト教に改宗したかのように聞こえる。そのため、これをネタにしたジョークが山ほど作られた。ついでながら、幸いなことに、英語の成句〈to cross one's heart and hope to die（神に誓って）〉に直接対応するロシア語はない。

報道翻訳と誤訳の切れない縁

ハンガリー語に「誤訳」を意味する新語〈leiterjakab〉が生まれたのは、新聞記者のミスが原因だった。一八六三年、フランスの写真家ナダールが気球による初飛行を行ったとき、あるハンガリー人記者がウィーンの新聞に掲載された記事をもとにして記事を書いた。下敷きとなったドイツ語の記事には「高く、もっと高く、私たちはヤコブの梯子（はしご）（Jakobs Leiter）と同じくらい高くにまで飛んで行きたい」

と書かれていたが、その記者は聖書の引用を見落とし、人名と勘違いして「ヤーコプ・ライター（Jakob Leiter）」なる人物をでっちあげてしまった（実は私も、この記事を初めて読んだとき、気球の名称である〈Le Géant（巨人）〉をナダールの同行者と勘違いして、まごついた記憶がある）。

報道記者なら、誰でも似たような失敗の一つや二つはしでかしているものだ。多義語の場合は、最もよく使われる語義に飛びついて、「米国は制裁を解除した（the US lifted sanctions）」が「米国は制裁を強化した」に化けてしまうといった失策を犯すこともある。また、単純化や一般化をしてしまいがちなせいで、アルジェリアの政府派閥である〈éradicateurs（撲滅派）〉を「原理主義者」と訳してしまうこともある。BBCワールドサービスは、時に「翻訳工場」と揶揄されるほど翻訳者泣かせの職場で、この種の逸話には事欠かない。作家のハミド・イスマイロフは、一九九〇年代初頭のある出来事を報告している。そのとき、中央アジア部の同僚は、ラジオニュース向けに英語の記事をロシア語に翻訳しなければならなかった。ニュース編集室から届けられた原稿の冒頭には、「A member of the Kyrgyz parliament, Jokorgu Kenesh, died today」と書かれており、イスマイロフの同僚は、早速これを「キルギス国会議員のジョコルグ・ケネシ氏が本日死去しました」と訳した。そして放送が終わるまで、誰も〈Jokorgu Kenesh〉が「最高会議」の意味だと気づかなかった。「かくして、その日」とイスマイロフは書いている。「私たちはキルギス国会そのものを埋葬してしまったのである」

言葉にまつわる問題は、世界中のニュース編集室で日々生じている。二〇一〇年のある朝、ＢＢ

Cラジオ4の番組「Today」は、こんなニュースを放送した。「一部の翻訳によると、イランのマフムード・アフマディネジャド大統領は、国連による最新の制裁措置を『使用済みのハンカチ』として言下に退けました。これについては『使用済みのティッシュペーパー』とする翻訳もあります。いずれにせよ、ゴミ箱に入れるのに適している、とアフマディネジャド大統領は述べました」。数分後、おそらく編集室の判断で、それ以降ニュースキャスターは「使用済みのハンカチ」ばかりを使うようになり、BBCのテヘラン特派員は「イラン特有の鮮やかな比喩を使った、予想通りの反応だ」とコメントした。この放送については、ロバート・ホランドが研究論文で分析しており、国際報道機関の現状についての洞察を与えてくれる。例外的に二通りの翻訳が提示されたため、いくつもの疑問が生じることになった。どちらが正確だったのか。その違いがどうして重要だったのか。編集室は片方を選ぶ前に、どうして両者に注目させたのか。ホランドは、いくつもの可能性を提示している。番組制作者は、国際的なスキャンダルを避けようとしたのではないか。あるいは、自分たちの「言語間意識（interlingual awareness）」を誇示したかったのではないか。またあるいは、単にジョークとして、ペルシア語からの不正確な翻訳が過去に引き起こしてきた数々の問題を想起させたかったのではないか。その数々の問題の一つに、たとえば、二〇〇六年にCNNが引き起こした不祥事がある。CNNは、イランには「核技術を使う権利がある」というアフマディネジャドの発言の「核技術」を「核兵器」に改変して訳し、イラン国内での活動を一時的に禁止された。

このようなズレが生じる原因の一つは、近年、非英語圏の国々が、たとえば自国の指導者の演説を報道する際などに、自前で英訳したものを使う傾向が強まっていることにある。二〇〇九年、アフマディネジャドは国連演説で、安全保障理事会における拒否権に疑問を呈して物議を醸したが、問題となった一文を、イラン政府は次のように訳した。「How can such a logic comply with humanitarian on spiritual values?（そのような論理と両立しうる人道的あるいは精神的な価値などあるものか）」。ＢＢＣによる翻訳は、それほど断定的な表現ではなかった。「With which human and divine value is this logic compatible?（この論理はどのような人間的価値、神的価値と両立するのか）」。アフマディネジャドの言葉遣いにひときわ細心の注意が必要なことは以前から明らかだった。言葉の食い違いは二〇〇五年に頂点に達した。「シオニズムのない世界」と題された会議で講演したアフマディネジャドは、ホメイニ師の言葉を引用した。欧米メディアは、問題となったペルシア語の表現をまず「イスラエルは地図から抹消されなければならない」と訳したが、この訳文は激しい批判を浴び、「エルサレムを占領している現イスラエル政府は歴史のページから消え去らなければならない」に訂正された。

もう一つの論点は、例によって中立性の問題である。報道関係者は当然のようにそれを目指すだろうが、翻訳にはその過程で必然的に失われる部分がある以上、ことさら公正さをもたらすわけではない。特に原文から一部を抜粋して翻訳する場合は、不偏性を保つのがいっそう難しくなる。抜粋は常に必要な作業であるが、いったん抜粋してしまうと、文脈を考慮に入れても完全には補正できなくなるからだ。ホランドは先の論文で、「情報に基づいた民主的な選択を促進するという精神に基づき」、「粗野な言葉遣い」や「性的な描写」に関するものと同様の警告を放送中に流してはどうかと提案している。つまり、これから始まる報道内容には翻訳（通訳）が含まれており、「英語圏の視聴者にとっては、元の発言とはある程度異なる情報をもたらす」可能性を前もって知らせておくわけだ。ローカライズは、どんなに巧妙に行われたとしても、その問題点を解消するわけではないが、ローカライズしなければ、ニュースは世界中に伝わらない。

ニュースにもダブルミーニングはある

二〇一一年から十二年にかけての冬、ロシアでは議会選挙で与党が勝利したことに対する反発から反政府デモが急増した。デモ参加者は、クレムリンによる不正投票を糾弾し、再選挙を要求した。デモにはさまざまな政治的信念や年齢の国民が参加していたが、その誰もが、民主主義を標榜するこの国で選挙権が侵害されていると感じていた。彼らのスローガンの一つに〈Вы нас даже не представляете /Vy nas dazhe ne predstavlyaete〉というのがあった。「想像する」と「代表する」という二つの意味を持つ動詞〈представлять/predstavlyat'〉に引っかけたダジャレで、「あなた方はわれわれを想像すらできない」とも「あなた方はわれわれを代表してさえいない」とも訳せる。前者の「想像すらできない」という表現は日常会話でもよく使われるが、後者の解釈は、堅苦しい〈represent（代表する）〉と感情にかかわる〈even〉とがぶつかり合って、やや不自然な表現に感じられる。しかし、このスローガンが反政府運動の文脈で使われると、なんとしてでも権力を維持しようとする代議士（representative）と国民との間に横たわる溝を強調する実に巧妙なダジャレになった。

このスローガンは流行し、抗議活動の代表的ミームにもなった（この抗議活動は数カ月後、具体的な成果は何も得られず、自然消滅した）。あらゆるダジャレと同じく、このスローガンも翻訳してしまうと台無しになるのは避けられなかったが、私はなんとか、文脈を二つの方向に広げることでダジャレの損失分を補おうとした。デモに至るまでの数年間、自らの近代化計画を誇るクレムリンは、国家を改善し、政治と経済の両面で西側と肩を並べることを約束した。けれども、腐敗が蔓延し、民主主義を欠いていたため、どのような変化を導入しようとしても、国民の暮らし向きがよくなるわけでもなかった。このスローガンについてあれこれ考えているときに、アメリカ独立戦争時のスローガン「代表なくして課税なし（No taxation without representation）」を思い出した。このスローガンは、十八世紀のアメリカ入植者が、イギリス本国の議会に代表者（代議士）を送る権利がないのに課税はされることに抗議するために使ったのが始まりで、その後もさまざまな活動家が繰り返し使ってきた。そのことを念頭に置いて、私は「代表なくして近代化なし（No modernisation without representation）」と訳してみた。元のロシア語のダジャレは残念ながら活かせなかったが、議会制民主主義を要求するロシア国民の声を、関連する背景も含めて、韻を踏んだ英語のスローガンによって言い換えることができた。

ニュース記事の見出しにも、ダジャレを使った珠玉の逸品がある。たとえば、「Foot Heads

Arms Body」（一九八六年、マイケル・フットが核軍縮委員会の責任者になったという『タイムズ』紙の記事の見出し）、「**Trump Slips on Ban Appeal**」（二〇一七年、特定の国からの入国禁止を命じる大統領令に関するトランプの上訴が却下されたという『ハフポスト』の記事の見出し〔〈Ban Appeal〉を〈slip on a banana peel（バナナの皮で滑る）〉に引っかけたダジャレ〕）、「May Ends in June」（テリーザ・メイ英首相が二〇一九年六月に保守党党首を辞任すると発表したことに関する『デイリー・ミラー』紙の見出し）。しかし、あわただしい報道の世界では、いかに天才的なトランスエディターであっても、一目瞭然の見出しでなければ、泣く泣くボツにせざるをえない。言葉遊びを使った見出しに限らず、ほとんどの見出しは書き直される。書籍のタイトルにも同じ戦略がとられる。タイトルで本を判断してはいけないとされているが、タイトルの重要性（注意を引きつけ、筋書きを要約し、好奇心をくすぐる）は、いくら強調してもしすぎることはない。タイトルに掛詞、現地語、引用、新造語などの仕掛けが施されている場合、翻訳者の多くは、可能な限り作者の創意工夫と一致させようと努力する。等価な表現が見つからない場合は、思い切って原タイトルから飛躍するか、大事をとって、当たり障りのないタイトルに変えるかする。

タイトル変更の効用

タイトルを芸術の域にまでに昇華させた例としては、ペーター・ハントケの小説『*Wunschloses Unglück*（望外の不幸せ）』（邦題『幸せではないが、もういい』）が挙げられる。ハントケは「望外の幸せ

（wunschloses Glück）」という意味のドイツ語の成句をひっくり返して「望外の不幸せ」とし、英語版訳者のラルフ・マンハイムはそれを『*A Sorrow Beyond Dreams*（望外の悲しみ）』と訳した。別の例では、トム・マッカーシーの小説のタイトル『*Remainder*』（邦題『もう一度』）を、フランス語訳者のティエリ・ドコティニはひねりを効かせて、『*Et ce sont les chats qui tombèrent*（そして落ちたのは猫たち）』と詩の一節のように訳した（これは、この本の中で繰り返し出てくるエピソードにちなむ）。また、フランスの作家ミシェル・ウエルベックのデビュー小説『闘争領域の拡大（*Extension du domaine de la lutte*）』を英訳したポール・ハモンドは、その英題に見事なまでに簡潔な『*Whatever*（どうだっていい）』を選んだ。

カルト的人気を誇るヴィクトル・ペレーヴィンの小説『*Generation "П"*』（邦題『ジェネレーション〈P〉』）には、タイトルにまつわる入り組んだ話がある。一九九九年に出版されたこのロシア語作品は、ソ連邦崩壊後に芽生えた初期資本主義の高揚した時代を描いた物語だ。英語とギリシア語を組み合わせたタイトルになっており、ギリシア文字〈Π（パイ）〉はローマ字の〈P〉に相当するが、これは〈Pepsi（ペプシ）〉を意味する。アンドリュー・ブロムフィールドによる英訳版は、イギリスでは『*Babylon*』というタイトルで出版された。これは、主人公のコピーライターの名前ヴァヴィレンにちなむ（英語版では〈Babe〉と呼ばれている）。アメリカでのタイトルは『*Homo Zapiens*』。この用語はペレーヴィンが自ら考案したもので、モデル消費者を意味する。本文には、そのキリル文字の略語〈Х３〉が登場する。この略語は、「知るかよ（Fuck knows）」に相当するロシア語（Хрен знает/Khren znayet）

を、婉曲的に表現する通俗的な頭字語でもある。しかし、ブロムフィールドがローカライズしなければならなかったのは、小説のタイトルだけではなかった。

ロシア語の原文にはダジャレを活かしたキャッチコピーが満載なのだが、英訳版ではその一部が賢明にも省略されている。「半時間にわたる、最も集中力を要する知的作業の末に」生み出されるのは、またしても馬鹿げたキャッチコピーでしかないのだから、それをカットすることで、過剰な言葉遊びから解放されて一息つけるというわけだ。その代わり、ブロムフィールドは別の箇所で、省略されたダジャレを補って余りある、新しいダジャレをいくつも考案している。「Ariel. Temptingly tempestuous（アリエール。『テンペスト』の妖精アリエルの魔法にかけられたように、きれいに洗えーる）」（洗濯用粉末洗剤）。「Three More White Lines（今なら白のラインがもう三本）」（アディダスのシューズ）。「A first-class lord for you happy lot!（一流の民（たみ）には一流の神（かみ））」（全能の神）。英語版ではこのキャッチコピーに合わせて「神の広告」案が書き換えられているが、最後の部分はそのまま逐語的に訳されている。一仕事終えたコピーライターは、仕上がった作品を見て、涙をこらえながら問いかける。「Dost Thou like it, Lord?（主よ、お気に召しましたか？）」

ペレーヴィン（とブロムフィールド）が考案したキャッチコピーには、かなり出来のいいものもあれば、ペレーヴィンの目論見通り、史上最低の駄作と呼ばれるにふさわしいものもある。ここで、今も増え続ける失敗作コレクションの中から、古典的な迷キャッチコピーをいくつか紹介しておこう。「Come alive! You're in the Pepsi generation!（元気に行こう！　ペプシ世代！）」というキャッチコピーが中国語に翻訳されると、「ペプシはあなたの先祖を蘇らせる」といった意味合いの言葉に化けたという話がある（翻訳にまつわる逸話と同様、広告の逸話は、最終的なキャッチコピー以外にも選ばれなかった数多くの候補作があるために、作り話が紛れ込む可能性が少なくない）。

同様に、一九九〇年代後半にフランスの携帯電話会社「ORANGE」が北アイルランドで展開したキャンペーンも失敗に終わった。地元のカトリック系住民にとって、「The future's bright, the future's Orange（明るい未来はオレンジ色）」というキャッチコピーは、イギリスからの独立に反対するプロテスタント系住民を暗示するものだったからだ。新聞には連日「Orange Gets Red Light（オレンジに赤信号）」といった見出しが躍り、このキャンペーンはほとんど収益を上げられずに終了した。何も「オレンジ結社（Orange Order）」（アイルランドで結成されたプロテスタントの秘密結社）を連想させたことだけが失敗の原因だったわけでもないだろうが、もう少しきちんとローカライズして、オレンジ色以外の地方色を加味しておけばと思わざるをえない。

しかしまた、ターゲットとなる消費者に適したメッセージであっても、おかしく聞こえてしまう場合がある。よく引かれる例だが、一九七〇年代にイギリスの広告代理店がスウェーデンの家電メーカー、エレクトロラックス（Electrolux）の掃除機を宣伝するために、「Nothing sucks like an Electrolux（吸引力ならエレクトロラックス）」というキャッチフレーズを考案した。多くのアメリカ人は、このキャッチフレーズをブランド戦略の大失敗と見て笑ったが、〈suck〉の俗語用法がまだ伝わっていなかったイギリスの消費者にとっては、それで何の問題もなかった。どうやら単語は文脈よりも速く伝わるものらしい。この現象は少なくとも三百年前にまでさかのぼる。そのころヨーロッパでは、「spectateur（スペクタトゥール）」を紙名に含む数多くの類似新聞が生み出されていたのだった。

第十五章

現地人との付き合い方

Dealing with the Natives

通訳の不遇さの古今東西

一八七〇年四月十一日、イギリス人七名とイタリア人二名からなる旅行者一行がアテネを出発し、マラトンの古戦場へと向かった。一行には、通訳ガイド（ドラゴマン）のギリシア人アレクサンドロス・アネモヤニスが帯同していた。アネモヤニスは、歴史家ロミリー・ジェンキンスによれば、「外国人旅行者の間で、少し胡散臭いところはあるものの、広く知られた評判の」ガイドだった。当時のギリシア王国にはクレフテスと呼ばれる山賊がはびこっており、地方は治安の悪さで有名だった。マラトンからの帰途、旅行者一行は護衛のために軍から派遣された部隊と出くわしたが、護衛を断り先を急いだ。ほどなくして、一行は山賊の襲撃に遭う。女性は解放されたが、男性はそのまま人質として拘束された。アネモヤニスは逃げ出そうとしたが、山賊は「ドラゴマンもだ！」と叫んで、彼を捕らえた。

その後、人質交渉が行われ、アネモヤニスが仲介役の一端を担った。山賊は三万二千ポンドという法外な身代金（後に五万ポンドに引き上げられた）に加え、自分らの免罪と投獄中の仲間の釈放を要求した。人質の一人、マンカスター卿（その名を聞いて、山賊はどういうわけかヴィクトリア女王の親類だと勘違いした）は、身代金の手配のために解放された。イギリス政府は要求通りの金額を支払う手はずを整えていたが、ギリシア政府がクレフテスと結託しているのではないかと疑い、救出部隊を組織した。

だが、救出活動は思うように進まなかった。山賊の首領は人質に何度も、即座に条件を呑まなければ喉をかき切ると脅した。アネモヤニスはその要求を通訳したが、脅しの部分は伝えなかった。救出隊の兵士に追われる立場となった山賊は、その隊長に新たなメッセージを伝えるべく、アネモヤニスを伝令役として送り出した。イオアンニス・ゲンナディオスが『*Notes on the Recent Murders by Brigands in Greece*（ギリシアの山賊による最近の殺人事件に関する覚え書）』で報告しているように、隊長はアネモヤニスに、急いで戻って山賊にこう伝えよと命じた。「我が軍の兵士には発砲するなと命じてあるから、シカミノでは不安に駆られず、心穏やかに過ごせるだろう。金はそこで受け取れる。その後は政府が約束した通り、安全な状態で国外に出られる手はずになっている」。だが、アネモヤニスはこの返事を山賊に伝えそこねた。山賊はすでにシカミノを離れ、ディレシ村に向かって逃走し始めていたからだ。残りの四人の人質（イタリア公使館とイギリス公使館の書記官、弁護士、青年貴族）は足手まといになり、ディレシ付近で山賊に殺された。ジェンキンスは『*The*

Dilessi Murders（ディレシ事件）』で、「この誘拐事件でアレクサンドロスというドラゴマンが果たした役割は、事件全体で最も不可解な特徴の一つである」と記し、彼を「まったく信用ならない仲介者かつ証人」と呼んでいる。アネモヤニスは、山賊と共謀した罪（人質交渉における未必の故意を含む）で起訴された。裁判では、護衛部隊の一人が、旅行者一行に何度も山賊の危険を警告し、護衛なしで進まないよう説得したが、聞き入れてもらえなかったと証言している。アネモヤニスは、警告についてはきちんと通訳したと供述したが、その信憑性には疑義が呈された。彼はまた、救出隊の使者が人質たちとイタリア語で交わした会話の内容を山賊にばらしたとも言われている。

　ゲンナディオスは自国ギリシアを擁護するため、たとえ「案内人（チチェローネ）の裏切り」がこの悲劇に一役買っていたとしても、個人的に雇った民間ガイドの行為にまで政府が責任を負う義務はないと力説している。さらにゲンナディオスは、アネモヤニスの起訴理由の一部に異議を唱え、こうも言っている。「二人の男性はあらゆる点でほぼ同一の供述をし、マンカスター卿よりもギリシア語がよく理解できるのだから、誤解しているのはマンカスター卿である可能性のほうがはるかに高い」。しかし、マンカスター卿のギリシア語レベルがどうであれ、当然ながら、アネモヤニスはすべての発言を端折ることなく英語に訳すべきだった。人はえてして、通訳者を介した発言について間違った思い込みをしてしまうものだ。たとえば、干渉を最小限に抑えるために（あるいは単に時間を節約するために）、通訳者は聞き手が理解できないと思われる箇所だけを訳し、それ以外は黙っているべきと考える人もいるが、この考えは間違っている。そのような方法では、通訳の場がメタ言語的な地雷原になりかねない。

結局、アネモヤニスは不利な証拠の存在にもかかわらず、無罪放免となった。ジェンキンスによれば、その後どうにかガイドの仕事に復帰して、長らく外国人観光客の地方旅行に付き添ったらしい。経歴の汚点に関する噂も広まっていたに違いないが、当時もその後も、旅行者の多くは、地元民に対する最大限の疑念をガイドに投影しつつ、ガイドが詐欺師である可能性もしっかり考慮に入れていた。そのころ人気を博したベデカー社の旅行案内書（エジプト編）には、ガイドを含む「現地人との付き合い方」や、ガイドを探すのに最適な場所、その費用についての過保護なまでのアドバイスが記されている。一八九二年版のベデカーには、こう書いてある。「カイロには約九十人のドラゴマンがおり、程度の差はあるが、みな知的で有能である。しかし、信頼できるのはその半数にも満たない」

十九世紀の通訳者のリアル

十九世紀末の旅行記には、東洋の風景の一部として通訳ガイドがしばしば顔をのぞかせている。異国情緒が感じられ、絵になるものほど旅行者の人気が高かったが、彼らを満足させるのはそう簡単ではなかった。旅行者は変化に富んだ自然の風景だけでなく、有能な専門ガイドも必要としていたからだ。とはいえ、後者には根本的な困難がつきまとう。旅行者にはそもそも、ガイドが発する聞き慣れない言葉が正確かどうかを判断する方法がないのだから。アメリカの作家チャールズ・ダドレー・ウォーナーは旅行記『*My Winter on the Nile*（ナイルの冬）』の中で、こう記している。「東洋のドラゴマンはしゃべるのが嫌いなわけではないが、いつも会話に支障をきたすほど簡略化した表現で通訳する。思うに、このような取材においては、ドラゴマンはたいてい、こちらの意図を自分なりに汲み取って取材相手に質問し、こちらが望んでいる内容を忖度して返事を寄こすのだろう」

当時のフリーランスの通訳ガイドは（当時に限らず、この職業の歴史においては、ずっとそうだったが）、本業以外の仕事――交渉事やスパイ活動、雇い主の身の回りの世話や警護、使い走りや仲介、商品やサービスの調達など――もさせられていた。雇い主の意にそぐわないことがあればきまってガイドのせいにされ、どんなに勤勉に働いてもほとんど評価されず、ただ罵倒されるばかりのケースも多かった。一方、レイチェル・メアーズとマヤ・ムラトフの共著『*Archaeologists, Tourists, Interpreters*（考古学者、旅行者、通訳者）』には、それよりも恵まれたガイドの事例が記されている。ソロモン・ネギマというドラゴマンの存在は、彼の職歴を証明する、顧客からの感謝状や写真などで構成された「推薦帳」が発見されなければ、多くの通訳者たちと同じく、歴史の片隅に忘れ去られていたことだろう。たとえば、推薦帳の一八九一年四月十八日付のページには、こんな推薦文が掲載されている。「私、ダルリンプル卿は、一八九一年春にスレイマン・ネギマをドラゴマンとしてパレスチナとシリアを旅行し、彼がすこぶる聡明かつ親切で、あらゆる面で有用な人物であることをこの目でしかと見届けた。上記の地域を旅しようと計画中のすべての御一行に対し、彼を強く推薦申し上げる次第である」

シリア人のネギマはカトリック教徒で、ドイツ人宣教師が設立した学校に通っていたため、英語とドイツ語に堪能だった。一八八五年にイギリス軍の従軍通訳者となり、エジプトとスーダンに赴いた。除隊後は観光客相手にガイドの仕事をするようになった。語学力だけでなく、温厚な性格も高く評価されていたネギマだったが、当時も今も多くの通訳者がそうであるように、面倒な雇い主を相手にしなければならないことも少なくなかった。たとえば、エレン・E・ミラーというイギリス人女性は、その旅行記『*Alone Through Syria*（シリア一人旅）』（ちなみに、「一人旅」というのは、ヨーロッパ人の同行者がいなかったという意味）で、彼は臆病すぎると憤慨している。現地人の天幕(テント)の中をのぞこうとする彼女の無遠慮な計画にネギマが協力しなかったからだ。彼女はまた、病気で寝込むと彼に看病をさせた。一方、顧客に恵まれることもあった。たとえば、オックスフォードから来た英国国教会牧師ジョゼフ・ルウェリン・トマスがそうだった。もちろん、この牧師もネギマを使用人扱いしたが、彼はエキゾチックな冒険旅行にあまり関心がなかった。トマスもまた、ネギマの推薦帳――今なら〈LinkedIn〉のプロフィール画面に表示される推薦コメント欄のようなもの――に、熱烈な推薦文を寄せている。

アレクサンドロス・アネモヤニスも同様の推薦帳を用意していたのかどうか、また無罪放免になった後、どのような方法で旅行客を勧誘してガイドの仕事にありついていたのかはわからない。ある意味、ギリシアのあの地域にまだ訪れる旅行者がいたのは、運がよかっただけとも言える。ヨーロッパ中の注目を集めたディレシ事件は、ギリシアとイギリスの外交関係を危うくした。一八二一年から二十九年にかけてのギリシア独立戦争において、イギリスは、オスマン帝国の支配からの脱却を図るギリシアを支援し、一八三〇年代以降はギリシアの庇護国の一つとなっていた。その一方で、イギリス国民の多くは、ギリシアを植民地同然に扱われても仕方ない国と考え、ギリシア国民全体を、過去の偉大なヘレニズム文化にもはや値しない野蛮な山賊民族（クレフテス）と認識していた。

アメリカの在ギリシア公使チャールズ・タッカーマンは、大きな反響を呼んだ一八七一年の小著『*Brigandage in Greece*（ギリシアの山賊行為）』の中で、クレフテス文化を汚職や犯罪、恐喝がはびこる政治体制の温床とみなしている。数年後、あるギリシアの外務官僚が、この小著をギリシア語に訳し、巧妙な言語学的議論を展開しつつ、ギリシアにはなんら責任がないと主張した。ロダンティ・ツァネッリがある論文で指摘しているように、この外務官僚は、原文にあった「恐喝（blackmail）」という単語を翻訳から省き、その理由を脚注でこう説明している。「これはイングランドとスコットランドの伝統の一部である。というのも、お気づきのように、この二つの言語の語彙には、その行為を表す独自の単語が見出されるからだ。一方、われわれの言語にそのような語は存在しないし、それが創り出される可能性も必要もない」。巧みな論理展開ではあるが、隙がないわけではない。ギリシア語にも英語の〈blackmail〉に相当する語は存在するからだ。〈εκβιασμος/ekviasmos〉は〈blackmail〉と意味がまったく同じとは言えないにしても、〈violence〉と同語源（語根〈βία/via〉を共有）であり、現代ギリシア語話者の語感に従えば、特に金銭的な利益を連想させるわけではないが、同じ意味合いの語であることには変わりはない。

言葉の面から見れば、当時のイギリスとギリシアの関係はかなり錯綜していたようだ。これは、おそらくイギリスの帝国主義的政策の反映だろう。『オックスフォード英語大辞典（ＯＥＤ）』初版（一九三三年）を読むと、十九世紀イギリスの典拠には、アイルランドとギリシアを結びつける単語が見つかる。たとえば、アイルランドの「無法地帯」は、しばしば〈Grecian〉と呼ばれた。また、『テレグラフ』紙はギリシアの山賊を「大陸風のフェニアン団（十九世紀にアイルランドの独立を目指した秘密結社）」と呼び、『スタンダード』紙は、〈Greek〉は〈Irish〉を意味する植民地スラングだと述べている。ディレシ事件以降、イギリスの政治家はギリシアの山賊を〈banditti〉と呼ぶことが増えたが、この語は、アイルランドの地方で活動していた秘密結社のメンバー、リボンメン（Ribbonmen）にも適用された。このように、イギリスの帝国主義的態度は、いとも簡単に国境を越えた――たとえ、それが信頼できないガイドと一緒に旅行することであったとしても。

減点の機会だけは豊富

通訳者が信用を落とす機会はいくらでもある。黙っていようが話していようが、意訳だろうが逐語訳だろうが、落とし穴はどこにでも潜んでいる。時にはたった一語を省略するか翻訳するかの選択が、決定的なミスにつながることもある。通訳者がいくら正確に訳しても、まったく評価されず、逆に疑問視されてばかりの場合もある。しかし、こればかりはどうしようもない。依頼人の期待に添えられなかった経験がある通訳者の一人として、そう思う。私はこれまで誠実に仕事をし、ミスをした場合でも速やかに訂正してきたつもりなので、情状酌量の余地くらいはあるかもしれないが、だからといって、すべてが免責されるわけではない。しかし、仮に私が間違いとは無縁だったとしても（仕事の性質や制約を考えると想像すら難しいが）、多くの依頼人が私に寄せる信頼の厚さにはやはり驚ろいてしまうに違いない。たとえば、警察の留置場や裁判所の証人室で初めて私に会った依頼人の多くは、同じ言語が通じる私を自分を助けるために駆けつけてくれた味方だと考え、この人になら洗いざらい話をしても大丈夫だと思い込む。だから、私は依頼人に、私を弁護士と勘違いしないように、私を単なる機械だとみなすように、相手の英語話者に聞いてほしいことだけを話すようにと伝える。いったんテープが回り始めれば、依頼人の発言はすべて通訳しなければならない決まりなので、たとえば、「最初にパンチをお見舞いしたのは俺のほうだ、なんてことは言わないほうがいいかな？」というような、ヒソヒソ話も控えるようにと念を押しておく。時にはこうした事前説明のほうがよっぽど骨が折れる。

そして、いよいよ本番が始まる。ミスを犯す機会も多く、それを訂正する時間もほとんどない。後から思い出しては、自己不信に陥ることもある。以前、家庭内暴力をめぐる裁判で、被害者女性が発したロシア語を〈he was drunk〉（彼は酔っていた）と英訳したことがある（彼女が使ったのは、〈выпивши/vypivshi〉という、ごく一般的で用途の広い単語だったが、この語はふつう「泥酔状態」には使わない）。一瞬〈tipsy（ほろ酔い状態）〉という語も頭をかすめたが、古めかしい語なので却下した。同様に「彼は酩酊状態にあったが、その程度は低から中、もしかしたらそれよりも少し上だったかもしれないが、決して高ではなかった」ではあまりに堅苦しいし、長すぎる。この場合は、「he had been drinking（彼は酒を飲んでいた）」が最も適していたのだが、なぜだか思いつかなかった。

通訳途中で自分の間違いに気づき、あわてて「The interpreter would like to make a correction ...（通訳者から、一つ訂正を申し上げます）」と言うこともある。そんなときは、たいてい仕事が終わってから用語集やメモ、参考資料を見直す。たまには、内容と形式の両方を正しく訳せることもある。たとえば、強姦容疑の男性の尋問に立ち会ったときがそうだった。私は容疑者の話すロシア語を英語に訳したが、彼は警察に「合意の上だった」と供述した。見るからに好印象を与えようと必死な彼は、被害者女性との出会い（近所の公園で仲間とどんちゃん騒ぎの最中に、少し離れた木立にいるのを見かけた）を十九世紀の恋愛小説に出てくるような言葉遣いでしゃべった。私は容疑者の供述をこんなふうに通訳した。

遠くに目を向けると、見目麗しい妙齢の女性が木にもたれかかり、誘惑するような大胆なポーズをしているのが目に入りました。にわかに情熱に火がついたので、仲間にからかわれながらもベンチから立ち上がり、孤独な夢想に耽っているその女性に近づいてみると、彼女もまんざらでもない様子であることが見てとれました。そして、その木の下に身を落ち着けるやいなや、熱い抱擁を交わしていたのです……

容疑者の供述がデタラメであることは火を見るより明らかだったが、それでも私は即興で語彙も文体もなるべく忠実に再現しようと努めた。

通訳はクリケットの試合とは異なり、公平さが欠けている。通訳に登場するのは、通訳元言語（ソース）の話者、通訳先言語（ターゲット）の話者、仲介者という三人の選手だ。仲介者を除く二人のどちらか一方は、試合中に何が起こっているのかをまったく理解できないため、自分に不利な八百長試合だとみなしてしまうのも無理はない。負けそうになると、あるいは負けそうだと思い込むと、きまって本能的に試合のすべてを把握している仲介者を責め立てる。しかし、通訳元言語の話者の発言に筋の通らない表現が含まれている場合は、コミュニケーション自体が破綻する。通訳者の立場で言えば、通訳元言語の発言が怪しければ怪しいほど、通訳するのが困難になる。この相互不信の悪循環は、なかなか断ち切れない。たとえば、一九一七年ごろにエジプトから投函された一枚の絵葉書を目にすれば、通訳者も通訳サービス利用者も、その多くが思わず膝を打つことだろう。この絵葉書の写真に写っているのは、民族衣装を身にまとい、トルコ帽をかぶった褐色の肌の男性だ。そのしっかりと見開いた目からは、いかにも誠実そうな人柄がうかがえる。キャプションには「信頼できるドラゴマン」とある。そして、通信文はこう綴られている。「この男は通訳ガイド。『信頼できるドラゴマン』と書いてあるが、真に受けるな」

第十六章

名を正す

Rectify the Names

イギリスの人類学者A・ヘンリー・サヴェージ・ランドーは『*China and the Allies*（中国と連合軍）』の中で、「中国の排外主義結社が自称する『義和団』の訳語として、いったい誰が〈Boxers（拳闘団、拳民）〉という名前を考案したのかは知らないが、誰の仕業であろうとその訳語は間違っている」と書いている。一八九〇年代にチベットを旅して回り、中国語の方言にも詳しいこの経験豊かな冒険家は、外国のあらゆる事物に対する反乱である「義和団の乱（Boxer Rebellion）」が中国を席巻した一九〇〇年に、報道記者として中国にいた。ランドーは、この秘密の（そして清朝政府からも秘密裏に支援を受けていた）結社に付けられたいくつかの名称について検討し、そのうちの一つ「義和団」を〈Volunteer United Trained Bands〉と訳し、別の一つ「義和拳」を〈Volunteer United Fists〉と訳した。

ロシア人ジャーナリストのドミートリー・ヤンチェヴェツキーも、義和団蜂起を現地で取材していた。彼の著書『*У стен недвижного Китая/U sten nedvizhnago Kitaya*（動かざる中国の壁のそばで）』も、ランドーの『中国と連合軍』と同じ事件を扱っているが、この二冊はまったく異なるスタイルで書かれている。ヤンチェヴェツキーの書名はプーシキンの愛国的な詩の一節から取られたもので、それが叙述の基調をなしている。彼の美辞麗句に富んだ文章には、過激な愛国主義的表現がちらほら顔をのぞかせる。謹厳実直なランドーは、基本的にきちんと事実確認をした上で情報を伝えるが、詩人気質のヤンチェヴェツキーは、時に想像力に身を委ねて道を踏み外してしまう。サンクトペテルブルク大学東洋学部を卒業した彼に何かこだわりがあったとすれば、それは中国語だった。中国語には各地方で話される数多くの方言と、中国全土で使用される公式的な書き言葉があり、学生にとっては後者だけでもかなりの難関だ。ランドーが「義和団」（または「義和拳」）に含まれる最初の二文字（「義（righteousness）」と「和（harmony）」）の使用を避けて〈Volunteer United〉と意訳したのに対し、ヤンチェヴェツキーはその二文字を即興的に組み合わせて、「誠実と調和の民兵（または拳）」とロシア語で直訳している。

「義和団」という訳の是非

私がヤンチェヴェツキーの著作を英訳した際は、英語の文献で広く使われている〈Righteous

and Harmonious Militia（正義と調和の民兵）〉や〈Righteous and Harmonious Fists（正義と調和の拳）〉、さらには〈Boxers United in Righteousness〉、あるいは単に〈Boxers〉を使った。また、編集者向けに固有名詞の一覧表を作成し、古今さまざまな翻字方式に従って綴られた多様なスペルの中から適当なものを選んでもらう必要もあった。ランドーの表記はまったく参考にならなかった。何しろ最初の数ページを読んだだけでも、一つの中国語の単語を何通りにも表記しているのだ。幸いヤンチェヴェツキーの表記は、ランドーよりも一貫していた。〈Boxers〉という訳語は誤解を招くという点については、両者の意見が一致している。彼らは何も素手で戦っていたわけではない。武術は義和団の修行における重要な要素ではあったが（ほかにも、肉体の鍛錬や呪術によって神通力の獲得を目指す修行などがあった）、彼らの主目的は、招かれざる客として中国を訪れ、技術的には進んでいるが、中国の伝統的生活を破壊しかねない外国人に一致団結して立ち向かうことだった。

　義和団の行動は「和」とは無縁のものだった。清朝政府の義和団に対する対応も予測不可能で、いきなり彼らの殲滅（せんめつ）を命じたかと思うと、次の日には支援政策に逆戻りした。ランドーによれば、西太后が「いわゆる〈Boxers〉を承認する通達の一つで、よそ者の前では、決して『和（Harmony）』という語を口にするなという厳しい指示を出した」ため、「和」という漢字が清朝公認の「合（united）」に変更されたという。この語は一部の翻訳に取り入れられたが、多くの翻訳では〈harmonious（和）〉のままだった。しかし、どちらの漢字にしても、義和団が外国人（および外国人と親しい中国人）に対して行った残虐行為を反映していないことに変わりはなかった。

一つの史実についての二つの描写

北京に移る前、ランドーとヤンチェヴェッキーはどちらも天津を拠点に取材活動をしていた。一九〇〇年六月、両都市には暗雲が垂れ込め、特に首都北京は深刻な状況に陥っていた。暴徒が市中に火を放つなどしていたため、外国人居住者は被害を恐れ公使館地区の外に出ようとしなかった。連合軍が自国民救出のために天津から北京に向かって進軍していたが、進路を敵に阻まれ、その歩みは遅かった。義和団にとって電信は鉄道と同じくらい邪悪なものであり、ヨーロッパ人が敷設した電線はいたるところで断線、あるいは混線させられた。天津で足止めを食らっていたヤンチェヴェッキーは、得られる情報が信憑性の低いものばかりだったからこそ、それに乗じて自分の記事に身の毛もよだつ扇情的な一節を書き加えたのかもしれない。

ヤンチェヴェッキーの本には、火の精霊の神殿（火神廟）で行われた義和団の集会に関する記述があるが、これは完全に想像力の産物であり、タイトルに「赤の習作」とでも名付けたくなる描写が延々と続く。地元民しか足を踏み入れない町外れの神殿には赤い提灯（ちょうちん）がともり、境内は赤いハチマキや赤いベルト、謎の象形文字が縫い取られた赤いスカーフを身に着けた半裸の男たちで足の踏み場もない。満を持して全身赤ずくめのリーダーが登場し、外国人を皆殺しにせよと扇動的な演説を始める。「俺たちは北京の日本公使館に勤める日本人通訳者を処刑した」とリーダーは報告する。

「禁を破って城門を通り抜けようとしたからだ。董福祥（とうふくしょう）の騎兵たちが彼を捕え、鼻、耳、唇、指を次々と切り落とし、全身メッタ刺しにした。背中の皮膚はベルト用にと切り取られ、胸は引き裂かれて心臓がもぎ取られた」。むごたらしい描写はさらに続き、極めつけの煽り文句で最高潮を迎える。「俺たちは敵の心臓を切り裂いて喰らった。今や俺の胸の中には敵の心臓の切れ端がある。もう敵など怖くない」

ランドーは、この事件をいたって簡潔に報告している。「日本公使館書記官〈Mr. Sogiyama〉は駅へと向かう途中、董（とう）将軍配下の騎馬隊兵士に惨殺された」。杉山彬（あきら）（ほとんどの英語資料では、〈Akira Sugiyama〉と正しく綴られている）は、確かに公使館の書記官だった。彼は日本軍部隊を出迎えるために駅に向かう途中、城門で敵軍兵士に捕らえられ、衆人環視のもとで殺害された。杉山は、北京の国際社会がこの紛争で被った初の犠牲者だった。翌日、彼のバラバラ死体が発見されたが、心臓はすでに切り取られ、戦利品として董将軍のもとに送られていたという。ランドーはこの噂に触れていないが、ヤンチェヴェツキーは、この場面を赤絵の具をふんだんに使って描き上げたのだった。このロシア人記者は、誰かの報告をもとに通訳者の話をでっち上げたのだろうか、それとも単なる誤解だったのだろうか。とにかく、**誤訳**のせいで架空の通訳者が生み出され、またたく間に惨殺されてしまった。多言語による戦争の、なんという比喩だろう！

危険を顧みなかった通訳者たち

戦闘に巻き込まれた実在の通訳者に関して言えば、〈foreign devil〉（二十世紀初頭の資料でよく見かける、西洋人に対する中国語の蔑称「洋鬼子（ヤンクイズ）」の直訳表現）に雇われた現地通訳者は、その多くが大きな代償を払うはめになった。ランドーは、北京から百マイル（百六十キロメートル）ほど離れた場所で働いていたヨーロッパ人鉄道技師の一団が暴徒に襲われた事件を報告している。「技師の通訳をしていた三人の中国人がベルギー領事館に駆け込んで来て、涙ながらに訴えた。雇い主が義和団に襲撃された。すぐに助けに行かないと皆殺しにされてしまう」。早速、救出チームが組織され、通訳者の一人とともに現地へ向かった。その後、生存者が語ったところによると、技師団所有のジャンク船の船室で縮こまっていたヨーロッパ人たちを、別の中国人通訳者が敵の砲火から守ろうとしてくれたそうだ。技師団の大半はどうにか北京の安全な地区までたどり着いたが、技師長とその妹、二人の技師は命を落とした。忠義に厚い通訳者の消息は不明である。

報復の危険があったにもかかわらず、外国人との付き合いをやめない中国人もいた。ヤンチェヴェツキーは、「劉（りゅう）という名を持つれっきとした中国人紳士だが、レオニード・イヴァノヴィッチという名で広く知られている」人物について親しみを込めて語っている。劉は天津の学校教師で、地方長官の通訳もしていた。ロシア語に堪能だった彼は、ロシア人との交流を望んでいた。ある小旅行の際、「中国の菓子、ヨーロッパの食事、上海産のシャンパン」に舌鼓を打ちながら、劉は義和団運動の歴史について語り始めた。その後ろ向きな考え方を嘲笑しつつ、彼は十八世紀後半から中国で起こった他の反乱運動を引き合いに出した。劉によれば、義和団は大拳から発展したもので、その前身には大刀会、紅灯照、金鐘罩など、多くの組織があったという。ちなみに、劉のフルネームは知られていない。他の通訳者の名前も同じく歴史の闇の中に埋もれたままだ。ヤンチェヴェツキーの本には、ペトル・イヴァノヴィッチという名の有能な中国人通訳者をともなって中国全土をめぐった技師の話も出てくる。こうしたロシア人風の名前について、当の中国人たちがどう思っていたのかはわからない。おそらく隣の大国とは仲よくしておくのが賢明だと考えていたのだろう。

ヤンチェヴェツキーの本を、中国語の人名をかき分けながら、さらには不明瞭な肩書きや地名、組織名につまずきながら読み進めていると、ふと『論語』の一節が念頭に浮かんだ。もし一国を任されたらどうするかと問われた孔子は、何よりもまず「名を正す（rectify the names）」（サイモン・レイ訳）と答える。「もし名が正しくなければ、言葉は対象を持たない。言葉が対象を持たないなら、何も成し遂げられない。（中略）儀式や音楽は廃れ、刑罰は的外れになってしまうので、人は自分の立ち位置がわからなくなる」。名の重要性は翻訳者も強く感じているが、それは作者も同じで、特に翻訳される可能性を想定している場合はそうである。思うに、〈Boxers（拳闘団）〉は自分たちの結社名にもっと気を配るべきだったのだ。そうすれば、スポーツクラブと勘違いされずに済んだだろう。

義和団事件のさなか、ヤンチェヴェツキーも通訳として捕虜を尋問する機会があった。そんなある機会に、負傷してほとんど意識のない男からわずかばかりのうわ言を引き出した彼は、その男に同情的な感想を漏らしている。「その捕虜が最終的にどうなったかは知らないが、連合軍兵士が生かしておいたとは思えない。その命は一文の値打ちもなかった」。人間の尊厳が危機に瀕しているのを目の当たりにして、さすがにヤンチェヴェツキーの民族主義精神は引っ込んでしまったらしい。通訳業務に関しては、当初、方言に不慣れな点を懸念していた彼だが、そつなくこなしていた。それでも、劉のような博識のベテランを前にすると、自分の至らなさに身が引き締まる思いがした。劉と連れ立って清帝国の大物大臣、李鴻章（りこうしょう）を訪ねた際は、なおさらそう感じた（勤め先の学校を義和団に焼き払われてしまった劉は、天津から北京に移り、そこで大臣の通訳をしていた）。「この偉大な人物に対し、いったい何と話しかければいいのだろう？」。ヤンチェヴェツキーがぼんやりそう考えていると、劉が救いの手を差し伸べ、大臣に「このロシア人記者は、昨今の我が国での出来事について有益な意見を述べることができれば恐悦至極に存じます、と申しております」と伝えてくれた。

あるとき、天津のロシア領事館を訪れたヤンチェヴェツキーは、ロシアのご婦人方が中国人の使用人と談笑しているのを聞いてあっけにとられた。「彼女たちはなんと見事に孔子の言語を話していたことか！」。その流暢な話しぶりの理由を、彼は中国語の特徴に求めた。音素ではなく形態素を表す文字（漢字）が何万もある中国語の書き言葉に比べると、話し言葉は文法がそれほど複雑ではないため、比較的容易に習得できるのではないかと考えたのだ。彼はその実例として、コサック族が極東でしばらく暮らすうちになんとか会話できるようになった話や、中国語を二年間勉強しただけで外交官として立派に活躍する役人の話など、さまざまな事例を挙げている。

翻訳時に改変された条約

外交と翻訳は、例によって表裏一体の関係にあった。義和団事件の四十数年前にはアロー戦争（第二次アヘン戦争）が起こっているが、清帝国はその講和条約において、外国公使館の北京常駐や開港場（国際貿易港）の追加など、多くの譲歩を余儀なくされた。当時の清はあまりに弱く、英仏の要求に抗う力がなかったのだ。そのため、条約文書の一つに予期せぬ条項が紛れ込むことにもなった。ウィリアム・ガスコイン＝セシルは『*Changing China*（変わりゆく中国）』の中で、一八六〇年に英仏両国が清帝国と北京条約を結んだ際のある出来事に触れている。中国語が読めないフランス公使は、「極めて有能なイエズス会士」ドラマール神父の通訳を頼りに中国語版に目を通した。その際、神父は本文に二つの条項を付け足した。一つは中国でキリスト教徒の宗教活動を許可する条項、もう一つはフランスの宣教師に土地の所有権などの重要な財産権を与える条項だった。「この敬虔なる不正操作が発覚したとき」とガスコイン＝セシルは書いている。「フランス公使は通訳者の非を責めるのは得策でないと考えた。そのため、この条約はフランス側によって法的拘束力を有するものとみなされ、中国側からは何の疑義も呈されなかった」

ポール・A・コーエンは『*China and Christianity*（中国とキリスト教）』の中で、より詳しい内容を伝えている。「連合軍は中国当局に、キリスト教宣教師と改宗者の特権をさらに強化する追加協定に同意させた」。条約のフランス語原本は、戦争でカトリック教徒が失った損害の賠償を約束した清国皇帝の先の勅令を追認したものにすぎなかったが、中国語原本は極めて重大な影響をおよぼすものだった。その文言に従えば、フランスの宣教師は中国全土で土地を賃借または購入でき、その土地に建物も建てられる。カトリック信仰も中国全土で許され、法的正当性なくキリスト教徒を逮捕する行為は罰せられる。中国側はそのような条項を含む「中国語原本を正本として受け入れた」とコーエンは書いている。両版の相違については、「フランス側通訳者の一人が不誠実であったことが原因らしい」が「誰がこの原文改変を行ったのかについては、まだ推測の域を出ていない」と述べている。ドラマールが犯人だとする歴史家もいれば、別のフランス人通訳者メリタン男爵の「本人の告白に基づき」、彼にその責任を帰する歴史家もいる。さらに、戦争中のフランス軍司令官であったグロ男爵が、同胞の特権を確保するために原文の改変を黙認したとみる研究者もいる。おそらく、この策略は一人の通訳者の一存ではなく、複数の関係者が示し合わせて実行におよんだのだろう。

ヤンチェヴェツキーの著作を翻訳していたとき、何とも不可解な人名や地名だけでなく、彼が極端な愛国主義的感情を吐露している箇所も書き換えてしまいたくなった。結局、そうはしなかったが、それは単に固有名詞を調べるのに手一杯だったからにすぎない。中国語のローマ字やキリル文字への翻字法は、過去百年の間に何度も変更されており、ランドーとヤンチェヴェツキーの著作をはじめとする歴史的文献では、特定の人名や地名の表記が大きく異なる場合がある。両者の著作で特定の人名や地名を確認する際は、図版の写真に注目するのが一番の近道というケースもあった。当時の中国では、カメラを所持する報道関係者は数えるほどしかおらず、現地特派員はみな同じ写真を融通し合っていたからだ。さらに、中国語の公文書のロシア語訳と英語訳はたがいに似通っている場合が多いため、両者を丹念に見比べて英語の当該箇所を見つけ出し、私の訳文に貼り付けた。一から訳したほうが早かったと思うが、信頼性を高めるために手間をかけた。

八週間の包囲の後、連合軍は北京市内に進軍し、各国の公使館を解放した。彼らは清朝政府の機密文書には目もくれなかった。ランドーは、外交を取り仕切る役所（総理各国事務衙門（がもん））――彼自身の言葉を使えば「戦争省（ウォー・オフィス）」――が連合軍の手に落ちた直後のエピソードを記録している。彼によれば、役所の中はひどい散らかりようだった。辺り一面に、中国軍が使用した軍事教練書、火薬や航海術、化学に関する専門書、写真、地図、海図、さらには、中国が諸外国と結んだ条約の原本（ひょっとすると、その四十年前にフランスが改変したものも紛れ込んでいたかもしれない）などが散乱していた。ランドーがうろうろしていると、「何人もの苦力（クーリー）が入ってきて、こうした貴重な書類や文書を片っ端から外の溝に掃き出し始めた」。ランドーは別の逸話も書き留めている。ある宣教師が地方長官の建物の一つで重要な文書を発見し、その翻訳とともに英国当局に届け出たが、「彼はその見返りとして丁重さとはほど遠い扱いを受けた」。

宣教師の多くは、啓蒙と布教の手段である書き言葉に熱中していた。ランドーは、「中国全土で愛され、尊敬されていた」バプテスト派のウェールズ人宣教師ティモシー・リチャードを称賛している。リチャードは数多くの文学書、科学書、宗教書を中国語に訳した人物で、彼の訳書は「『洋鬼子』の知識を余さず知り」たがっていた若い世代にとりわけ人気があった。中国の近代化を推し進める重要人物であったリチャードは、義和団が中国全土で猛威をふるう中、宣教師仲間を守るべく全力を尽くした。一九〇〇年の夏、二百三十九人の宣教師と三万二千人以上の中国人改宗者が殺害された。ジョゼフ・エシェリックは『*The Origins of the Boxer Uprising*（義和団蜂起の起源）』の中で、「中国北部の平凡な村民にとって、不平等条約や砲艦外交、沿岸部の租借権といった問題は、対岸の火事に等しかった」と述べている。「そのような庶民が外国人を見かけるとすれば、宣教師しかいなかった。だから、彼らにとって外国人の存在は『外国の宗教』を意味した」。言い換えれば、たとえ義和団が、キリスト教を中国における西洋帝国主義のさらなる一例とみなしていなかったとしても、彼らは外国の技術と同じく、キリスト教の中国の伝統的生活への侵犯を嫌っていた。一八六〇年に清仏間で締結された北京条約に手を加えたのが誰であれ、その人物は、そのような態度を形成することにも一役買ったわけである。

混乱の時に役立つ通訳力

暴動が中国全土に広がるにつれ、宣教師と翻訳（通訳）者はどちらも想定外の困難に直面し、事態に積極的に関与せざるをえないことも多かった。当時の中国で名の知れた通訳者の一人に、ムンテという多言語話者がいた。彼については、ランドーとヤンチェヴェツキーが揃って称賛に満ちた記述を残している。ノルウェーの退役将校であるムンテは中国軍の軍事教官を務めていたが、連合軍と交戦状態に陥るとその職を辞し、ランドーによれば、「報酬は一切受け取らず、常に前線に立つことを唯一の条件として連合軍への入隊を申し出」、まず英国軍、次いでロシア軍に所属した。一方、「他の将軍は、本来は尊敬に値する人物であっても、軍隊にとっては大きな助けとならないような兵士を好んで雇った」。戦乱の北京にあって、ムンテは有能な通訳者であるだけでなく、勇敢な兵士でもあることを身をもって証明した。ある将軍が瀕死の重傷を負った際、ムンテとヤンチェヴェツキーは敵の砲火を物ともせずに将軍を救出したのだ。この二人の通訳者の活躍は当然ながら称賛を浴びたが、彼らにもまして危険にさらされていた中国人通訳者の多くは、正当に評価される機会さえなかった。

反乱終息後、思わぬ形で語学力が役に立った人たちもいた。北京を占領した連合軍当局は、当初、市中での自由な略奪行為を容認していた。しかし、翌日、多くの外国人が戦利品を荷車に積んで自国の公使館まで運んでくると、門の前には上からの指示を受けた役人が立っており、めぼしい略奪品をすべて没収してしまった。ランドーによれば、この「略奪品の略奪」を逃れるべく小細工を弄する者も現れたという。略奪品を運ぶ人力車（リクショー）を、たとえば、イギリスの役人が停止させようとすると、略奪者から「早口のフランス語でまくしたてられた」。連合国間の合意によって、各国の公使館が押収できる略奪品は、同胞が盗んだものに限ると定められたため、イギリスの役人は「恭しく頭を下げて、栄えあるフランス共和国の国民は彼の管轄外であることを認め」、略奪者を見逃すほかなかった。ランドーは、この記事をこう締めくくっている。「だから、幸運にもさまざまな外国語を流暢に話せた民間人は、すばらしい品々を持ち帰ることができた」

略奪行為については、ヤンチェヴェツキーも何度か言及しているが、その都度、ロシア人は決して略奪に加わらなかったと書いている（私は苦虫を嚙み潰しながら、この箇所を訳さなければならなかった）。エシェリックは、略奪は「あらゆる国の兵士（ただし、ヨーロッパ人は最も悪辣で、日本人は最も行儀がよかった）と宣教師によって行われた」と述べ、こう付け加えている。「彼らはいずれ『略奪の倫理』といった愉快なタイトルの論文でも書いて、自らの行為を正当化することだろう」。デタラメな外国語で自国の役人を煙に巻くのにどの程度の語学力が必要だったかは定かではないが、自国語しか話せない役人を欺くには、異国語風の言葉を適当に発しておけばそれで十分だったと思われる。偽装が成功したのは、偽装工作者の言語能力の高さとはあまり関係なく、役人の語学力のなさにこそあったというべきだろう。

外国側にかかわった通訳者の行く末

義和団の乱で外国軍に協力した中国人の多くは、進むも地獄、退くも地獄という窮地に陥った。

これは何も義和団の乱だけに限らない。たいていの戦争で外国軍協力者はそのような立場に追い込まれる。現地採用の地元通訳者は、同胞からの報復の脅威に耐え続けなければならず、戦争が終わってしまえば、えてして置き去りにされる。同じ力学が作用した最近の事例としては、過去二十年間にアフガニスタンで英国軍に採用された通訳者たちが挙げられる。

彼らは当初、任務終了後はイギリスへの移住が許可されると聞かされていたが、事態はその通りには進まなかった。まず、いわゆる〈Intimidation Scheme（脅迫計画）〉（誰もこの妙な名称を翻訳せずに済みますように）が導入され、敵に協力したためにタリバンに身の安全が脅かされている人たちを保護することになった。四百一人の通訳者が申請し、ようやくイギリスへの移住が実現した。二〇一八年、元通訳者百五十人（ヘルマンドの最前線に従軍した者を含む）の一時ビザの期限切れが迫っていた。イギリスに留まるには再申請が必要で、その手数料として二千四百ポンドを支払わなければならないという。申請が受理されても、家族を呼び寄せられるとは限らない。申請が通らなければ、タリバンに殺される危険のあるアフガニスタンへ強制送還される可能性も出てくる。元通訳者たちは内務省に政策の見直しを求め、国防長官や軍の元同僚の支持を得た。支持者の一人エド・エイトケン大尉は、こう述べている。「あの極めて特殊な環境で通訳者がわれわれにもたらした貢献については、いくら評価しても評価し足りないほどだ。しばしば凄惨な状況下でともに働く彼らへの信頼は並大抵のものではなかった」

二〇一八年五月、ついに手数料が免除され、五十人の元通訳者に英国ビザが交付された。その一方で、多くのアフガニスタン人通訳者が、タリバンに追われているにもかかわらず、イギリスへの入国を拒否された。二〇一九年四月、すでに英国に移住していた元通訳者に対し、家族を呼び寄せることが許可されたが、一年経った今もビザの発給を待ち続けている家族も少なくない。こうした「アフガニスタンにおける軍事作戦の名もなき英雄たち」（メディアは、彼らがニュースになった数少ない機会にそう呼んだ）は、自国では裏切り者と呼ばれ、従軍した国からは見捨てられた。最終的に受け入れられた人たちも、諸手を挙げて歓迎されたわけではなかった。元通訳者の話は報道される機会も少なく、彼らを今なお記憶しているのは戦友たちだけなのかもしれない。戦場となったヘルマンド、ラシュカルガー、マルジャといった地名はかろうじて人々の記憶に残っているが、その地に戻れない人たちの名前は、分厚い亡命書類の中に埋もれたまま、顧みられもしない。

米軍の現地通訳者も、同じように（あるいはそれ以上に）ひどい扱いを受けてきた。「イラクやアフガニスタンで戦闘を経験した者なら、誰もが自分にとっての最高の財産は優れた通訳者だと言うだろう」と、『アームド・フォーシズ・ジャーナル』誌は二〇一一年に書いている。優秀な通訳者はただ通訳するだけでなく、「文化に精通し、言葉によらない手がかりや微妙な変化の認識に長けている」からだ。現地通訳者はアメリカへの移住（再定住）が認められると理解して入隊したが、どうにかアメリカに移住できたのはそのうちの十分の一にすぎない。残りの人たちには、自国でどんなに危険な立場に置かれていようと、その資格が与えられていないのだ。私が話を聞いた通訳者の一人、ラズ・モハマド・ポパルは、カンダハルで三年以上も米軍およびカナダ軍と行動をともにした。

ポパルは二〇一五年に特別移民制度に基づいて米国ビザを申請したが、四年間不安な気持ちで待ち続けた末に却下された。タリバンの報復を恐れる父親からは、故郷の村に帰ってくるなと言われている。現在カブールに住む彼は、この移民手続きを「宝くじ」のようなものだと諦観しつつ、家族を養うために苦労している。

イラク人通訳者の一人、イマド・アッバス・ジャシムの事例も同じく期待外れなものだった。二〇〇三年、バグダッドの米軍基地のゲート付近でペプシ缶を売っていた彼は、たまたま勧誘されて通訳の仕事に就いた。三年間米軍で働いたが、二〇〇六年に爆発事故で重傷を負ってしまう。同じく米軍で働いていた弟は誘拐され、行方不明となった。自身と家族の身を案じたジャシムは、アメリカへの移住を申請した。十年以上にもわたり何度も申請を繰り返した末に、最終的に安全保障上の理由で却下された。ジャシムは今もイラクにいる。彼にとって、「一人たりとも置き去りにしない」というアメリカ軍のモットーは「史上最大の嘘」だった。

従軍通訳者は、いつも貧乏くじを引かされる。どちらの側からも全幅の信頼は得られず、平和維持活動の助けもあまり期待できない。報復の脅威も常につきまとう。現在、このような現状を変えようとする試みが始まっている。世界中の翻訳者・通訳者を支援する非営利団体〈Red T〉は、リスクの高い環境下で言語業務を請け負う人たちの保護を訴え、そのための国連決議を求める請願を繰り広げている。この章で挙げた実例の数々が、戦争の最前線で働く翻訳者や通訳者の窮状について考えるきっかけになるのであれば、彼らがかかわる唯一の戦いが、「合」と「和」の綱引き（タグ・オブ・ウォー）のような、言葉の選択に関するものだけになる日に一歩近づけるかもしれない。

第十七章

権限のある機関の義務

The Obligation of the Competent Authorities

翻訳のサービス化を考える

「英語は一言も話せないので、自分の作品がどのように翻訳されようと、その出来不出来は気になりません」と、中国の小説家、閻連科(えんれんか)は最近のインタビューで語っている。文学の大家がそう言うのは大いに結構なことだ。他の芸術と同じように、文学が実用性と無縁なら、文芸翻訳に芸術的尺度に基づかない判断基準を設ける意味はないだろう。一方、実利的なビジネスや公共サービスの世界においては事情が異なる。ビジネス書類や法律文書の翻訳、商談や裁判での通訳などに関して言えば、依頼者はサービス提供者に一定の基準を要求する権利がある。しかしここでも、サービスを受ける側が翻訳（通訳）というものをあまりに理解していないせいで、品質の評価自体が難しくなっている（この無理解は、単に言語そのものに馴染みが薄いからではない）。私はある経験豊富な国連通訳者に、「誰からも苦情が来なければ、その仕事はうまくいったのです」と言われたことがある。翻訳における品質がどういう意味であれ、それを否定的に示すのは難しくない。「基準」というのは、その意味を明確化しづらい概念かもしれないが、たいていの場合、それが崩れ始めると明らかになる。

イクバル・ベグムは一九八一年、虐待者である夫を殺害した容疑で起訴され、イングランドの法廷で裁判にかけられた。彼女が謀殺（murder）の罪を認めたため、自動的に終身刑が言い渡された。後になって、パンジャブ語話者の事務弁護士が、謀殺（murder）と故殺（manslaughter）の違いを彼女にきちんと伝えていなかったことが判明した。同じパンジャブ語でも、二人の話す方言が異なっていたからだろう。控訴審の審問調書には、「拘束から罪状認否までの間、彼女が沈黙を守り続けていたのは、彼女に理解できる言語で話しかけられなかったからにすぎない。〔中略〕この単純な事実にこれまで誰も気づかなかったとは、本法廷の理解を超えている」と記されている。そして、「コミュニケーション不足に見えたのは、通訳が不十分だったからだ」と結論づけている。一九八五年、ベグムは控訴審で釈放されたが、家族から縁を切られ、数年後に自殺した。彼女の裁判を含む多くの誤審をきっかけに、イギリスでは通訳者を管理する独立機関の設立が求められるようになった。

通訳サービスの制度化

地域ごとの通訳サービスに代わる全国的な通訳者管理制度を求める声が高まった結果、一九九四年に公共サービス通訳者全国登録制度が導入された。この制度に登録するには、医療、法律、行政のうちいずれかの分野を選択し、複数の履修科目を修了した上で試験（口頭および筆記）に合格する必要があった。その後、登録基準が引き下げられ、通信教育による資格免許取得者も試験なしで登録資格者に含まれるようになった。法廷審問、医師の診察、ソーシャルワーカーとの面談、職業安定所の面接などで資格を持った通訳者を探している人は、今でもこの登録制度を自由に利用できるが、この制度を積極的に活用している公共サービスは次第に減少しつつある。

通訳サービスの民間委託は刑事裁判から始まった。刑事裁判においては、欧州人権条約第六条により、無償で通訳者の支援を受ける権利が保証されている。私が法廷通訳者として働き始めたのは二〇一一年だが、当時は裁判所に直接雇用されるシステムだった。報酬は最初の三時間分が八十五ポンドで（超過分はレートが下がる）、交通費も支給された。この契約は、二〇〇八年以降の緊縮財政政策のあおりを受けてコスト削減の対象になり、英国司法省は二〇一二年に法廷通訳サービスを外部委託した。九千万ポンドの業務委託契約は小規模の通訳会社が落札したが、この会社は即座にアウトソーシング大手のキャピタ社に買収された。

通訳業界は混乱状態に陥った。キャピタ社が無資格の通訳者を、時給十六ポンド、最低保証時間なし、交通費上限あり、といった条件で使い始めたからである。多くのプロ通訳者が報酬面や倫理的理由からこの契約を拒否し、さまざまな抗議活動——国会前でのデモ活動、国会議員への手紙、非専門職化によるレベル低下の事例を詳細に記した「恥のファイル」の公表など——が行われた。その結果、おびただしい無断欠勤や遅刻、ダブルブッキングに加え、司法妨害（perverting the course of justice）の容疑で起訴された男性を変質者（pervert）呼ばわりするといった失態の数々が明るみに出た。この新制度は、すでに二〇一三年の報告書で「デタラメとしか言いようがない」と酷評されていたにもかかわらず、何の改善もなされなかった。二〇一六年にキャピタ社との契約が切れると、別の代理店〈thebigword〉社が司法省のサービス会社としてその後を継いだが、相変わらず下請けに低賃金労働を強いるばかりで、品質にはこだわりもしなかった。契約初日に予定されていたある人身売買組織の裁判は、それまで担当していた通訳者が仕事を降りてしまったために延期された。八週間後、六百ポンド相当の食料雑貨を盗もうとして捕まった男性は、通訳者が見つからないまま四十八時間身柄を拘束された。

英国司法省は、外部委託開始以降、法廷通訳にかかる費用を数百万ポンド節約できたと主張しているが、この数字に遅延による損害は含まれていない。通訳者の手配がつかずに延期された裁判は数知れない。たとえば、拷問容疑で訴えられたネパール軍将校クマール・ラマ大佐の裁判は、通訳者がの手配がつかず二〇一五年に一時中断された。結局、一年後に裁判は打ち切りとなり、納税者に百万ポンドの負担を強いた。それ以外にも、はっきりとした数値では表せない精神的損害や身体的損害もある。不十分な通訳によって引き起こされる悲劇は、司法制度の中だけでなく、あらゆる領域で起きている。二〇一五年にルーマニア人建設労働者が現場の事故で両脚の機能を失った事例では、調査の結果、この労働者は安全衛生に関する指示を未資格の通訳者に頼らざるをえなかったことが判明した。

公共部門での仕事を手控えるプロ通訳者が増えるにつれ、通訳のレベルは下がり続けている。これもまた、外部委託によってサービスが向上するわけではないことを示す証拠の一つになるだろう。通訳におけるミス——言語的な不正確さから文化的なニュアンスの取り違いまで——を完全に避けることはできないにしても、裁判所が公表したミスの中には、〈bitten（ビトン）〉を〈beaten（ビートン）〉と聞き違える、〈charge〉を「告訴」ではなく「罰金」と訳す、〈Home Office（内務省）〉を「書斎」と誤解する、といった目に余るミスも少なくない。通訳の仕事は臨機応変な対応を求められることが多いため、この手の話は多少割り引いて聞くべきだと思っていたが、似たようなミスを実際に何度か目にしてからは、考えが変わった。このような状況は英国司法省もはっきり認識しており、その対策として「独立した品質保証」を提供する契約業者を別に指名した。その業者は、通訳者に支払われるなけなしの報酬をほんのわずか上回る賃金で品質調査員を雇い、法廷での抜き打ちチェック（いわゆる「覆面調査」）に当たらせた。

　依頼人に関して言えば、通訳者がつくとそれだけでありがたいと思う人や、まったく気にかけない人、自分以外は誰も信用しない人など、実にさまざまである。私はある被告人から、これまで通訳者がいてくれてよかったと思ったことなど一度もないので、ただ静かに座っていてほしいと言われた経験がある。一方の通訳者は、各自の言い分を訴えるべく日々奮闘している。アウトソーシング契約の廃止を求める人もいれば、資格や学位を振りかざし、低賃金で仕事を引き受ける新米通訳者を責め立てる人もいる。労働組合やプロ通訳者団体の結成についても、各地で議論が続けられている。仕事に対する評価と報酬がどちらも低いため、人の役に立つ仕事がしたいと思って公共サービス通訳の道を選んだ人でも、能力向上のために自己投資したり、仕事の準備に時間をかけたりする余裕がない。自由市場が生み出したものは、健全な競争などではなく、低賃金と技量不足の悪循環でしかなかったのである。

通訳の質とコストのジレンマ

翻訳業界におけるこうした憂慮すべき動向は、後期資本主義時代における世界的な現象である。世界の言語サービス市場は大企業が牛耳っている。アメリカを拠点とする〈LanguageLine Solutions〉社が四億五千万ドルあまりの収益を上げて業界トップに立ち、〈thebigword〉社は第四位につけている。ランク上位の大企業の多くは公共部門契約に大きく依存しており、中でも、アメリカ、スカンジナビア諸国、イギリス、オランダとの契約が大きな比重を占めている。さらに、公共部門契約の多く（一千万ドルから八千万ドル規模）は、特にアメリカでの成長が見込まれている医療関連分野である。この事実は、設定すべき通訳基準に関するサービス提供会社の意識向上につながるだろうか。二〇一四年、オレゴン州に住む若い女性が亡くなったのは、コールセンターの通訳者のミスが原因だった。そのせいで救急車が間違った住所に向かってしまい、致命的な遅れが生じたのだ。業績という目先の数字にとらわれて、このような悲劇を看過していてもよいのだろうか。

品質とコストの（つまりは分別と無分別の）せめぎ合いをめぐる世界的な状況を見てみると、国ごとにかなりの温度差がある。たとえば、ドイツは公共サービス通訳に本気で取り組んでいるが、スペインはイギリス同様の問題に苦しんでいる。イタリアの法廷通訳者がマフィアからの脅迫に悩まされていると嘆く一方で、二〇一八年にストライキを決行すると脅したのは、デンマークの法廷通訳者たちだった（司法制度と法執行機関に全国的な通訳サービスを提供する契約を一社の代理店が一括受注したことが原因）。通訳者のストライキは珍しくはなく、時には成果を上げることもある。二〇一六年、通訳要員の給与削減を決定した英国内務省は、通訳者側が削減反対を訴えてストライキの計画を発表すると、その決定を取り消した。二〇一八年には、同時通訳者たちが労働条件をめぐって欧州議会を中断させた。

制度化された非専門職化という現状を憂慮する声は、大西洋の対岸からも聞こえてくる。たとえば、これはカナダで起こった最近の事例だが、あるイラン人女性の亡命申請が通訳の不手際で却下された。ベテラン助産師のこの女性が移民審査で述べたところによると、彼女は母国で「処女膜再生手術」を行ったことがあり、その行為を知った患者の家族に殺すと脅され、当局にも通報されたため、イランを離れるしかなかったという。移民審査官に手術の詳しい説明を求められると、彼女はペルシア語で説明したが、通訳者は〈hymen（処女膜）〉の代わりに〈virginity curtain〉や〈virginity tissue〉という表現を使った。それが申請者の話が捏造である証拠とされ、彼女とその娘は亡命を拒否された。幸い控訴審で「医学用語のペルシア語から英語への翻訳は正確さに欠けていた」と判断され、亡命申請が認められた。

アメリカには厳しい言語アクセス法があり、医療や公共サービスの場では、英語力が不十分な人には必ず通訳者をつけなければならないと定められているが、コスト削減により、その内実が空洞化しつつある。二〇一九年、トランプ政権は、移民審査の初期段階における通訳サービスを廃止すると発表した。そのため、移民希望者が自らの権利を知るには、母語の字幕付き説明動画を視聴するしかなくなった（本稿執筆時点ではスペイン語のみだが、あと二十言語追加される予定）。弁護士たちは、動画自体がわかりづらく、この措置はさまざまな問題を引き起こす可能性が高いと警告している。たとえば、移民希望者は、担当の弁護士がたまたま母語に通じているのでない限り、移民裁判所の裁判官に説明を求められなくなるわけだ。裁判官には、裁判所内で通訳者を探す、電話通訳サービスを依頼するなどの選択肢が与えられてはいるが、ある裁判官が『サンフランシスコ・クロニクル』紙に語ったように、どの選択肢もたいてい「ひどく不正確で、大幅に遅れる」。

コスト削減によるこの措置は、必然的に移民希望者が法廷で自分の言い分を述べる能力、あるいは自分に下された最終決定を理解する能力（この段階に至ればの話だが）にも影響を与える。一例を挙げると、二〇一九年に米国国境で足止めされた二十五万人のグアテマラ難民のうち、少なくとも半数はマヤ人であり、その多くはスペイン語をほぼ話せなかったが、スペイン語の通訳しか提供されずに国外退去となるケースも少なくなかった。その一方で、米国移民局は、難民認定の可否を判断する材料の一つとして、難民のソーシャルメディアのプロフィールをオンライン翻訳ツールを使って調査している。二〇一九年、こうしたサービスには免責事項が付されていると指摘されると、政府は「オンライン翻訳ツールの限界は承知している」と回答した。

通訳の「価値」とは何か

欧州人権裁判所の判例によれば、「権限のある機関の義務は、通訳者の任命に限定されるものではなく、（中略）提供された通訳の適切さについて、その後のある程度の管理にもおよぶ場合がある」。しかし、「権限のある機関」が契約した最低価格入札者にそのような義務はない。彼らの尺度はあくまでコストである（そうでなければ、落札できなかったはずだ）。だから、通訳派遣会社は通訳者の選考基準について、契約している通訳者は、必ずしも言語能力がトップレベルとまでは言えないが、「責任感があり、信頼できる」人物ばかりだと言い繕う。なるほど、通訳者の言語能力を評価するよりも出勤状況を確認するほうが安上がりには違いない。

こうした状況をプロ通訳者はどのように受け止めているのだろうか。会議通訳者であり、この主題に関する著作もあるジョナサン・ダウニーは、通訳業界における価値の概念について話してくれた。彼によれば、重要なのは、絶対価値（エンドユーザーが支払った実際のコスト）と知覚価値（エンドユーザーが抱いた印象）の違いだという。「帳簿の数字だけが問題なら、もっと値切ろうとするでしょうが、優秀な通訳者がいないと立ち行かないと納得できれば、金額はそれほど重要な要素ではなくなります」。質は量よりもとらえどころのない概念だが、質を評価する方法の一つは、通訳者が依頼人の期待に適う仕事をしたかどうかを考えてみることだ。ダウニーはある論考で、人は「特定の目的を達成するために翻訳を依頼する」傾向があり、それは「場合によっては厳密な言語的正確さにも勝る」と論じている。質の高い通訳は今も必要とされているのだろうか、と私は公共サービスにおける通訳の質の低下を念頭に置きつつダウニーに尋ねてみた。彼は、「公共部門における通訳費を守るための議論は、人権に関する議論にほかなりません」と答えた。法律で決められているからというだけの理由で通訳を入れるのであれば、人はできるだけ通訳費を抑えようとする。だから、それだけでなく、質の高い通訳者を使えば、たとえば、患者の入院期間や受刑者の収監期間が短くなるなど、目的を達成できると同時に経費の節約にもなるという事実をきちんと具体的に示すことが重要になる。

ロンドンを拠点に活動する会議通訳者の坂井裕美も、通訳業界の一部ではかなり悲惨な状況になっていることを知りつつも、自分の仕事についてはかなり楽観的な態度をとっている。彼女は、ある会議でダブルブッキングされたという話をしてくれた。そのとき彼女はクライアントから通訳の質をチェックしてほしいと頼まれたため、帰らずにそのまま会議を傍聴したそうだ。会議の通訳があまりにお粗末だったので、通訳者派遣会社にその旨を報告したところ、彼女はその会社から「切り捨てられた」という。「それ以来、仕事の依頼がまったく来なくなりました」。内部告発が通用しないと悟った坂井は、自分にできることにひたすら専念した。正確な通訳を心がけるのはもちろんのこと、相互理解の雰囲気を作り出し、最終的に依頼者に喜んでもらえるよう努力を続けた。機材の品質から話すペースまで、取るに足りないと思われがちな細かな点を依頼者に教えてあげるのも、プロならではの気配りだ。最後になったが、高く評価されたいのであれば、坂井の言う通り、自分を安売りすべきではない。「一部のクライアントを失うのは覚悟の上で、通訳料金を上げました。下手に出るつもりはありません」

多言語翻訳における混乱

多言語コミュニケーションをめぐる問題は、イギリスが国民投票で欧州連合（EU）からの離脱を決めたときに、その痛ましい現状をさらけ出した。二〇一八年のブレグジット白書は、EUの二十二言語で発行されたが、その一部は見事なまでにお粗末な翻訳だった。あるドイツ語話者が上品に表現したように、「とても神話的な」感じのする翻訳だったとも言える。〈fishing communities（漁業コミュニティ）〉の訳語に、こんな疑問を抱いたドイツ語話者もいる。「そもそも〈Fischergemeinden〉ってどういう意味？　魚に祈りを捧げる人たち？」（これは、「漁師」を意味する語と「共同体」や「教区」を意味する語を組み合わせた合成語）。他にも、エストニア語版では「エストニア」のスペルが、さらに、フィンランド語版では「フィンランド」、ドイツ語版では「ドイツ」、クロアチア語版では「英国」のスペルが、それぞれ間違っていた。フランス語版では、〈principled Brexit（原則に基づいたブレグジット）〉という語が〈Un Brexit vertueux（高潔なブレグジット）〉と訳され、道徳的なニュアンスが加わった。ウェールズ語版では、〈cenhadaeth〉という語が、その宗教的な意味合い（伝道）を無視して、組織の「任務」という意味で使われた。また、ネイティブスピーカーの反応から判断して、どうやら最悪と思われるドイツ語版では、「（法律の）文言」が「（アルファベットの）文字」と訳されていた。あるオランダ語話者は、ツイッター（現X）でこうつぶやいた。「親愛なる英国政府様。ご尽力に感謝いたします。心当たりがないかとは存じますが、私たちに理解してほしいのであれば、どうか英語で押し通してください。これはひどすぎます。敬具。オランダ」

多くのヨーロッパ人は、この大失態が、英国政府のブレグジットに対する準備不足と、ヨーロッパに対する関心のなさを物語っていると考えた。しかし、この見方はありきたりすぎるかもしれない。イギリス人の語学力は久しく低下の一途をたどっている。二〇一八年、英国政府は欧州委員会に翻訳サービス費として百五十万ポンドを支払ったが、この支出は、一部の政治家から「時間と税金の恥ずべき浪費」と非難された。翻訳サービス費には、ブレグジット交渉の際に利用したEU通訳者に対する料金も含まれていた。そのEU通訳者の一人は、同年十二月にジャン＝クロード・ユンケル欧州委員会委員長がフランス語で行なった演説を英語に訳した。その演説でヨーロッパからの離脱に関する英国の立場について語ったユンケルは、〈nébuleux（先行き不透明な）〉という言葉を使った。通訳者は〈nebulous（言語不明瞭な）〉と訳したが、これを個人的に受け止めたテリーザ・メイ首相の怒りを買った。後にユンケルは「まさか英語にもこの単語があるとは知らなかった」と（英語で）

釈明した。ユンケルが言いたかったのは、単に英国議会がどこに向かっているのかわからないということだった。いずれにせよ、彼はメイ個人に対してではなく、「英国における議論の全体的な風潮」に対して言及したのである。

質を高めるための試み

質の高い通訳者を雇って損はないことを示す実例には事欠かない。イギリスでは徐々に明るい兆しが見え始めている。たとえば、「インソーシング（内部委託）」という言葉がそうだ。英国のアナリストが作成した二〇一九年の報告書によると、インソーシングの導入によって、「地方自治体の七十八パーセントが柔軟性が増すと考え、三分の二が経費節減にもなると言い、半数以上が管理方法が簡略化された一方でサービスの質も向上したと答えている」。再びダウニーの言葉を借りれば、「大規模アウトソーシングの時代は終焉を迎えつつある」。潮目が変わりつつある徴候も見られ、経済の動向次第では状況改善に向かうかもしれない。「五年から十年のうちに」とダウニーは言う。「公共部門の通訳に対する悲観論はすっかりなくなると思います」

「一部の国における現在の動向は、経済力の不足、専門的訓練の不在、司法通訳に非専門家を使うリスクに対する認識の欠如により、脱専門職化の方向に向かっている」。二〇一九年四月に国際標準化機構（ＩＳＯ）が発行した司法通訳に関する規格にはそのように書かれている。一般的なものから専門的なものまで、多くの要件が記載されているが、当然のことながら、厳格なルールはない。通訳においては、絶対に正しい通訳がありえないのと同様に、絶対に正しい評価を下すこともできないからだ。だからといって、努力をやめるわけにはいかない。質の高い通訳が必要であろうとなかろうと、通訳者は失敗を繰り返しながらも、少しでも理想に近づけるよう努力し続けている。「私は自分の仕事を、ガス器具取り付け人の仕事のようなものだと思うことがよくある。どちらも、勉強して習得した基本的サービスを提供することに変わりはない」。これはロバート・ウォークデンが二〇一八年に『ロンドン・レビュー・オブ・ブックス』誌に寄せた投稿記事の一部で、どんな種類の翻訳でも芸術の域に達する可能性がある、と主張する別の投稿記事に対する反論として書かれたものだ。「非文芸翻訳にも機械的活動にとどまらない部分があるが、だからといって、その翻訳者が芸術家になるわけではない」。そのことを例証するために、ウォークデンはCATツールと呼ばれる翻訳支援ソフトウェアの普及に言及している。これは基本的には記憶のデータバンクであり、このデータバンクを使えば、関連する文脈でこれまでに翻訳されてきた訳文の断片をまとめて検索できるようになる。何十年も前からこの種のツールを使用してきた一部のプロ翻訳者は、その出来は千差万別であるとはいえ、今や完全自動翻訳に移行しつつある。

翻訳支援ツールは、翻訳者の努力の成果を向上させるために考案されたものだが、常に期待通りに機能するとは限らない。ある翻訳者から聞いた象徴的な話がある。彼は既存の翻訳データをもとに構築されたソフトウェアを使って、ある裁判の判決文を翻訳した。納品された訳文に対して、クライアントが訳文をチェックするプログラムを実行したところ、そのうちの四箇所が「百パーセント機械翻訳（逐語訳）であり、人間による司法翻訳に変換する努力がまったくなされていない」と判定された。けれども、チェックの入った箇所はどれも、その種の判決できまって引用される法律の条文の標準的な訳だった。機械に指摘された訳文は「正確無比なものであり、どのような修正を加えても、かえって翻訳の質を下げることにしかならなかっただろう」と彼は言う。だが、クライアントは支払いを拒んだ。翻訳ツールが総合的な品質向上を目指して設計されているのか、時間短縮とコスト削減だけを目的として設計されているのかにかかわらず、品質をどう定義するかという問題は依然として残っている。

機械翻訳と
翻訳者の未来

第十八章 非論理的要素 Alogical Elements

私が言いたいのはこういうことだ。彼は、私の『跳び蛙』は愉快な物語だと言うくせに、この話がどうして万人の笑いを誘うのかがまったくわかっていない。なのに、それをすぐにフランス語に翻訳して、この作品には、途方もない笑いを誘うような要素は一切含まれていないとフランス国民に証明しようとする。私の不満はまさにこの点にある。これでは翻訳したとは言えない。

これは、マーク・トウェインが一九〇三年に出版した『*The Jumping Frog: In English, Then in French, Then Clawed Back into a Civilized Language Once More by Patient, Unremunerated Toil*（跳び蛙——英語版、次にフランス語版、それから、忍耐を要する無償の労苦によって再び文明語へと戻された版）』という本の序文の一節だ。この本には、「*The Notorious Jumping Frog of Calaveras County*（キャラヴェラス郡の悪名高き跳び蛙）」、「*La Grenouille sauteuse du comté de Calaveras*（キャラヴェラス郡の飛び蛙）」、「*The Frog Jumping of the County of Calaveras*（キャラヴェラス郡の蛙飛び）」という三つの短編が収録されている。一つ目は一八六五年に出版されたトウェイン最初期の作品の一つで、ゴールドラッシュ時代のカリフォルニアを舞台にしたユーモアあふれる短編だ。二つ目はそのフランス語訳で、一八七二年に『*Revue des deux mondes*（両世界評論）』誌に掲載された。最後の作品は、仏語版の訳者（多くの批判を浴びたが、誰だか不詳）に対する作者の復讐であり、面白くないフランス語版を意図的に直訳して英語に戻したものである（逆翻訳版）。

「逆翻訳」があぶり出すもの

フランス語でこのトウェインの短編を読んだ読者が面白いと感じたかどうかはともかく、英語のオリジナル版は確かに面白い（逆翻訳版はもっと面白い）。冒頭の一文を比べると、前者が「There was a feller here once by the name of Jim Smiley（ジム・スマイリーってやつなら昔ここにいたな）」[1]と始まるのに対し、後者は「It there was one time here an individual known under the name of Jim Smiley」になっている。このジム・スマイリーは何かに取り憑かれたように賭けごとをしまくる人物で、オリジナル版では「Any way that suited the other man would suit him — any way just so's he got a bet, he was satisfied（あんたがよければ俺もそれでいいから、なんて言って、とにかく賭けさえできれば満足なわけさ）[1]」と描写されており、逆翻訳版でもほぼ同じことが語られる（All that which convenienced to the other, to him convenienced also; seeing that he had a bet, Smiley was satisfied）。しかし、次の文は内容が大幅に変わってしまっている。オリジナル版の「But still he was lucky, uncommon lucky; he most always come out winner（だけどこれがまたおそろしく運の強い男でな、とにかく半端じゃなく強い。だいたいいつも勝ってたね）[1]」が逆翻訳版では「And he had a chance! a chance even worthless; nearly always he gained」になっているのだ。このような文章が二十ページも続く逆翻訳版は、トウェインの序文をもう一度引用すると、「私が子午線とは似ても似つかないのと同様」、オリジナル版の『跳び蛙』とは似ても似つかない」。

逆翻訳という策略を使って、トウェインはユーモア作家としての名声を二重に守った。この逆翻訳は、多言語版伝言ゲームのようなもので、しばしば愉快な結果が得られる。一九九〇年代初頭、この逆翻訳が機械翻訳の品質評価という実用的な目的で使われた。その手順はこうだ。まず、英語の新聞記事を人間が別の言語に翻訳する。次にそれを機械が英語に逆翻訳し、別の人間がそれを読んで、記事の内容に関する質問に答える。だが、理解度評価と呼ばれるこの方法は、優劣がはっきりしないとしてすぐに打ち捨てられた。というのも、同じ原文を人間が別言語に翻訳した訳文があまりにも千差万別であり、逆翻訳を読んだ人間の理解のズレが、別言語に翻訳された訳文の相違に起因するものなのか、機械処理の過程で生じたミスによるものなのかを判断することが難しかったからだ。この方法を含め、すべての評価方法には二つの共通点がある。一つは、どれも（少なくとも本稿執筆時点では）人の手が加わっていること、もう一つは、評価の基準が相変わらず多少なりとも主観的なことである。

二〇一八年、オックスフォード大学とイェール大学の研究チームが、三百五十二人の機械学習専門家にさまざまな分野でＡＩの性能が人間を上回る時期を予測してもらい、それを統計処理したところ、翻訳については二〇二四年までにＡＩが人間を凌駕するという結果が出た。この報告書を読むと、翻訳の分野で機械が人間に匹敵するレベルは、「両方の言語に堪能だが翻訳に熟達していない人間と同程度」と定義されている。ちなみに、「具体的なＡＩ能力」として挙げられているリストでは、「言語翻訳」は「洗濯物をたたむ」と並んで例示されている。

機械翻訳の誕生

翻訳という行為は間違って理解されやすい。機械翻訳の開発にあたって無理解がともなうことは十分に予測されていただろうし、多くの人にとって、翻訳のアルゴリズムは実際の翻訳プロセス同様、不可解なものに思われるだろう。けれども、アルゴリズムの根底にある基本原理は平易な言葉で説明できる。それは人間の翻訳行為を支える原理とさほど変わらないからだ。自然言語処理という分野は、戦後の東西冷戦の影響で、大量の文書を翻訳する必要に迫られて生まれた。先陣を切ったのはアメリカである。ウォーレン・ウィーヴァーは一九四九年に発表した論文で、翻訳に対する新しいアプローチを導入し、大きな影響をおよぼした。この論文が生まれた背景には、同じくアメリカの科学者クロード・シャノンが開発した情報伝達の数学的モデルがあった。シャノンのアイデアを普及させるのに一役買ったウィーヴァーは、それを翻訳に応用した。ウィーヴァーによれば、「直感的な文章のセンス、感情にかかわる内容など」の「言語に含まれる非論理的要素」を除けば、翻訳は論理的問題に還元できるという。

　機械翻訳のために最初に考案されたのが、ルールベースシステムである。一九五〇年代から六十年代にかけて開発されたこのシステムは、対訳辞書や複雑なルール体系を使って、コンピューターが翻訳先言語（ターゲット）の語順を決定する仕組みになっていた。言語に固有な何千もの複雑なルールを持つこのシステムは、メンテナンスこそ難しかったが、将来性に対する期待は大きく、資金提供団体（主に米国）が次々とこの研究に投資した。しかし、当初の熱が冷めると、状況は一変する。一九五〇年代前半にこの研究を主導していたイェホシュア・バー＝ヒレルが、機械翻訳に対して極めて否定的な報告書を一九五九年に発表し、既存システムの限界を指摘した。バー＝ヒレルによれば、既存のシステムは、特に文法的にかけ離れた言語間の翻訳の場合、満足のいく形で文構造を分析できるほど精巧なものではないという。コンピューターがトウェインの逆翻訳版よりもましな翻訳を生成するには、もっと複雑なルールが必要なのだった。

　バー＝ヒレルの批判は機械翻訳研究を減速させる一因となったが、それだけでこの分野が停滞してしまったわけではない。一九六四年、機械翻訳研究を支援するアメリカの資金提供団体が、この分野に関する調査報告書の作成を自動言語処理諮問委員会に依頼した。一九六六年に提出された報告書には、機械翻訳の需要とそれにともなうコストが分析されていた。結論の一つは、「依頼された翻訳の大半は無きに等しい興味しか引かず、部分的にしか読まれないか、まったく読まれずに終わる」というものだった（この結論はしかし、これまでに作成されたほとんどの文書に当てはまるに違いない）。「翻訳の分野に急を要する事情はない」と諮問委員会は答申した。「問題は、存在しない機械翻訳によって存在しない需要を満たすことではない」

機械翻訳と統計

出資者の多くはそれまでの苦労と投資の見返りが得られないと判断して去っていき、かくして、自然言語処理の第一波は静まった。その後、機械翻訳は谷間の時代を経て、インターネット時代の到来とともに、一九八〇年代に再び盛り上がりを見せる。電子テキストが利用可能になったことで、研究者たちは統計的機械翻訳というアイデアを思いついたのだ。統計モデルのカギとなる要素は、パラレルコーパスである。これは対訳形式のテキストのセットのことで、どのような評価方法によるのであれ、なるべく品質の高いセットが望ましい。対訳テキストは、語、句、文、段落といった単位ごとにアラインメント、つまり整合させておく必要がある。たとえば、文単位のアラインメントは文字列の長さを基準にして行える。これは比較的単純かつ信頼性の高い方法で、一文中の単語数は翻訳の際にたいてい変化するという事実を考慮に入れている。また、語彙的に、頭字語、固有名詞、数字など、同じような文字列を目印として、テキストを一文ごと対応させることもできる。

文単位でアラインメントされた対訳テキストの大規模コーパスがあるとすると、次のような統計モデルが実装される。まず、単語のアラインメントに関するアルゴリズムが適用され、一種の辞書が構築される。この辞書には、任意の単語の各訳語が特定の文脈で使用される確率が示されている。この確率は、コーパスにおける各ペアの相対的な出現率によって決まる。次に、この新たに構築された辞書を使って、コーパスが示唆する最も可能性が高い訳（単語レベルの訳だけでなく、句や文レベルの訳）を選びながら、各文を翻訳していく。さらに、得られた試訳を単言語コーパスと比較し、翻訳先言語における妥当性や読みやすさを担保する。

この（かなり大まかな）概略が示す通り、翻訳の主要な段階においては、機械は人間と同じプロセスをたどる。辞書を引いたり、信頼性を欠くことで有名な逐語的方法を避けたりするのは、人も機械も同じだし、方法は違えど、どちらも常識を利用しようとする。もちろん、異なる点もある。さまざまな文脈に置かれた任意の語や句の意味を見極める際、人間は直感的に判断するが、機械はさまざまな意味の中から最も可能性の高い意味を選ぶことしかできない。翻訳が可能であるのは、人が発する言葉のほぼすべては、すでに発せられた言葉と同じであるという事実に基づく。そして、過去の発言は、コンピューターのサーバーや人間の脳の中、あるいは世界各地の文明の保管庫にしまわれた膨大なデータの中から見つけ出せる。

ニューラルネットワークからディープラーニングへ

統計モデルが改良されていくにつれ、新たにニューラルネットワークという方法が考え出された。この方法は、概念的には統計モデルと同じく、すでにいくつもの言語で利用できる場合には、わざわざ考え方やコンセプトを機械に一から教える必要はないという発想に基づいているが、その実現方法が根本的に異なる。ニューラルネットワークはここ十年間で翻訳に進出し、徐々に従来の手法に取って代わっていった。ニューラルネットワークを使ったニューラル機械翻訳も大規模なデータセットを分析することには変わりはないが、この段階で得られるのは「単語の埋め込み」である。この作業は、言語学者ジョン・ルパート・ファースの有名な言葉「単語の意味は、使われる文脈によって理解可能になる」を実践するかのように、任意の単語を前後のいくつかの単語とまとめて検討し、そのグループをその単語が使われる一つの文脈として扱う。二〇一九年に開催された人工知能の展示会で、私はグーグルが開発した単語埋め込みジェネレーターを使って、あれこれ試してみた。たとえば〈translation（翻訳）〉と入力すると、〈colonisation（植民地化）〉、〈misinterpreted（意味を取り違えた）〉、〈literary（文芸の）〉などと返ってきた。この経験から、機械は生みの親から学習した内容を再現するしかできないと改めて実感した。

各単語は通常、さまざまな文脈で使用されるので、アルゴリズムによって、あまり一般的でない文脈を切り捨て、処理可能な数にまで減らす。次いで、各単語は、それぞれの文脈で使用される確率を示す「特徴量」のセットとして表現される。この単語埋め込み構造は、翻訳元（ソース）言語と翻訳先（ターゲット）言語の両方に構築される。その際、アルゴリズムがそれぞれの単言語コーパスで独立して訓練される場合と、アラインメントしたテキストの二言語コーパスを使用して一緒に訓練される場合とがある。前者の場合、二つの構造はその後たがいにマッピングされ、再び両者間のアラインメントが行われる。これがディープラーニングと呼ばれるもので、このプロセスにより、単語、句、文などの用法に関する膨大な情報を蓄えた一種のスーパー辞書が生成される。

以上、主要な機械翻訳の仕組みを簡単に説明してみたが、それでもまだブラックボックスのようにしか見えないかもしれない（完全に理解するにはコンピューター言語学の学位が必要になるだろうし、学位が得られるころには、次世代のアルゴリズムに置き換えられてしまっているだろう）。しかし、一つだけ明らかなことがある。それは、すべてがデータに関する話だということだ。翻訳ソフトの開発者がいち早く利用したコーパスは議会の議事録だったが、これは手広く入手でき、文単位のアラインメントがしやすかったからだ（たとえば、英語とフランス語で記録されるカナダ議会の議事録、二十以上の言語で提供されるEUの文書、六カ国語で公表される国連の議事録など）。インターネットが世界を席巻すると、多言語サイトが有用なデータ源になった。その最大規模のものがウィキペディアである。任意の項目に関する記事のすべてが相互に翻訳されているわけではないが、単一の、多くはかなり限定された主題を取り上げ、各言語のテキストを比較してみることは、従来の辞書を引いて訳語を調べるよりも効果的だろう。ほかにも、聖書コーパスはデータの宝庫だし、〈TED talks〉は頻繁にさまざまな言語に翻訳されている。利用可能なデータはまだまだある。多言語情報の遍在化により、検索エンジンはオンラインでさらに多くのデータを収集し、新しい学習コーパス——質は落ちるかもしれないが、それでもその圧倒的な量のおかげで役に立つ——を構築できるようになった。どうやら、機械翻訳では質よりも量が重要であるらしい。さらに言えば、この分野での主役はもっぱらコンピューター科学であって、言語学の重要性はかなり低い。

機械翻訳の研究から消えゆく言語学者

昔からそうだったわけではない。一九五〇年代のルールベースシステムに始まる機械翻訳の黎明期には、コンピューター科学者と言語学者が緊密に連携していた。しかし、一九八〇年代に統計的手法が登場して以降、両者は距離を置くようになり、開発のさらなる進展にともない、言語学者を開発プロセスに参加させることは一般的ではなくなった。一九七〇年代半ばから二十年間、ＩＢＭの音声認識研究チームを率いた著名な情報理論学者フレデリック・ジェリネックは、「言語学者を一人クビにするたびに、システムの性能が上がっていく」とうそぶいたという。おそらく作り話だろうが、たとえ実話であったとしても、裏のある発言であったであろうことは想像に難くない。言語学者を排除した主な理由は、コスト効率だった。人間の手によるものを複雑なシステムに組み込むのがいかに難しいかは、周知のことだからだ。人間の専門家を雇うよりも、機械に自律学習させるほうが早くて安上がりだし、新しいデータが利用可能になれば、そのたびに再学習が必要になるため、競争の激しいこの業界では、人間――どれほど熟練した人間であっても――の介入に割ける時間と費用はさらに少なくなる。

　機械翻訳に関する本を読むと、まるでどこかの希少言語で書かれた原文を粗悪な翻訳ソフトで翻訳したかのような印象を受けることも少なくないが、デジタル人文学の研究者が著した『機械翻訳』は、その対極に位置する好著である。その著者ティエリ・ポワボーが私に話してくれたところによると、過去二十五年間、言語学者を開発者と対等の立場で呼び戻そうという動きが何度か見られたが、ディープラーニングによる自律化の実現が期待されている現在、彼らの復帰は望み薄いとのことだった。それどころか、言語学者は「機械学習のルンペンプロレタリアート」に成り果ててしまっているという。二〇一六年に翻訳エンジンを統計的手法からニューラルネットワークに切り替えたグーグルが、更なるステップとして教師あり学習から教師なし学習への移行計画を打ち出す中、『WIRED』誌は、グーグルは言語学の博士号を取得した研究者を多数に採用してピグマリオンというチームを立ち上げ、大量の機械学習用データに手動で追加データをタグ付けする作業に従事させている、と報じた。元プロジェクトマネージャーによれば、これは「ひたすら、クリック、クリック、クリック」するだけの単純作業である。二〇一九年の『ガーディアン』紙によると、「ピグマリオンの手作業によるタグ付きデータに対する需要とチームの規模は拡大の一途をたどっている」という。自社のシステムは自律的だというグーグルの主張は、作業員の経験とは一致しない。「人工知能はそれほど人工的なものではありません」と、作業員の一人は『ガーディアン』紙に語った。「仕事をしているのは人間なのです」

機械翻訳による出版まで

言語学者がかかわっていようがいまいが、自動翻訳ツールは急速に進歩し続けている。今日その用途は、文字メール、言語横断情報検索（ある言語のキーワードを入力すると複数言語のオンライン情報が一括検索される）、字幕やキャプションの自動作成、音声メールに利用可能な直接音声翻訳など多岐にわたっている。自動翻訳は出版業界でも採用されつつあり、機械翻訳後に後編集（ポストエディット）を経て出版される書籍が増えている（機械翻訳の前にアルゴリズムが処理しやすいようにテキストを編集しておく前編集（プリエディット）工程がある場合も少なくない）。その一例が、イアン・グッドフェロー、ヨシュア・ベンジオ、アーロン・クールヴィルの共著『深層学習』だ。この本は二〇一六年に英語版が出版され、二年後にグーグル翻訳の競争相手の一つ〈DeepL〉の翻訳によるフランス語版が登場した。フランス語版の作成には、機械翻訳に使用する専門用語辞書の作成という事前作業があり、機械翻訳後、名前が明記されていない複数の編集者によって訳文が「検証」された。フランス語版は好評を博したが、その成功の何割ほどが人間の功績だったのかははっきりしない。ポワボーの体験はそれとは異なる。彼は自著のフランス語版を作る際に、新しく書き直した結論を翻訳ツールにかけてみたという。彼によれば、出力された訳文は、「フランス語には違いありませんでしたが、あまりにも直訳的で、英語の原文に寄りすぎていたので、一から書き直したほうが楽でした」とのことだった。また、少し前にEU文書の翻訳が機械に奪われそうな仕事リストに新しく追加された。何の因果か、「Europarl」と呼ばれる大規模コーパス――アルゴリズムの訓練に最も役立つ多言語データセットの一つ――の基になっているのが、EUが作成し、プロ翻訳者が訳したEU文書なのだ。要するに、機械は生みの親に取って代わるのに必要なことをすべて、このコーパスから学習しているのである。

機械の中に「普遍言語」が生まれる?

機械時代が到来し、目覚ましい発展を遂げているにもかかわらず、翻訳の始まりと同時に人間の翻訳者が抱え込むことになった難題の多くは、依然として未解決のまま残されている。機械は人間が作り出したものである以上、それも当然かもしれない。たとえば、希少言語同士の翻訳をする際に、その仲介役として使われるピボット言語もその一例である。利用可能なデータの量があまりに少ないせいで、高度なニューラルネットワークを適切に訓練できない場合、幅広いテキストが大量に利用できる英語を仲介言語として使用するのは理にかなっている。しかし、そうすることで新たな障害が生じる危険も残されている。「言語資本主義」という言葉の生みの親であるデジタル人文学研究者のフレデリック・カプランは、二〇一四年の事例を挙げている。「土砂降り」を意味するフランス語の成句「Il pleut des cordes」（直訳「It rains ropes」）をグーグル翻訳にかけると、そのイタリア語訳として「Piove cani e gatti」（直訳「It rains cats and dogs」）が出力されたという。しかし、これでは意味が通じない。ここでは、明らかに英語というピボット（軸）を介して、度を越した比喩の拡張が行われていたのである。

とはいえ、英語よりも普遍的な言語がないわけではない。ウィーヴァーは一九五五年にこう書いている。「したがって、中国語をアラビア語に、あるいはロシア語をポルトガル語に翻訳するにあたって取るべき道は、塔から塔へと直接大声で呼びかけるような最短ルートを試みることではないように思われる。おそらく進むべき道は、各言語の塔をいったんくだり、人間のコミュニケーションの共通基盤である、存在するがまだ発見されていない普遍言語にまでおりていくことなのだ」。彼の言う普遍言語とは、思考の言語（メンタリーズ）を意味していたのかもしれない。人間の脳と機械の類似は、理論的なレベルにとどまらない。ソフトウェア開発者は、人間の脳内プロセスを模倣して、エンコーダー（原文をコンピューターが処理しやすいように特別に開発された形式言語、いわゆる「中間言語」に翻訳する仕組み）とデコーダーを組み合わせることを考え出した。極めて野心的な試みであるこの中間言語方式は、今はまだ小規模な試験段階にとどまっているが、それでもこの試みは、意味の普遍的表現の探求が生得言語（自然言語）から思考の言語（メンタリーズ）の機械版へと移ったことを物語っている。そして後者は、実現すればもはや外国語の学習がまったく不要になるような、翻訳の完全自動化を意図したものである。

　機械と人間が等しく直面する問題には、ほかにも多義性（ポリセミー）（意味論的あるいは統語論的な曖昧さの解消を必要とするもの）の問題がある。バー＝ヒレルは、機械翻訳の限界を痛烈に指摘した報告書の中で、「箱は〈pen〉の中にあった」という例文を使って、質の高い自動翻訳が実現不可能であることを論証した。バー＝ヒレルの主張に従えば、〈pen〉という英単語には、筆記用具のほかに囲いという意味もあるので、文脈によっては筋の通った文にもなりうるが、その確率をコンピューターが弾き出すことはできない。彼は正しかったが、それ以外のもっと予測しやすい文脈では、現在のアルゴリズムでも十分に対応が可能である。ポワボーは、「The motion fails（動議否決）」という別の例文を挙げている。一般的に〈motion〉に相当する可能性が最も高いフランス語は〈mouvement〉だが、この場合は、そこそこの性能のモデルであれば、「La mouvement est rejetée」を意味をなさない文として切り捨て、適訳の「La motion est rejetée」をきちんと選び出す。もっと曖昧な表現、たとえば「There was not a single man at the party（パーティーには独身男性／男性／参加者が一人もいなかった）」の場合は、確かに文脈が与えられなければ（あるいは文脈が与えられても）翻訳不可能だが、これは機械に限った話ではない。人間でも紛らわしい文章だと思う人が多いだろう。

翻訳に人間はかかわり続けられるか

抽象的な例文から現実的な問題に目を移すと、明らかに、機械はまだあらゆる面で人間の助けを必要としている。二〇一九年八月、フェイスブック（現メタ）は、ミャンマーに住むイスラム系少数民族ロヒンギャを標的とするビルマ語（ミャンマー語）の扇動的な投稿を阻止しなかったとして、国連の調査を受けた。民族的動機に基づく攻撃を受け、ロヒンギャは数十万人がミャンマーから逃れ難民となっている。ロヒンギャに対する「憎悪（ヘイト）を拡散しようとする人たちに好都合な手段」とみなされたフェイスブックに対する批判は、誤解を招く翻訳を提供したことにも向けられた。たとえば、あるビルマ語の投稿にはこう書かれていた。「ミャンマー国内で見かけた『カラー（kalar）』は皆殺しにせよ。一人として生かしておくな」。カラーとはロヒンギャの蔑称である。この文章をフェイスブックの翻訳機能を使って英訳すると、なぜだか原文とかけ離れた文章（I shouldn't have a rainbow in Myanmar）が表示された。同社は「デマやヘイトの防止対策が遅きに失した」ことを認め、ビルマ語の翻訳機能を削除したが、誤訳がソフトウェア自体の問題で生じたのか、人間の翻訳者が関与していたのかは今も明らかになっていない。

翻訳における未解決の課題についてはその数が多すぎるので、ここでそのすべてを検証するわけにはいかないが、そうした課題にはたして機械が少しでも人間よりうまく対処できるのかどうかを、いくつかの例を通して見ておきたい。言語学者のマーク・リバーマンは、自身のブログでこの問題を取り上げ、コンピューターが正しく翻訳できないものとして、代名詞、成句、常識の三つを挙げている。彼によると、フランス語の本を適当に開いたページで見つけた表現「on me pose un lapin

（待ちぼうけを食う）」をグーグル翻訳に入力すると、直訳調の英語が表示されたという。私も本校執筆時に同じことを試してみたところ、「I'm asked a rabbit」と出力された。また、『くまのプーさん』のハンガリー語版として有名な『Micimackó（ミツィマツコー）（くまのミツィさん）』については、アルゴリズムがきちんと対応し、原題の『Winnie the Pooh』が正しく表示される。罵倒語に目を向けると、グーグルはかなりの語彙の持ち主で、たとえば〈fuck〉と入力すると、そこそこの数の罵倒語を生成する。ダジャレについては予想通り無視されてしまう。とはいえ、これは人間の翻訳者も同じで、運や才能に恵まれない限り、適切に訳し切れるものではない。最後に、これはかなりの難関だが、機械は言葉遣い（レジスター）のレベルを区別できるだろうか。この章の冒頭で引いたトウェインの文章「But still he was lucky, uncommon lucky; he most always come out winner」を、グーグルで一度フランス語に訳してから英語に逆翻訳すると、「But he was still lucky, a rare chance; he comes out most often winner」となった。この本を読んでいるあなたが今、同じ実験をしたら、結果はおそらく違ったものになるだろう（学習データが増えるにつれて、アルゴリズムは絶えず変化し続ける）。もしかすると、定義にもよるが、その違いはコンピューターはすでに翻訳で人間を凌駕していると言ってもよいほど大きなものかもしれない。

翻訳者はまだ死んでいない

第四章で取り上げたルイジ・メナブレアは、一八四〇年にチャールズ・バベッジの「解析機関」についてこう書いていた。「これまでのところ、このような機械の多くに見られる主な難点は、その動作を制御するために絶えず人間が介入する必要があることだ」（エイダ・ラヴレス訳）。ある意味、人間と科学技術の関係は当時から大して変わっていない。今日、人工知能に関して最も大きな議論の的になっているのは、機械が本当に独自の知能を持ち、人間が教えていないことをできるかどうかだ。機械翻訳のこれまでの歩みから判断すると、今のところ、機械はまだ生みの親である人間の足跡をたどっているにすぎず、品質評価についても、その基準には明らかに人間がかかわっている。確かに、適切さや流暢さといった質的な特徴を数値化するためにさまざまなスコアが考案されており、それらのスコアに基づく評価方法も数多く存在している。それをもって「完全自動」評価を口にする支持者もいるが、実際には、どの評価方法にも、コンピューターが作成した翻訳と人間のプロ翻訳者による翻訳を比較する手順が含まれており、後者が最良の翻訳とみなされている。ポワボーは、自動化された部分について、〈評価に使われる情報の貧弱さ〉を指摘し、「文体や流暢さといった概念はおろか、文法性すらまったく考慮されていない」[2]と述べている。私はあるソフトウェアによって台無しにされた文書を長い時間をかけて修復した経験があるので、少なくとも今のところは、機械化反対運動家（ラッダイト）の肩を持ちたい。

　機械翻訳の品質評価には、もっと手軽な方法もある。それは、翻訳者（できれば初心者）に翻訳ソフトで作成された文章を後編集（ポストエディット）してもらい、その作業にかかった時間を記録することだ。人間の言語処理能力と関連させて品質を測定するこの方法も、かなり主観的な要素が強い。後編集（ポストエディット）をする人の経験値にかかわらず、ある人がある文章を推敲するのにどれだけの時間がかかるかは予想がつかない。同じことは完全自動化システムだけでなく、あらゆる翻訳支援ツールにも言える。翻訳者の中には、従来の作業方法のほうが結局は効率的だと考えて、テクノロジーを敬遠する人もいれば、タグ付けして保存してある文書を翻訳支援ツールで検索するなど、利用可能なリソースを積極的に活用する人もいる。また、自動翻訳を疫病のように忌み嫌う人もいれば、機械が翻訳した文書の多くは人間が翻訳したものより校正や後編集（ポストエディット）がしやすいと考える人もいる。機械翻訳の利点の一つに、機械が生み出すエラーは人間が犯すミスよりも発見しやすいということがある。機械によるエラーは、えてして意味をなさないチンプンカンプンなものになるからだ。機械が人間よりもはるかに広い知識を持っているのは事実だとしても、その広さに見合う深さを獲得しない限り、白旗を揚げるにはまだ早い。

通訳支援ツール（音声認識と機械翻訳を組み合わせて、訳語の提案やミスの修正のほか、数字を書き留めるなどの支援をリアルタイムで通訳者に提供するツール）については、開発がかなり遅れているのが現状である。だから、多くの通訳者がこの種のツールを敬遠するのも無理はない。ロボットがもうすぐ仕事を奪いに来るのではないかという不安はさておき、通訳者の間で最もよく耳にする懸念は、通訳支援ツール開発者が通訳者の実務をまったく理解していないのではないかということだ。同時通訳のように極度の緊張を強いられるプロセスでは、ツールに微調整を施すだけでも、そのたびに慣れる時間が必要になる。テクノロジーにはよくある話だが、新しいテクノロジーの導入に乗り気なのは、実際にテクノロジーを使う側ではなく、使わない側なのだ。二〇一八年、英国高等法院の首席裁判官が人間による法廷通訳は「数年」以内に廃れるだろうと予測した。その予測に疑念を抱く司法通訳者たちが「Replacing interpreters with technology will lead to miscarriages of justice（通訳者をテクノロジーに置き換えることは誤審につながる）」という文章をグーグル翻訳でいくつもの言語に翻訳し、それを英語に逆翻訳すると、彼らの懐疑論が理にかなっていることを示す十分な証拠が得られた。たとえば、ブルガリア語の場合は、「Replacing translators with technology will lead to a spontaneous assassination（翻訳者をテクノロジーに置き換えることは自発的な暗殺につながる）」と逆翻訳された（現在、この最後の部分は〈disputes over justice（正義をめぐる論争）〉と、多少マシな訳文になっている）。長期的な見通しはさておき、一つだけ確かなことがある。それは、どんな分野であれ、翻訳や通訳においてコンピューターを使うのは、プロ翻訳者・通訳者の支援のためであると同時に、特定の翻訳・通訳作業に人間の力がどの程度必要なのかを依頼者に判断してもらうためでもあるということだ。

　多言語によるウリポ実験に熱心なデレク・シリングは、ルールやアルゴリズムなど、プログラム可能なあらゆるものに対抗するために、文字落とし（リポグラム）で書かれたある論考の中で、こう述べている（原文では「e」が一切使われていない）。「翻訳は、データクランチングやスムーズな情報の流れ、回路トポロジー、入出力などとは関係がない。それは、バックライトに照らされたダイアログボックスに単語や単語の連なり、あるいは段落全体を入力して、ボタンを押せば『一丁上がり！』とすぐに満足のいく結果が得られるようなものではない。このような一般的理解とは別に、翻訳は幅広い歴史的重要性を持つ哲学的な概念であり、実践的な活動または職業であり、社会文化的な行為である」。実際、機械時代の到来は、むしろ翻訳の人間的性質を前面に押し出すことにしかならなかった。コンピューターはコンピューターで自分の仕事（何テラバイトものデータをしらみつぶしに調べて、人間がすでに何度も繰り返し言ってきた言葉を私たちに思い出させてくれる仕事など）をする一方で、人間は人間で自分の仕事を続けている。言葉というものが、適切と思われる単語を適切と思われる順序で並べるだけの代物になり下がる日が来ない限り、人が冗談や悪口を、お世辞や皮肉を、文字通りの意味かどうかもわからない曖昧な言葉を言ったり書いたりし続ける限り、そうしたすべてが人間のコミュニケーションからなくならない限り、トウェインの言葉をもじって言えば、翻訳者は死んだという噂はずいぶん誇張されている、と言っても差し支えないだろう〔トゥエインは、生前に間違えて死亡記事が掲載された際、「私が死んだという話はずいぶん誇張されている」と述べたという〕。

Acknowledgements 謝辞

本書は、この試みに関心を寄せてくれた仕事仲間や友人たちの励ましと助けがなければ、決して完成することはなかっただろう。幸い、私のそばには多くの優秀な翻訳者、作家、編集者、読者がいてくれた。その全員に心から感謝する。この企画を最初に思いつき、私の背中を押してくれたのは、編集者エド・レイクである。優秀な彼と一緒に仕事をするのは実に楽しかった。ヒュー・デイヴィスの賢明な原稿整理によって、本文は見違えるようによくなった。また、草稿を読んでくれた方々の意見や提案も、執筆の励みになった。クロエ・アリジス、フーマン・バレカット、ボリス・ドラリュク、デニス・ダンカン、ブリン・ゲッフェルト、マーク・ポリゾッティ、ローナ・スコット・フォックス、ヤスミン・シール、ニコラス・スパイス、アンドリュー・スティーヴンス、トム・ライト。本書の企画に先立ち、トマス・ジョーンズは、私のある論考に見事な編集を施し、『ロンドン・

レビュー・オブ・ブックス』誌に掲載してくれた（本書の第十一章）。本書の大半は図書館や資料館で書かれた。大英図書館とＳＯＡＳ図書館の常に親切なスタッフにも感謝の意を表する。彼らの仕事ぶりは、私の仕事の成就に欠かせないものだった。また、関連資料をご教示いただいた専門家の方々にも感謝している。おかげで、文献調査が大いにはかどった。アンドレス・カバイェロ、セルゲイ・チェルノフ、ハミド・イスマイロフ、ホーマ・カトウジアン、小山騰（のぼる）、ソー・メイヤー、ヴァーリャ・ナトール、ドナルド・レイフィールド。最後に、私は幸運にも、本書の主人公の何人かと直接話をすることができた。みな魅力的な人たちだった。わざわざ時間を割いて貴重なお話をしていただいたことに深くお礼申し上げる。ノーマン・トマス・ディ・ジョヴァンニ、ジョナサン・ダウニー、アタール・ハダリ、イヴァン・メルクムヤン、スティーヴン・パール、ティエリ・ポワボー、ラズ・モハマド・ポパル、ヴィクトル・プロコフィエフ、坂井裕美、エドナ・ウィール。

Notes on Sources 参考文献

本書はあくまで一般書であり、厳密な書誌情報は必要ないと考えた。以下、本書を書くにあたり参考にした主な資料を列挙するにとどめる。

序 章

広島に原爆が投下されるまでの経緯については、2011年に機密解除されたエドワード・ワイリーの報告書“The Uncertain Summer of 1945” (https://www.nsa.gov/news-features/declassified-documents/cryptologic-quarterly/assets/files/The_Uncertain_Summer_of_1945.pdf) にまとめられている。より詳しくは、John Toland, *The Rising Sun: The Decline and Fall of the Japanese Empire, 1936–1945* (New York, Random House, 1970) を参照のこと。

ホセ・オルテガ・イ・ガセット（José Ortega y Gasset）の論考“Misery y esplendor de la traducción”の英訳“The Misery and Splendour of Translation”, trans. Elizabeth Gamble Miller は Lawrence Venuti, ed., *The Translation Studies Reader* (London and New York, Routledge, 2000, pp. 49–63) に所収。エリオット・ワインバーガー（Eliot Weinberger）の講演“Anonymous Sources”, in Esther Allen and Susan Bernofsky, eds., *In Translation: Translators on Their Work and What It Means* (New York, Columbia University Press, 2013, pp. 17–30) は、翻訳について考える上で豊かな源泉になる。

ジョン・ドライデンの英訳版オウィディウス『書簡集』の序文は、https://www.gutenberg.org/files/54361/54361-h/54361-h.htm で読める〔大久保友博「近代英国翻訳論——解題と訳文 ジョン・ドライデン 前三篇」(『翻訳研究への招待』第七号、二〇一二)〕[1]。

第一章　世界を揺るがせる

ウィリアム・トーブマン（William Taubman）のピューリッツァー賞受賞の伝記 *Khrushchev: The Man and His Era* (New York, W. W. Norton, 2003) は、ソ連の指

導者フルシチョフと西側諸国との曖昧な関係についてのエピソードの宝庫である。フルシチョフが1960年の訪米時に行った演説の数々は、*Khrushchev in America* (New York, Crosscurrents Press, 1960) に収録されている。また、多くの雑誌や新聞にも掲載された。フルシチョフの訪米については、Peter Carlson, *K Blows Top* (New York, Public Affairs, 2009) が参考になる。通訳者たちの回顧録は以下のロシア語版で読める。Oleg Troyanovsky, *Through the Years and Distances* (*Через годы и расстояния/Cherez gody i rasstoyaniya*, Moscow, Vagrius, 1997)、Viktor Sukhodrev, *My Tongue Is My Friend* (*Язык мой — друг мой/Yazyk moĭ — drug moĭ*, Moscow, AST, 1999)。後者のタイトルは、「Язык мой — враг мой（My tongue is my enemy）」というロシアの諺（口は災いのもと）のもじり。

第二章　笑いの効用

エリツィン大統領とクリントン大統領が笑っている動画は、https://www.youtube.com/watch?v=mv7M0xmq6i0で視聴可能。David Bellos, *Is That a Fish in Your Ear? Translation and the Meaning of Everything* (London, Penguin, 2011)〔デイヴィッド・ベロス『耳のなかの魚——翻訳＝通訳をめぐる驚くべき冒険』松田憲次郎訳、水声社、二〇二一〕は、数十年の経験をもつ翻訳者によって書かれた、魅力的で有益な一冊。特にユーモアとダジャレに関する章は、とても愉快だ。翻訳の理論と実践に関するウンベルト・エーコ（Umberto Eco）の考察については、*Experiences in Translation*, trans. Alastair McEwen (Toronto, University of Toronto Press, 2001) を参照のこと。興味深い事例が満載で楽しめる。ウリポ活動の具体例については、Camille Bloomfield and Derek Schilling, eds., *Translating Constrained Literature* (*Modern Language Notes*, vol. 131, 4, 2016) が参考になる。

第三章　追従術

ジョーゼフ・ウォルフ（Joseph Wolff）のブハラ行については、*Narrative of a Mission to Bokhara in the Years 1843–1845, to Ascertain the Fate of Colonel Stoddart and Captain Conolly* (London, John W. Parker, 1846) にまとめられている。チャールズ・ストッダートの書簡や彼の投獄に関する情報については、"Papers Respecting the Detention of Lieutenant-Colonel Stoddart and Captain A. Conolly at Bokhara" (British government publication, 1839–44) に記されている。アーサー・コノリー（Arthur Conolly）は、旅行記 *Journey to the North of India, Overland from England, through Russia, Persia and Afghanistan* (London, Richard Bentley,

1838）を出版している。アレクサンダー・バーンズ（Alexander Burnes）の体験談は、ベストセラーとなった旅行記*Travels into Bokhara* (London, John Murray, 1834)にまとめられている。

アレクサンドル・グリボエードフの晩年は、ユーリ・ティニャノフ（Yury Tynyanov）の歴史小説*Смерть Вазир-Мухтара/Smert' Vazir-Mukhtara* (1927–28)の主題になっている。英訳は、*The Death of Vazir-Mukhtar*, trans. Anna Kurkina Rush and Christopher Rush (New York, Columbia University Press, 2021) 。グレートゲームについては、ハミド・イスマイロフ（Hamid Ismailov）のウズベク語の小説*The Devils' Dance*, trans. Donald Rayfield (Sheffield, Tilted Axis, 2018)に織り込まれている。この章で取り上げた歴史的事件を詳しく取り上げた本には、Peter Hopkirk, *The Great Game: On Secret Service in High Asia* (London, John Murray, 1990)〔ピーター・ホップカーク『ザ・グレート・ゲーム』京谷公雄訳、中央公論社、一九九二〕[1]やKarl E. Meyer and Shareen Blair Brysac, *Tournament of Shadows: The Great Game and the Race for Empire in Asia* (London, Little, Brown, 2001)などがある。

第四章　観測と解析

ジョヴァンニ・ヴィルジニオ・スキアパレッリ（Giovanni Virginio Schiaparelli）の著書、*Le opere di G. V. Schiaparelli* (Milano, U. Hoepli, 1930)と*Corrispondenza su Marte di Giovanni Virginio Schiaparelli* (Pisa, Domus Galilaeana, 1963)には、彼が発見した〈canali〉についての解釈が記されている。パーシヴァル・ローウェル（Percival Lowell）とのやりとりの一部は、Alessandro Manara and Franca Chlistovsky, "Giovanni Virginio Schiaparelli, Percival Lowell. Scambi epistolari inediti (1896–1910)" (*Nuncius*, vol. XIX, 1, 2004, pp. 251–96)にまとめられている。二人の協力関係については、Abbott Lawrence Lowell, *Biography of Percival Lowell* (New York, Macmillan, 1935)が第三者の視点から述べている。パーシヴァル・ローウェルは、*Mars* (Boston and New York, Houghton, Mifflin, 1895)、*Mars and Its Canals* (New York, Macmillan, 1906)、*Mars as the Abode of Life* (New York, Macmillan, 1908)で、火星には知的生命体が住んでいるとの説を展開している。それに対して、アルフレッド・ラッセル・ウォレス（Alfred Russel Wallace）は、*Is Mars Habitable?* (London, Macmillan, 1907)を書いて、ローウェルに異議を申し立てた。火星の「運河」論争については、William Sheehan, "Giovanni Schiaparelli: Visions of a Colour Blind Astronomer" (*Journal of the British Astronomical Association*, vol. 107, 1, 1997, pp. 11–15)にまとめられている。Elena

Canadelli, "'Some Curious Drawings'. Mars through Giovanni Schiaparelli's Eyes: Between Science and Fiction" (*Nuncius*, vol. XXIV, 2, 2009, pp. 439–64)は、スキアパレッリの観察についてさらに詳しく説明している。その他の雑多な事実については、Michael J. Crowe, *The Extraterrestrial Life Debate, 1750–1900* (Cambridge, CUP, 1986)やGeorge Basalla, *Civilised Life in the Universe* (Oxford, OUP, 2006)に記されている。

ルイジ・メナブレア(Luigi Menabrea)の論文"Notions sur la machine analytique de M. Charles Babbage"のエイダ・ラヴレス(Ada Lovelace)による翻訳の出来については、その翻訳"Sketch of the Analytical Engine Invented by Charles Babbage Esq. By L. F. Menabrea, of Turin, Officer of the Military Engineers, with Notes upon the Memoir by the Translator" (*Taylor's Scientific Memoirs*, vol. 3, 1843, pp. 666–731)自体が雄弁に物語っている。エイダの生涯と仕事についての全体像については、Dorothy Stein, *Ada: A Life and a Legacy* (Cambridge, MA, MIT Press, 1985)、Betty Toole, *Ada, The Enchantress of Numbers* (Moreton-in-Marsh, Strawberry Press, 1992)、Christopher Hollings, Ursula Martin and Adrian Rice, *Ada Lovelace: The Making of a Computer Scientist* (Oxford, Bodleian Library, 2018)を参照のこと。

〔大久保友博「近代英国翻訳論――解題と訳文 ジョン・ドライデン 前三篇」〕[2]

第五章　英語の宝物

ジョン・フローリオの著作については、モンテーニュ『エセー』の名高い翻訳 *The Essayes* (https://warburg.sas.ac.uk/pdf/ebh610b2456140A.pdf)や辞書 *A Worlde of Wordes* (https://archive.org/details/worldeofwordesor00flor)など、その多くがオンラインで閲覧できる。フランセス・A・イェイツ(Frances A. Yates)は *John Florio: The Life of an Italian in Shakespeare's England* (Cambridge, CUP, 1934)〔フランシス・イェイツ『ジョン・フローリオ――シェイクスピア時代のイングランドにおける一イタリア人の生涯』正岡和恵、二宮隆洋訳、中央公論新社、二〇一二〕[1]において、フローリオの上記の作品を含む多くの作品を詳細に分析した。また、F. O. Matthiessen, *Translation, an Elizabethan Art* (Cambridge, MA, Harvard University Press, 1931)も参考になる。ジョン・ドライデンの著作は、https://www.gutenberg.org/files/54361/54361-h/54361-h.htmで読める。

この章で取り上げた多くの歴史的事例(アドリアーン・クールバッハの話など)は、Peter Burke and R. Po-chia Hsia, eds., *Cultural Translation in Early Modern*

Europe, (Cambridge, CUP, 2007)から採った。ウンベルト・エーコの*Experiences in Translation*については、「参考文献」第二章を参照。

第六章　崇高な門

オスマン帝国御前会議の大ドラゴマン、アレクサンドロス・マヴロコルダトスの書簡は、ロンドン大学の東洋アフリカ研究学院（ＳＯＡＳ）図書館のパジェット文書の中に保管されている。彼の経歴については、Nestor Camariano *Alexandre Mavrocordato, le grand drogman: son activite diplomatique, 1673–1709* (Thessaloniki, Institute for Balkan Studies, 1970)で詳しく跡づけられている。マヴロコルダトスをはじめとするドラゴマンに関する情報は、他にも以下から得た。Dimitrie Cantemir, *The History of the Growth and Decay of the Othman Empire*, trans. N. Tindal (London, 1734)、Philip Mansel, *Constantinople: City of the World's Desire 1453–1924* (London, John Murray, 1995)、Christine M. Philliou, *Biography of an Empire: Governing Ottomans in an Age of Revolution* (Berkeley and London, University of California Press, 2011)、Damien Janos, "Panaiotis Nicousios and Alexander Mavrocordatos: The Rise of the Phanariots and the Office of Grand Dragoman in the Ottoman Administration in the Second Half of the Seventeenth Century" (*Archivum Ottomanicum*, vol. 23, 2005–06, pp. 177–96)。

ヴェネツィアの言語教育機関については、E・ナタリー・ロスマン（E. Natalie Rothman）が研究論文"Interpreting Dragomans: Boundaries and Crossings in the Early Modern Mediterranean" (*Comparative Studies in Society and History*, vol. 51, 4, 2009, pp. 771–800)で主題として扱っている。ドラゴマン自身の文書の例は、Tijana Krstic, "Of Translation and Empire: Sixteenth-Century Ottoman Interpreters as Renaissance Go-Betweens", in C. Woodhead, ed., *The Ottoman World* (London, Routledge, 2011, pp. 133–40)から借りた。Aykut Gürçağlar, "The Dragoman Who Commissioned His Own Portrait" in Zeynep Inankur et al. eds., *The Poetics and Politics of Place: Ottoman Istanbul and British Orientalism* (Istanbul, Suna and Inan Kirac Foundation Pera Museum, 2010, pp. 211–17)を読むと、ドラゴマンの衣装がうかがえる。オスマン帝国の通訳者の功罪については、Bernard Lewis, *From Babel to Dragomans: Interpreting the Middle East* (London and New York, OUP, 2004) や Alexander H. de Groot, "Dragomans' Careers: Change of Status in Some Families Connected with the British and Dutch Embassies in Istanbul 1785–1829", in Alastair Hamilton, Alexander de Groot and Maurits van den Boogert, eds., *Friends and Rivals in the East: Studies in Anglo-*

Dutch Relations in the Levant from the Seventeenth to the Early Nineteenth Century (Leiden, Brill, 2000, pp. 223–46) で論じられている。

第七章　不貞

この章の基礎となる議会審理の記録は、*The Whole Proceedings on the Trial of Her Majesty, Caroline Amelia Elizabeth, Queen of England, for "Adulterous Intercourse" with Bartolomeo Bergami: With Notes and Comments* と *The Important and Eventful Trial of Queen Caroline, Consort of George IV for "Adulterous Intercourse" with Bartolomeo Bergami* (London, John Fairburn, 1820) に掲載されている。*Satirical Songs, and Miscellaneous Papers, Connected with the Trial of Queen Caroline* (London, G. Smeeton, 1820) からも多くの情報が得られる。この裁判を現代的な視点から考察した本には、Roger Fulford, *The Trial of Queen Caroline* (London, B. T. Batsford, 1967) がある。Ruth Morris, "The Gum Syndrome: Predicaments in Court Interpreting" (*Forensic Linguistics: The International Journal of Speech, Language and the Law*, vol. 6, 2, 1999, pp. 1–29) は、言語学的観点から裁判を分析している。

デイヴィッド・ベロスの見解は『耳のなかの魚』[1] から引いた（「参考文献」第二章を参照）。ブライアン・フリール（Brian Friel）の戯曲 *Translations* (Faber and Faber)〔ブライアン・フリール『トランスレーションズ』清水重夫訳（『現代アイルランド演劇2　ブライアン・フリール』、新水社、一九九四）〕[2] は一九八一年に出版された。

第八章　ヒトラーの言葉の正確性

この章の歴史的資料の大部分を占める回顧録は、以下のとおり。Eugen Dollmann, *The Interpreter: Memoirs of Doktor Eugen Dollmann*, trans. J. Maxwell Brownjohn (London, Hutchinson, 1967)、Paul Schmidt, *Hitler's Interpreter*, trans. Alan Sutton (Stroud, The History Press, 2016)〔パウル・シュミット『外交舞台の脇役――ドイツ外務省首席通訳官の欧州政治家達との体験（1923－1945）』長野明訳、日本図書刊行会、一九九八〕、Arthur Herbert Birse, *Memoirs of an Interpreter* (London, Joseph, 1967)、Charles Bohlen, *Witness to History: 1929–1969* (New York, W. W. Norton, 1973)。独裁者の通訳に関する学術的研究には、Jesús Baigorri-Jalón, *From Paris to Nuremberg: The Birth of Conference Interpreting*, trans. Holly Mikkelson and Barry Slaughter Olsen (Amsterdam,

Benjamins Translation Library, 2014) がある（アンダイエのエピソードはここから採った）。ハンナ・アーレントの傍聴記事「エルサレムのアイヒマン」は『ニューヨーカー』誌の一九六三年二月八日号から連載され始めた〔ハンナ・アーレント『エルサレムのアイヒマン――悪の陳腐さについての報告』新版、大久保和郎訳、みすず書房、二〇一七〕。

第九章　小物

リチャード・ゾンネンフェルト（Richard Sonnenfeldt）の回顧録 *Witness to Nuremberg: The Many Lives of the Man Who Translated at the Nazi War Trials* (New York, Arcade, 2006) には、示唆に富む話が数多く記されている。アルフレッド・ステアやピーター・ウイベラルら通訳者の証言は、Hilary Gaskin, ed., *Eyewitnesses at Nuremberg* (London, Arms and Armour, 1990) で読める。通訳者ジークフリート・ラムラー（Siegfried Ramler）は、“Origins and Challenges of Simultaneous Interpretation: The Nuremberg Trial Experience”, in Deanna L. Hammond, ed., *Languages at Crossroads* (Medford, NJ, Learned Information, 1988, pp. 437–40) でニュルンベルク裁判を回想している。同時通訳システムの導入を含む、ニュルンベルク裁判のより広い全体像は、Ann and John Tusa, *The Nuremberg Trial* (London, Macmillan, 1983) に記されている。Francesca Gaiba, *The Origins of Simultaneous Interpretation: The Nuremberg Trial* (Ottawa, University of Ottawa Press, 1998)〔フランチェスカ・ガイバ『ニュルンベルク裁判の通訳』武田珂代子訳、みすず書房、二〇一三〕[1] は、この主題を詳しく取り上げている。

第十章　二人のラストドラゴマン

アンドリュー・ライアン（Andrew Ryan）の死から二年後、回顧録 *The Last of the Dragomans*, Reader Bullard, ed. (London, G. Bles, 1951) が出版された。Elizabeth Ozdalga, ed., *The Last Dragoman: Swedish Orientalist Johannes Kolmodin as Scholar, Activist and Diplomat* (London, I. B. Tauris, 2005) には、コンスタンティノープルのスウェーデン公使館におけるヨハネス・コルモディンの活動記録がまとめられている。青年トルコ党の出現とそれにともなうオスマン政府の危機については、William Mitchell Ramsay, *The Revolution in Constantinople and Turkey* (London, Hodder and Stoughton, 1909) を参照のこと。チャールズ・ダウティ＝ワイリーがアダナから送った報告書は、英国外務省のアー

カイブに保管されている(consular reports 48 and 83, 1909)。Peter Balakian, *The Burning Tigris: The Armenian Genocide and America's Response* (New York, HarperCollins, 2003)は、オスマン帝国によるアルメニア人虐殺事件を詳しく分析している。第一次世界大戦前のイギリスの対トルコ外交の失敗については、Philip Mansel, *Constantinople*で触れられている（「参考文献」第六章を参照）。

第十一章　「私の方が彼に近しいと思うのだが」

エドワード・フィッツジェラルド（Edward Fitzgerald）訳『ルバイヤート』には数多くの校訂版がある。Christopher Decker, ed., *Rubaiyat of Omar Khayyam*, (Charlottesville, VA, University of Virginia Press, 2008)は、その一つ。この翻訳が生まれた経緯については、*Letters of Edward FitzGerald* (London, Macmillan, 1901)で触れられている。より詳しくは、A. C. Benson, *English Men of Letters: Edward FitzGerald* (London, Macmillan, 1905) や Thomas Wright, *The Life of Edward FitzGerald* (London, Grant Richards, 1904)を参照のこと。

リチャード・バートン版『千夜一夜物語』は、http://www.burtoniana.org/で読める〔『バートン版 千夜一夜物語』大場正史訳、ちくま文庫（全十一巻）、二〇〇三〕[1]。このウェブサイトには、ほかにもThomas Wright, *The Life of Sir Richard Burton* (London, Everett, 1906)など、多くの伝記資料がまとめられている。Robert Irwin, *The Arabian Nights: A Companion* (London, Allen Lane, 1994)では、『千夜一夜物語』の各版が詳しく解説されている。コレット・コリガン（Colette Colligan）は、"'Esoteric Pornography': Sir Richard Burton's *Arabian Nights* and the Origins of Pornography" (*Victorian Review*, vol. 28, 2, 2002, pp. 31–64)で、バートン版の初期の受容について論じている。ヤスミン・シール（Yasmine Seale）による『千夜一夜物語』の新訳は、第一弾として、二〇一八年に*Aladdin* (New York, Liveright, 2018)が出版された。

詩の翻訳については、J. M. Cohen, *English Translators and Translations* (London, British Council, 1962) や Matthew Reynolds, *The Poetry of Translation: From Chaucer and Petrarch to Homer and Logue* (Oxford, OUP, 2011)で詳しく論じられている。オクタビオ・パス（Octavio Paz）の論考"Translation: Literature and Letters", trans. Irene del Corralは、Rainer Schulte and John Biguenet, eds., *Theories of Translation: An Anthology of Essays from Dryden to Derrida* (Chicago, University of Chicago Press, 1992, pp. 152–62)に収録されている。

エリオット・ワインバーガーの"Anonymous Sources"とジョン・ドライデンの英訳版オウィディウス『書簡集』の序文については、「参考文献」序章を参照。

エミリー・ウィルソンは、『ロンドン・レビュー・オブ・ブックス』誌の投稿記事（*London Review of Books*, vol.40, 9, 2018）で翻訳について考察している。

〔フリードリヒ・シュライアーマハー「翻訳のさまざまな方法について（ベルリン王立科学アカデミー講義 一八一三年六月二四日）」（三ツ木道夫編訳『思想としての翻訳——ゲーテからベンヤミン、ブロッホまで』、白水社、二〇〇八）〕[2]
〔J・L・ボルヘス「『千夜一夜物語』の翻訳者たち」（『永遠の歴史』土岐恒二訳、ちくま学芸文庫、二〇〇一）〕[3]
〔ウラジーミル・ナボコフ『ナボコフのロシア文学講義』上下、小笠原豊樹訳、河出文庫、二〇一三〕[4]
〔大久保友博「近代英国翻訳論——解題と訳文 ジョン・ドライデン前三篇」〕[5]

第十二章　ボルヘスの五十パーセント

ノーマン・トマス・ディ・ジョヴァンニ（Norman Thomas di Giovanni）がボルヘスとの思い出を綴った本には、*The Lesson of the Master: On Borges and His Work* (London, Continuum, 2003) と *Georgie and Elsa: Jorge Luis Borges and His Wife: The Untold Story* (London, Friday Project, 2014) がある。二人の共訳書は以下のとおり（悲しいかな、ほぼ絶版）。*The Aleph and Other Stories 1933–1969* (Boston, MA, Dutton, 1979)〔『アレフ』鼓直訳（スペイン語からの翻訳）、岩波文庫、二〇一七〕、*Doctor Brodie's Report* (London and New York, Penguin, 1992)〔『ブロディーの報告書』鼓直訳（スペイン語からの翻訳）、岩波文庫、二〇一二〕、*The Book of Imaginary Beings* (New York, Vintage, 2002)〔『幻獣辞典』柳瀬尚紀訳、河出文庫、二〇一五〕。ローレンス・ヴェヌティ（Lawrence Venuti）は *The Translator's Invisibility: A History of Translation* (London and New York, Routledge, 1995) で、多くの実例を挙げながら、文芸翻訳のさまざまなアプローチを考察している。エリオット・ワインバーガーの論考“Anonymous Sources”については、「参考文献」序章を参照。

〔J・L・ボルヘス「Everything and Nothing —— 全と無」、「ボルヘスとわたし」（『創造者』鼓直訳、岩波文庫、二〇〇九）〕[1]

第十三章　単語を変えるのはアリか？

聖ヒエロニムスの著作については、Daniel Weissbort and Astradur Eysteinsson,

eds., *Translation — Theory and Practice: A Historical Reader* (Oxford, OUP, 2006) に含まれるいくつかの論考の主題として論じられている。アン・エンライト（Anne Enright）は、“The Genesis of Blame” (*London Review of Books*, vol. 40, 5, 2018) で、ヒエロニムスの女性観を浮き彫りにしている。ジェーン・バー（Jane Barr）のバランスのとれた分析“The Vulgate Genesis and St. Jerome’s Attitudes to Women”は、Julia Bolton Holloway, Joan Bechtold and Constance S. Wright, eds., *Equally in God’s Image: Women in the Middle Ages* (New York, Peter Lang, 1990, pp. 122–28) に所収。

ユージン・A・ナイダは、聖書翻訳相談役としての経験を、Eugene A. Nida, *Fascinated by Languages* (Amsterdam and Philadelphia, John Benjamins, 2003) で語っている。マテオ・リッチの翻訳に対するアプローチについては、R. Po-chia Hsia, “The Catholic Mission and Translations in China, 1583–1700”, in *Cultural Translation in Early Modern Europe*, pp. 39–51（「参考文献」第五章を参照）にまとめられている。アドリアーン・クールバッハに関する逸話も同じ論文集から採った。リッチに関するさらなる情報については、Jonathan D. Spence, *The Memory Palace of Matteo Ricci* (London and Boston, Faber and Faber, 1985) と Mary Laven, *Mission to China: Matteo Ricci and the Jesuit Encounter with the East* (London, Faber and Faber, 2011) に詳しい。

〔高畑時子「ヒエロニュムス著『翻訳の最高種について』（書簡57『パンマキウス宛の手紙』）」（『近畿大学教養・外国語センター紀要・外国語編』六巻一号、二〇一五）〕[1]

第十四章　ジャーナレーション

この章の資料の多くは、さまざまな定期刊行物や私信から採った。冒頭の話は、Maria Lúcia Pallares-Burke, “*The Spectator*, or the Metamorphoses of the Periodical: A Study in Cultural Translation”, in *Cultural Translation in Early Modern Europe*, pp. 142–60（「参考文献」第五章を参照）に出てくる。イラン関連の事例は、ロバート・ホランドの“News Translation”, in C. Millán-Varela and F. Bartrina, eds., *The Routledge Handbook of Translation Studies* (London, Routledge, 2013, pp. 332–46) に引用されている。Roberto A. Valdeón, “Fifteen Years of Journalistic Translation Research and More” (*Perspectives: Studies in Translatology*, vol. 23, 4, 2015, pp. 634–62) には、翻訳におけるニュースの歴史的概観がまとめらている。ヴィクトル・ペレーヴィン（Victor Pelevin）の小説の

アンドリュー・ブロムフィールド（Andrew Bromfield）による英訳――イギリスでは、*Babylon* (London, Faber and Faber, 2001)〔〔ヴィクトル・ペレーヴィン『ジェネレーション〈P〉』東海晃久訳、河出書房新社、二〇一四〕〕として出版――は、ダジャレを翻訳するための実践的なガイドとして役に立つ。

第十五章　現地人との付き合い方

ディレシ事件については、Romilly Jenkins, *The Dilessi Murders* (Plymouth, Longmans, 1961)で詳しく分析されている。Ioannes Gennadius, *Notes on the Recent Murders by Brigands in Greece* (London, Cartwright, 1870)は、ギリシア側の視点から事件を語った当時の報告書。チャールズ・タッカーマン（Charles Tuckerman）の*Brigandage in Greece*, reprinted from *Papers Related to the Foreign Relations of the United States* (London, 1871)は、事件直後に書かれた論評の一つ。ディレシ事件に対するイギリスの反応と、タッカーマン論文のギリシア語訳者が行使した自由については、Rodanthi Tzanelli, "Unclaimed Colonies: Anglo–Greek Identities through the Prism of the Dilessi/Marathon Murders (1870)" (*Journal of Historical Sociology*, vol. 15, 2, 2002, 169–91)で検証されている。

ソロモン・ネギマの話は、Rachel Mairs and Maya Muratov, *Archaeologists, Tourists, Interpreters: Exploring Egypt and the Near East in the Late 19th — Early 20th Centuries* (London, Bloomsbury, 2015)の第六章に詳しく記されている。

第十六章　名を正す

義和団事件に関するA・ヘンリー・サヴェージ・ランドー（A. Henry Savage Landor）の記事は、*China and the Allies* (New York, Charles Scribner's Sons, 1901)にまとめられている。同じく、ロシアの記者ドミートリー・ヤンチェヴェツキー（Dmitry Yanchevetsky）の記事は、*У стен недвижного Китая / U sten nedvizhnago Kitaya* (1903)として出版された。英訳は拙訳で*By Never-Changing Cathay's Walls* (Amherst, MA, Amherst College Press)として出版予定。義和団事件以前の中国と西洋の関係については、William Gascoyne-Cecil, *Changing China* (New York, D. Appleton, 1912)に詳しい。Paul A. Cohen, *China and Christianity: The Missionary Movement and the Growth of Chinese Antiforeignism, 1860–1870* (Cambridge, MA, Harvard University Press, 1963)には、一八六〇年に締結された清仏北京条約についての学術的見解が示されている。Lane J. Harris, comp.,

The Peking Gazette: A Reader in Nineteenth-Century Chinese History (Leiden and Boston, Brill, 2018)には、十九世紀中国のニュース記事がまとめられている。Joseph Esherick, *The Origins of the Boxer Uprising* (Berkeley and LA, CA, University of California Press, 1987)は、19世紀後半から20世紀前半にかけての中国の内政や外国との交流について詳細に分析している。この主題に関する学術研究には、ほかにもDavid J. Silbey, *The Boxer Rebellion and the Great Game in China: A History* (New York, Farrar, Straus and Giroux, 2013)やPeter Harrington, *Peking 1900: The Boxer Rebellion* (Oxford, Osprey, 2013)などがある。

現代の従軍通訳者の実情については、一部は私が直接話を聞いた。残りは報道記事と、アンドレス・カバイェロ、ソフィアン・カーン監督のドキュメンタリー作品*The Interpreters* (2018)から採った。

第十七章　権限のある機関の義務

この章は主に、私が二〇一七年二月に『ロンドン・レビュー・オブ・ブックス』誌に寄稿した論考に基づいている（https://www.lrb.co.uk/blog/2017/february/shambles-in-court）。引用した他の事例は、イギリスや北米の報道記事から採った。ジョナサン・ダウニー（Jonathan Downie）は*Being a Successful Interpreter* (London, Routledge, 2016)で、通訳者として経験を語っている。彼の論考の一部はhttps://lifeinlincs.wordpress.com/author/integritylanguagesで読める。二〇一八年ブレグジット白書（英文）"The Future Relationship between the United Kingdom and the European Union"は、https://www.gov.uk/government/publications/the-future-relationship-between-the-united-kingdom-and-the-european-unionで読める。ジャン＝クロード・ユンケルが〈nébuleux〉という言葉を使用した際の本人のコメントは、https://www.bbc.co.uk/news/av/uk-politics-46572863/juncker-explains-nebulous-remarkで視聴できる。ロバート・ウォークデンの投稿記事（*London Review of Books*, vol.40, 22, 2018）は、全文を読む価値がある。

第十八章　非論理的要素

マーク・トウェイン（Mark Twain）の短編の三つの版は、*The Jumping Frog: In English, Then in French, Then Clawed Back into a Civilized Language Once More by Patient, Unremunerated Toil* (Harvard, Harper & Brothers, 1903)に収録されている〔オリジナル版の邦訳は、『ジム・スマイリーの跳び蛙――マーク・トウェイン傑

作選』（柴田元幸訳、新潮文庫、二〇一四）ほか〕［1］。この章でまとめた機械翻訳の歴史的および技術的情報のほとんどは、ティエリ・ポワボー（Thierry Poibeau）の好著*Machine Translation*, (Cambridge, MA and London, MIT Press, 2017)〔ティエリー・ポイボー『機械翻訳』高橋聡訳、森北出版、二〇二〇〕［2］から得た。AIの概観を知るには、Ian Goodfellow, Yoshua Bengio and Aaron Courville, *Deep Learning* (Cambridge, MA, MIT Press, 2016)〔『深層学習』松尾豊ほか監訳、ドワンゴ、二〇一八〕が参考になる。フレデリック・カプランのブログはhttps://fkaplan.wordpress.com、マーク・リバーマンのブログはhttps://languagelog.ldc.upenn.edu/nllで読める。デレク・シリングの文字落としによる論考Derek Schilling, “Translation as Total Social Fact and Scholarly Pursuit”は、*Translating Constrained Literature*, pp. 841–45（「参考文献」第二章を参照）に収録されている。

アンナ・アスラニアン　Anna Aslanyan
ジャーナリスト、翻訳家。『ガーディアン』や『タイムズ文芸付録』などに書籍やアート関連の記事を寄稿している。ロシア語の文学やノンフィクションを英訳しており、「Post-Post Soviet? Art, Politics and Society in Russia at the Turn of the Decade」などの英訳書がある。

小川浩一　Ogawa Koichi
1964年京都市生まれ。東京大学大学院総合文化研究科修士課程修了。英語とフランス語の翻訳を児童書から専門書まで幅広く手掛ける。主な訳書に、『アーティストのための形態学ノート』（青幻舎）、『GRAPHIC DESIGN THEORY』（ビー・エヌ・エヌ新社）、『いろんなたまご』（大日本絵画）、『ディープラーニング学習する機械』（講談社）、『軍事の科学』（ニュートンプレス）などがある。

生と死を分ける翻訳　聖書から機械翻訳まで

2024年2月23日　第1刷発行

著　者　アンナ・アスラニアン
訳　者　小川浩一
装幀者　上清涼太
発行者　碇高明
発行所　株式会社草思社
〒160-0022　東京都新宿区新宿1-10-1
電話　営業 03(4580)7676　編集 03(4580)7680
本文組版　上清涼太
本文印刷　株式会社三陽社
付物印刷　株式会社平河工業社
製本所　加藤製本株式会社
翻訳協力　株式会社トランネット

ISBN978-4-7942-2697-6　Printed in Japan
造本には十分配慮しておりますが、万一、乱丁、落丁、印刷不良などがございましたら、ご面倒ですが、小社営業部宛にお送りください。送料小社負担にてお取り替えさせていただきます。